「相続の諸手続きと届出がすべてわかる本」

'24～'25年版

◎弁護士

河原崎 弘 [監修]
Kawarazaki Hiroshi

JN006993

\改正/ **2024年4月1日施行**

❶ 相続登記の義務化
不動産の所有権取得を知った日から3年以内に申請！

●**相続で不動産の所有権を取得した相続人が対象**

　相続（遺言を含む）により不動産の所有権を取得した相続人は、自己のために相続の開始があったことを知り、かつ、その不動産の所有権を取得したことを知った日から**3年以内に相続登記の申請をすることが義務**づけられました。遺贈により所有権を取得した者も含まれます。

　施行日より前に開始した相続によって不動産を取得した場合であっても、相続登記をしていない場合は、相続登記の申請義務化の対象となり、2027（令和9）年3月31日までに相続登記をする義務があります。遺産分割が成立した場合は、遺産分割が成立した日から3年以内にその内容を踏まえた所有権の移転の登記を申請しなければなりません。

●**所有者不明の不動産の解消が義務化の背景**

　相続登記義務化の法改正が行われた背景には、遺産分割協議がまとまらない、相続関係が複雑である、連絡をとることができない等の理由で放置され、長期間、亡くなった方名義のままの不動産が多数存在しているという現状があります。**所有者不明の不動産は、活用されず（公共事業、災害復旧工事、民間取引等の妨げ）、管理もされず（老朽化し危険な建物の存在等）に、多くの問題の原因**となっています。

　遺産が未分割のまま長期間が経過すると、相次相続（最初の相続が終わったあとに続けて次の相続が発生すること）や数次相続（遺産分割中に次の相続が発生すること）が発生して相続財産の管理や処分が困難になり、所有者不明土地が発生する原因の1つとされてきました。早期の遺産分割請求を促し、所有者不明土地の発生を減らすための改正ともいえます。

　より早い遺産分割により所有者を明確にし、所有者不明土地の発生原因の約3分の2を占める相続登記の未了に対応するため、相続登記の申請が義務化されることになったのです。

　なお、2023（令和5）年4月27日から、所有者不明や管理させていない土地・建物を対象とした相続土地国庫帰属制度（114ページ参照）が開始されています。

●相続登記せずに放置した場合のデメリット

　正当な理由がないのに相続登記の申請義務を怠ったときは、**10万円以下の過料の適用対象**となります。

　期限までに相続登記できない場合は、「相続人申告登記」を行います。正式な相続登記ではないですが、とりあえず**過料を免れるための制度**です。その後、遺産分割協議などを行って相続人が確定したら、**その日から3年以内に正式な相続登記（名義変更）をすれば、相続人は義務を履行した**ことになります。

\改正/

❷ 【2024年3月1日施行】
戸籍謄本広域交付制度の開始
本籍地以外の市区町村の窓口でも戸籍証明書を請求できる！

　2024（令和6）年3月1日より、戸籍謄本の広域交付制度が始まり、**本籍地以外の市区町村の窓口でも、戸籍証明書・除籍証明書を請求できる**ようになりました。請求したい戸籍の本籍地が全国各地にあっても、1か所の市区町村の窓口でまとめて請求できます。

　広域交付の利用にあたっては、**相続人が最寄りの市区町村の窓口まで直接行くことになります**。広域交付の対象は、兄弟姉妹の戸籍を除く、コンピュータ化された戸籍です。戸籍の附票については広域交付制度の対象となっていないため、本籍地の市区町村の役所で取り寄せる必要があります。

\改正/

❸ 【2024年1月1日以後の相続、贈与から適用】
分譲マンションの評価方法の見直し
相続税評価額と市場価格の乖離を是正する施策！

　2024（令和6）年1月1日以後に相続、遺贈または贈与により取得した居住用の区分所有財産（分譲マンション）の評価は、次によることとされました。

改正前	区分所有権（建物）＋敷地利用権（土地）＝マンション1室の評価額
改正後	建物の相続税評価額×※区分所有補正率 ＋ 土地の相続税評価額×※区分所有補正率 ＝ マンション1室の評価額

※区分所有補正率は、築年数、総階数、所在階、敷地持分狭小度に基づいて補正率を算定する。

\改正/ **2024年1月1日以後の贈与から適用**

❹ 生前贈与の加算期間の延長
相続時精算課税制度では「110万円の基礎控除」が創設された！

（1）相続時精算課税の見直し（2024年1月1日以後の贈与または災害から適用）

★令和6年1月1日以後の贈与について、**暦年課税とは別途110万円の基礎控除が設定され**ました。

★**基礎控除は非課税**となり、相続税や贈与税も課税されません。

★相続税の課税価額に加算される価額は、**毎年の贈与財産の価額から基礎控除を控除した後の金額の合計額**です（2,500万円を超える部分については20％の税率で贈与税が課され、相続時に精算されます）。

★受贈した土地建物が相続税の申告期限までに災害により被害を受けた場合は、贈与財産の価額から**被害相当額を控除**します。

（2）暦年課税の持戻し期間の見直し（2024年1月1日以後の贈与から適用）

★令和6年1月1日以後の贈与について、**持戻し期間が3年から7年に延長**されました（令和5年までの贈与については3年間）。

★延長された4年間に受けた贈与財産については、**その合計額から100万円を控除した額を相続税の課税価額に加算**します。

暦年課税と相続時精算課税制度 どちらを選ぶ？

　税制改正後は、基礎控除額の年間110万円以下の贈与であれば、暦年課税よりも相続時精算課税制度を利用したほうが有利になるかもしれません。しかし、相続時精算課税制度を選ぶと暦年課税には戻せないことに注意する必要があります。

　暦年課税を適用する場合、1年間で贈与された金額が受贈者1人あたり110万円以下であれば贈与税はかかりません。長期にわたって財産を贈与できる人や相続人以外の受贈者が複数人いるときは、暦年課税を適用したほうが相続財産を圧縮しやすいでしょう。

　一方で、短期間に多額の財産を贈与したい場合や、将来的に価値が上がる財産を贈与するときなどは、相続時精算課税制度を適用したほうが有利になる場合があります。

　どちらが有利になるかは、資産状況、相続の発生時期、相続対策の内容によって変わります。家族構成や保有財産の状況などに応じて慎重に判断する必要があります。

現在継続中の期限付き税法（優遇措置）の改正等

\延長/

❶ 教育資金の一括贈与に係る贈与税の非課税制度

　　年齢が30歳未満で前年分の合計所得金額が1,000万円以下の者が、祖父母や父母など直系尊属から教育資金に充てるため一括で金銭等の贈与を受けた場合、1,500万円（学校以外のものは500万円）までの金額は非課税となる制度です。

　　教育資金贈与制度の適用期限が、2026（令和8）年3月31日まで延長されました。贈与者が亡くなったときの残額（教育資金として使いきれなかった金額、管理残高）に対しては相続税がかかります。

　　これまでは、受贈者が23歳未満か学校在学中または教育訓練給付金対象となる教育訓練を受けている場合、相続税の対象になりませんでした。しかし、改正により、受贈者がこの条件に該当しても**贈与者の相続財産の課税価格が5億円を超えると残額も課税対象**となりました。

　　また、受贈者が30歳になるなど教育資金管理契約が終了した場合において残額が発生した場合は、残額はすべて一般贈与財産として贈与税が課されますが、年齢に関係なく、**すべての人に一般税率が適用される**ことになりました。

\延長/

❷ 結婚・子育て資金の一括贈与に係る贈与税の非課税制度

　　18歳以上50歳未満で前年度分の合計所得が1,000万円以下の者が、祖父母や父母など直系尊属から結婚、子育て資金に充てるため一括して金銭等の贈与を受けた場合、1,000万円（結婚資金は300万円）までの金額が非課税となる制度です。

　　結婚・子育て資金贈与制度の適用期限が、2025（令和7）年3月31日まで延長されました。

　　改正により、**受贈者が50歳に達したときの残額については、一般贈与財産として一般税率を適用する**贈与税が課されます。

　　受贈者が贈与者の孫だった場合は、使い切れなかった残額分にかかる相続税は2割加算されるのでご注意ください。

\継続/

❸ 住宅取得資金に係る贈与税の非課税制度

　　2024（令和6）年1月1日以後、贈与により取得する住宅取得等資金に係る贈与税について、2026（令和8）年12月31日まで適用期限が延長されました。

CHECK❶
知っておきたい「相続」の基本

Q 相続で受け継がれるものは？

A 金銭や不動産だけでなく、借金も相続します

相続では、死亡した人の権利や義務などのすべてが、相続人に受け継がれます。現金や預貯金、不動産などのプラスの財産はもちろん、借金のようなマイナスの財産も相続するのです。プラスの財産よりもマイナスの財産が多い場合には、相続放棄や限定承認という方法もあります。

相続について➡ P28　相続放棄・限定承認について➡ P40

Q だれが相続人になるの？

A 配偶者と子は必ず相続人になります

相続人になるのは、死亡した人の配偶者(夫や妻)、子、直系尊属(両親や祖父母など)と兄弟姉妹です。ただし、直系尊属が相続人になるのは子がいない場合、兄弟姉妹が相続人になるのは子と直系尊属がいない場合です。ほかには、孫や甥・姪などが相続人になることもあります。

相続人について➡ P30

Q 相続人が複数いる場合はどうなるの？

A 相続人同士が話し合って遺産を分割します

相続人がひとりだけの場合は、その人が死亡した人のすべての財産を相続します。しかし、相続人が複数いる場合には、相続人同士の話し合いによって、遺産分割をしなければなりません。話し合いがまとまらない場合には、家庭裁判所で行われる遺産分割調停などを利用します。

遺産分割について➡ P36　遺産分割調停について➡ P96

人生でだれもが経験するのが、「相続」です。突然その日がやってきてもあわてないために、まず相続の基本を知っておきましょう。

 遺言書はどんな場合に必要なの？

 円満な相続を行うために必要です

遺言書のおもな目的は、相続を巡る争いを防止することです。たとえば、自分の死後に配偶者だけに全財産を残したい場合などは、遺言書を書くのが有効です。なお、遺言書の書き方は法律で決められており、それを守らないと法律上の効力が生じないので、注意が必要です。

遺言書について➡ P198・P200

 相続税はどんな場合に支払うの？

 一定額以上の財産を相続した場合に支払います

相続によって財産を得た人は、相続税を納めなければなりません。ただし、相続税を支払うのは、遺産の総額が基礎控除額という一定の額を超えた場合です。相続人がひとりの場合の基礎控除額は3,600万円で、相続人が多ければ基礎控除額は大きくなります。

相続税について➡ P120　基礎控除額について➡ P120

 将来の相続に備えて生前にできることは？

 遺言書の作成や、相続税の節税対策ができます

相続に関する争いを防ぎたい場合や、特定の人に遺贈を行いたい場合は、遺言書を書くことがいちばん重要です。また、相続税を節税するためには、生命保険の契約や生前贈与の活用など、さまざまな相続税対策が考えられます。

遺言書について➡ P198・P200　相続税対策について➡ P202　生前贈与について➡ P208

ひと目でわかる 相続の手続き

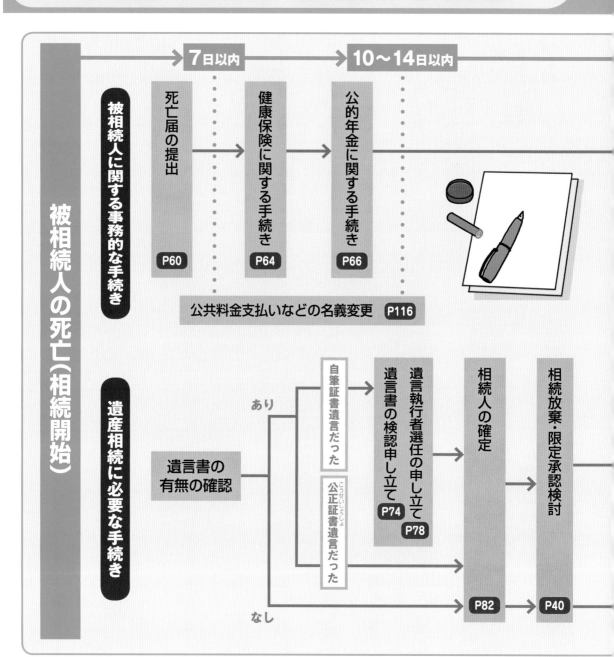

被相続人の死亡（相続開始）

被相続人に関する事務的な手続き

| 7日以内 | 10〜14日以内 |

死亡届の提出 **P60**

健康保険に関する手続き **P64**

公的年金に関する手続き **P66**

公共料金支払いなどの名義変更 **P116**

遺産相続に必要な手続き

遺言書の有無の確認

あり

自筆証書遺言だった

公正証書遺言だった

なし

遺言書の検認申し立て **P74**

遺言執行者選任の申し立て **P78**

相続人の確定 **P82**

相続放棄・限定承認検討 **P40**

人が死亡すると、残された家族はさまざまな手続きをしなければなりません。市町村役場へ
の届け出や、遺産相続の手順について、整理しておきましょう。

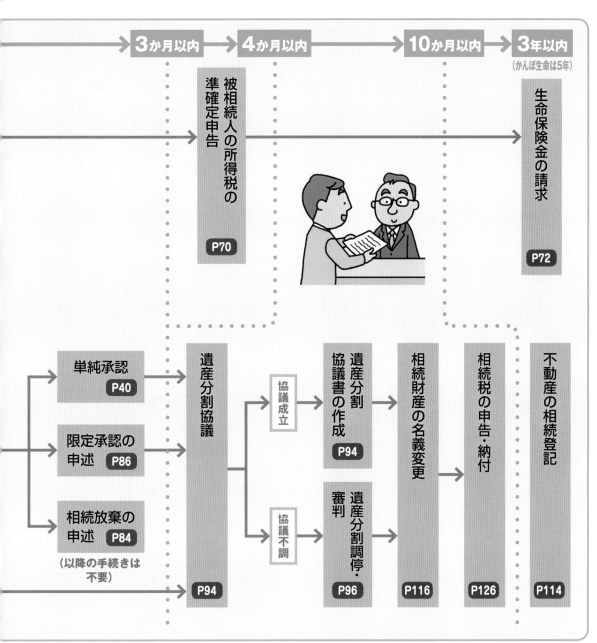

	3か月以内	4か月以内		10か月以内	3年以内
					（かんぽ生命は5年）

被相続人の所得税の準確定申告 **P70**

生命保険金の請求 **P72**

単純承認 **P40**

限定承認の申述 **P86**

相続放棄の申述 **P84**
（以降の手続きは不要）

遺産分割協議 **P94**

協議成立

協議不調

遺産分割協議書の作成 **P94**

遺産分割調停・審判 **P96**

相続財産の名義変更 **P116**

相続税の申告・納付 **P126**

不動産の相続登記 **P114**

★ここで示した手続きの時期は目安です。正確な手続きの期限は、
本文の指定ページでご確認ください

家族構成別 相続人になるのはこの人！

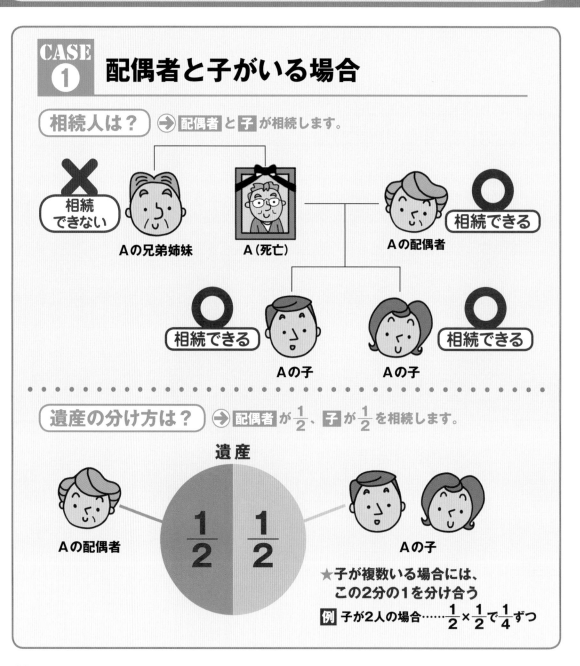

CASE① 配偶者と子がいる場合

相続人は？ → **配偶者** と **子** が相続します。

- 相続できない … Aの兄弟姉妹
- A（死亡）
- 相続できる … Aの配偶者
- 相続できる … Aの子
- 相続できる … Aの子

遺産の分け方は？ → **配偶者** が $\frac{1}{2}$、**子** が $\frac{1}{2}$ を相続します。

遺産

Aの配偶者 … $\frac{1}{2}$

Aの子 … $\frac{1}{2}$

★子が複数いる場合には、この2分の1を分け合う

例 子が2人の場合……$\frac{1}{2} \times \frac{1}{2}$ で $\frac{1}{4}$ ずつ

死亡した人の親族であれば、だれでも相続人になれるというわけではありません。一般的な家族構成のパターン別に、だれが相続人になるのかを確認しておきましょう。

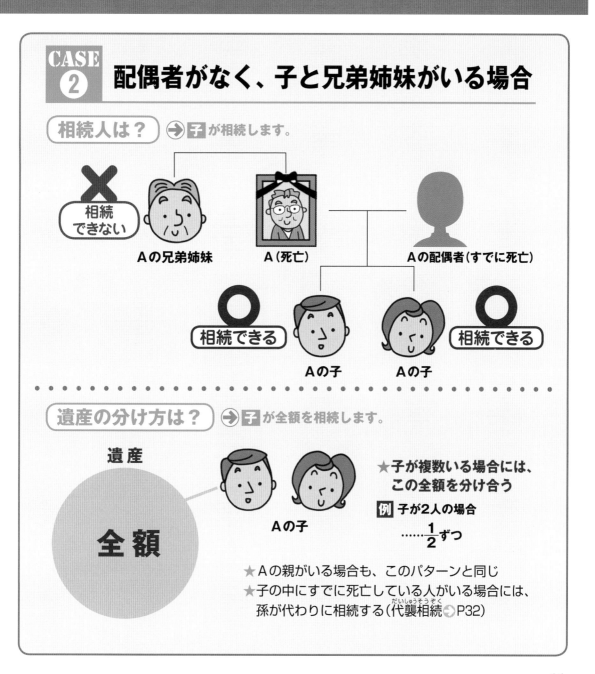

CASE ② 配偶者がなく、子と兄弟姉妹がいる場合

相続人は？ → 子 が相続します。

✕ 相続できない　Aの兄弟姉妹

A（死亡）

Aの配偶者（すでに死亡）

○ 相続できる

Aの子　Aの子

○ 相続できる

遺産の分け方は？ → 子 が全額を相続します。

遺産

全額

Aの子

★子が複数いる場合には、この全額を分け合う

例 子が2人の場合
……$\frac{1}{2}$ずつ

★Aの親がいる場合も、このパターンと同じ
★子の中にすでに死亡している人がいる場合には、孫が代わりに相続する（代襲相続 → P32）

子がなく、配偶者と親がいる場合

相続人は？ ➡ **配偶者** と **親** が相続します。

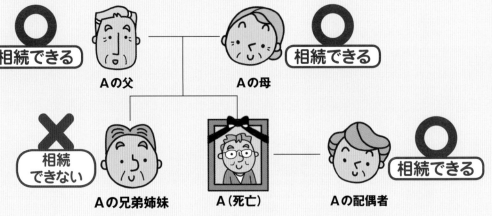

相続できる Aの父 ― Aの母 **相続できる**

✕ 相続できない Aの兄弟姉妹 ― A（死亡） ― Aの配偶者 **相続できる**

- -

遺産の分け方は？ ➡ **配偶者** が $\frac{2}{3}$ 、**親** が $\frac{1}{3}$ を相続します。

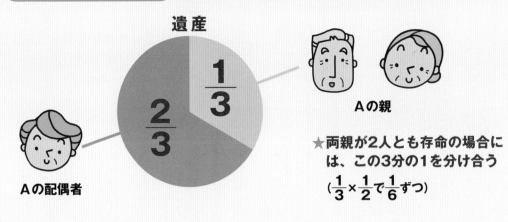

遺産

$\frac{1}{3}$ Aの親

$\frac{2}{3}$ Aの配偶者

★両親が2人とも存命の場合には、この3分の1を分け合う（$\frac{1}{3} \times \frac{1}{2}$ で $\frac{1}{6}$ ずつ）

CASE ④ 親と子がなく、配偶者と兄弟姉妹がいる場合

相続人は？ ➡ 配偶者 と 兄弟姉妹 が相続します。

相続できる　Aの兄弟姉妹　A（死亡）　Aの配偶者　相続できる

遺産の分け方は？ ➡ 配偶者 が $\frac{3}{4}$、兄弟姉妹 が $\frac{1}{4}$ を相続します。

遺産

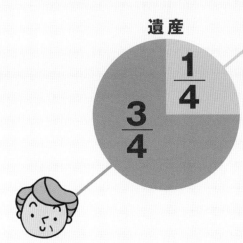

Aの兄弟姉妹

$\frac{1}{4}$

$\frac{3}{4}$

Aの配偶者

★兄弟姉妹が複数いる場合には、この4分の1を分け合う

例 兄弟姉妹が2人の場合

……$\frac{1}{4} × \frac{1}{2}$ で $\frac{1}{8}$ ずつ

★兄弟姉妹の中にすでに死亡している人がいる場合には、兄弟姉妹の子が代わりに相続する（代襲相続➡P32）

ひと目でわかる 相続税の納付

STEP❶
相続財産を評価する

財産の種類

● 宅地 ➡ **P132・P142**
● 農地・山林 ➡ **P136**

● 家屋 ➡ **P134**

● 預貯金・動産・貸付金
　など ➡ **P156**
● 現金 ➡ **P38**

ほかに、借地権(P138)、貸宅地・貸家建付地(P140)、生命保険・定期金(P144)、上場株式・気配相場等のある株式(P146)、取引相場のない株式(P148)、公社債(P152)、ゴルフ会員権・書画・骨董品(P154)

STEP❷
相続税を計算する

相続税の計算は、次の4段階に分けられます。

第1段階 「各人の課税価格」を計算する(P16)

第2段階 「課税遺産総額」を計算する(P17)

第3段階 「相続税総額」を計算する(P18)

第4段階 「各人の納付すべき相続税額」を計算する(P19)

相続税の計算についてはP16～P20で解説します。

相続税を計算するには、相続財産にどのくらいの価値があるのかを知らなければなりません。
財産の種類によって評価方法は違います。

●相続税額の目安

令和6年6月現在

相続人＼遺産の価額		6,000万円	8,000万円	1億円	2億円	3億円	5億円
配偶者と子1人の場合	配偶者	0万円	0万円	0万円	0万円	0万円	0万円
	子	90万円	235万円	385万円	1,670万円	3,460万円	7,605万円
配偶者と子2人の場合	配偶者	0万円	0万円	0万円	0万円	0万円	0万円
	子	30万円	88万円	158万円	675万円	1,430万円	3,278万円
	子	30万円	88万円	158万円	675万円	1,430万円	3,278万円
配偶者と子3人の場合	配偶者	0万円	0万円	0万円	0万円	0万円	0万円
	子	10万円	47万円	88万円	406万円	847万円	1,988万円
	子	10万円	47万円	88万円	406万円	847万円	1,988万円
	子	10万円	47万円	88万円	406万円	847万円	1,988万円
配偶者と子4人の場合	配偶者	0万円	0万円	0万円	0万円	0万円	0万円
	子	0万円	25万円	57万円	282万円	588万円	1,375万円
	子	0万円	25万円	57万円	282万円	588万円	1,375万円
	子	0万円	25万円	57万円	282万円	588万円	1,375万円
	子	0万円	25万円	57万円	282万円	588万円	1,375万円

（1万円未満四捨五入／法定相続分にしたがって遺産を取得し、配偶者の税額軽減を適用した場合）

STEP❸

相続税の申告書を作成する
（P170～P185）

相続税の申告書

STEP❹

相続税を納付する

★相続税を期限内に支払えない場合には、延納（P186）や
物納（P188）も検討する

すぐにできる 相続税の計算

第1段階 「各人の課税価格」を計算する

相続・遺贈によって 取得した財産の価額	＋	「みなし相続 財産」の価額	－	非課税財産 の価額	－	債務・葬式 費用の金額

＋ 被相続人からの3年以内
の贈与財産の金額　＝　各人の課税価格

↑ ここまででマイナスの場合にはゼロとする

＊2024年1月1日以後の贈与から改正あり（P4）

「相続時精算課税に係る贈与」（P212）によって取得した財産があれば、その価額を加算する

財産取得者名

A

```
┌─ 本来の財産 ─┐    ┌─ みなし相続財産 ─┐    ┌─ 非課税財産 ─┐    ┌─ 債務・葬式費用 ─┐
│          円│ ＋ │           円│ － │        円│ － │          円│

┌─ 3年以内の贈与財産 ─┐
＋ │            円│ ＝ [              ] 円
```

B

```
┌─ 本来の財産 ─┐    ┌─ みなし相続財産 ─┐    ┌─ 非課税財産 ─┐    ┌─ 債務・葬式費用 ─┐
│          円│ ＋ │           円│ － │        円│ － │          円│

┌─ 3年以内の贈与財産 ─┐
＋ │            円│ ＝ [              ] 円
```

C

```
┌─ 本来の財産 ─┐    ┌─ みなし相続財産 ─┐    ┌─ 非課税財産 ─┐    ┌─ 債務・葬式費用 ─┐
│          円│ ＋ │           円│ － │        円│ － │          円│

┌─ 3年以内の贈与財産 ─┐
＋ │            円│ ＝ [              ] 円
```

D

```
┌─ 本来の財産 ─┐    ┌─ みなし相続財産 ─┐    ┌─ 非課税財産 ─┐    ┌─ 債務・葬式費用 ─┐
│          円│ ＋ │           円│ － │        円│ － │          円│

┌─ 3年以内の贈与財産 ─┐
＋ │            円│ ＝ [              ] 円
```

相続財産の評価ができたら、次の相続税計算シートを使って、実際の相続税額を計算してみましょう。計算方法は全部で4段階あります。

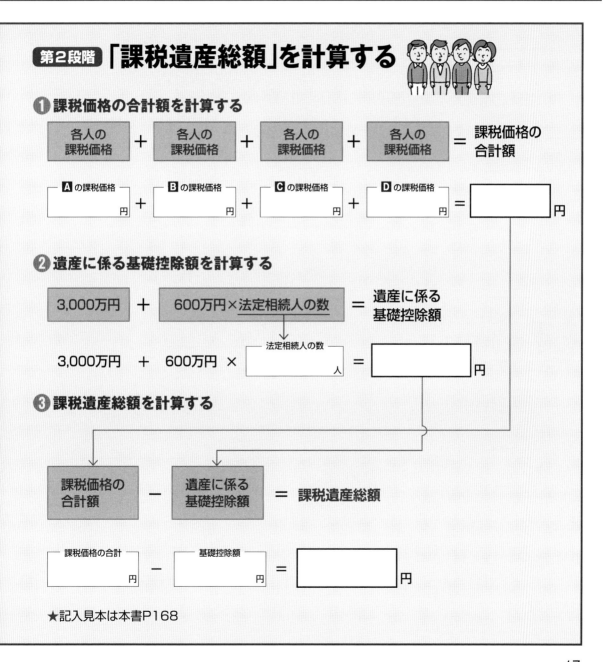

第2段階 「課税遺産総額」を計算する

① 課税価格の合計額を計算する

| 各人の課税価格 | + | 各人の課税価格 | + | 各人の課税価格 | + | 各人の課税価格 | = | 課税価格の合計額 |

┌ Ⓐ の課税価格 ┐ + ┌ Ⓑ の課税価格 ┐ + ┌ Ⓒ の課税価格 ┐ + ┌ Ⓓ の課税価格 ┐ = [   ]
         円   円   円   円   円

② 遺産に係る基礎控除額を計算する

| 3,000万円 | + | 600万円×法定相続人の数 | = | 遺産に係る基礎控除額 |

3,000万円 + 600万円 × ┌ 法定相続人の数 ┐ = [   ]
                    人   円

③ 課税遺産総額を計算する

| 課税価格の合計額 | − | 遺産に係る基礎控除額 | = | 課税遺産総額 |

┌ 課税価格の合計 ┐ − ┌ 基礎控除額 ┐ = [   ]
       円   円   円

★記入見本は本書P168

17

第3段階 「相続税総額」を計算する

① 各法定相続人の法定相続分に応じた取得金額を計算する

課税遺産総額 × 各法定相続人の法定相続分 = 各法定相続人の法定相続分に応じた取得金額

法定相続人名

A ＿＿＿＿＿
課税遺産総額 〔 〕円 × 法定相続分 〔 ─── 〕 = 〔 〕円

B ＿＿＿＿＿
課税遺産総額 〔 〕円 × 法定相続分 〔 ─── 〕 = 〔 〕円

C ＿＿＿＿＿
課税遺産総額 〔 〕円 × 法定相続分 〔 ─── 〕 = 〔 〕円

D ＿＿＿＿＿
課税遺産総額 〔 〕円 × 法定相続分 〔 ─── 〕 = 〔 〕円

② 各法定相続人の税額を計算する

各法定相続人の法定相続分に応じた取得金額 × 相続税率 − 控除額 = 各法定相続人の税額

P162

法定相続人名

A ＿＿＿＿＿
A の取得金額 〔 〕円 × 相続税率 0.＿＿ − 控除額 〔 〕円 = 〔 〕円

B ＿＿＿＿＿
B の取得金額 〔 〕円 × 相続税率 0.＿＿ − 控除額 〔 〕円 = 〔 〕円

C ＿＿＿＿＿
C の取得金額 〔 〕円 × 相続税率 0.＿＿ − 控除額 〔 〕円 = 〔 〕円

D ＿＿＿＿＿
D の取得金額 〔 〕円 × 相続税率 0.＿＿ − 控除額 〔 〕円 = 〔 〕円

❸ **相続税総額を計算する**

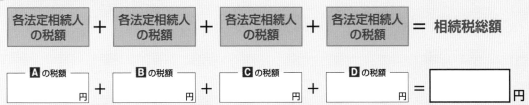

| 各法定相続人の税額 | + | 各法定相続人の税額 | + | 各法定相続人の税額 | + | 各法定相続人の税額 | = | 相続税総額 |

| Ⓐの税額 ___ 円 | + | Ⓑの税額 ___ 円 | + | Ⓒの税額 ___ 円 | + | Ⓓの税額 ___ 円 | = | ___ 円 |

第4段階 「各人の納付すべき相続税額」を計算する

❶ **各人の相続税額を計算する**

| 相続税総額 | × | 各人の課税価格÷課税価格の合計額 | = | 各人の相続税額 |

┗━ P16「第1段階」より　　　┗━ P17「第2段階」❶より

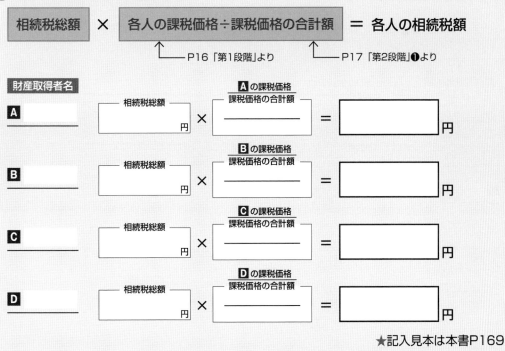

財産取得者名				
Ⓐ	相続税総額 ___ 円	×	Ⓐの課税価格 / 課税価格の合計額	= ___ 円
Ⓑ	相続税総額 ___ 円	×	Ⓑの課税価格 / 課税価格の合計額	= ___ 円
Ⓒ	相続税総額 ___ 円	×	Ⓒの課税価格 / 課税価格の合計額	= ___ 円
Ⓓ	相続税総額 ___ 円	×	Ⓓの課税価格 / 課税価格の合計額	= ___ 円

★記入見本は本書P169

❷ 必要があれば 2 割加算を行う

| 各人の相続税額 | + | 各人の相続税額×0.2 | = | 2割加算が必要な相続人の相続税額 |

財産取得者名

☐ _____　相続税額 [　　　] 円 + 相続税額 [　　　] 円 × 0.2 = [　　　] 円

☐ _____　相続税額 [　　　] 円 + 相続税額 [　　　] 円 × 0.2 = [　　　] 円

＊2割加算 ➡P165

❸ 税額控除があれば行う

| 各人の相続税額
（2割加算があればその額を加えた額） | − | 税額控除額 | = | 各人の納付すべき相続税額 |

財産取得者名

☐ _____　相続税額 [　　　] 円 − 税額控除額 [　　　] 円 = [　　　] 円

☐ _____　相続税額 [　　　] 円 − 税額控除額 [　　　] 円 = [　　　] 円

☐ _____　相続税額 [　　　] 円 − 税額控除額 [　　　] 円 = [　　　] 円

☐ _____　相続税額 [　　　] 円 − 税額控除額 [　　　] 円 = [　　　] 円

＊税額控除 ➡P166～P167

★記入見本は本書P169

大切な家族にきちんと財産を残すために

　「一生かけて獲得した財産を家族に残したい」というのは、人として自然な欲求であり、資本主義にかなった行いだといってよいでしょう。しかし、相続は、不平等の根源との意見もあります。民法の相続の規定は、死亡した人の自己の財産処分の権利と、相続人の権利との調和を図っています。

　平成27年1月1日から基礎控除額が大幅に引き下げられ、とくに、首都圏に住んで家や土地を所有している場合は、相続税の課税対象となる人が増えています。

　平成30年7月6日、「民法及び家事事件手続法の一部を改正する法律（平成30年法律第72号）」が成立しました（同年7月13日公布）。

　民法のうち相続法の分野については、昭和55年以来、実質的に大きな見直しはされてきませんでしたが、その間にも、社会の高齢化がさらに進展し、相続開始時における配偶者の年齢も相対的に高齢化しているため、その保護の必要性が高まっていました。相続法の見直しは、このような社会経済情勢の変化に対応するものであり、残された配偶者の生活に配慮する等の観点から、配偶者居住権など配偶者の居住の権利を保護するための方策など、多岐にわたる改正項目が盛り込まれています。

　本年度の税制改正では、相続により不動産の所有権を取得した相続人は相続登記の申請をすることが義務づけられました。また、暦年課税制度と相続時精算課税制度が変わり、相続税と贈与税の一体化が行われました。

　本書は、死亡後の手続きや遺産分割の方法、さらには相続税の計算、生前対策についても、できるだけわかりやすく解説しました。相続にあたって必要となる、各種書式の作成見本も多数紹介しましたので、スムーズに手続きを進めるために、役立てていただけるものと思います。

　本書の刊行に際し、税理士の上杉正一さん、鈴木健一さんに多大なご尽力をいただきました。心から感謝いたします。

弁護士　河原崎　弘

Contents

第1章 相続の基本知識

Contents

第6章 生前対策ガイド

●各地の裁判所の所在地・電話番号等一覧
　https://www.courts.go.jp/courthouse/map_tel/index.
　html
●全国公証役場所在地一覧
　http://www.koshonin.gr.jp/list
●日本弁護士連合会
　https://www.nichibenren.or.jp
●日本税理士会連合会
　https://www.nichizeiren.or.jp

書式作成見本

- 本書は原則として2024年6月末日時点の情報に基づいています。
- 本書で使用している申告用紙等は、原則として2024年6月末日現在のものです。変更される場合がありますのでご注意ください。

相続の基本知識

相続の対象となる財産の種類や、相続人の範囲については、法律で定められています。円満に相続を行うためには、まず相続の基本知識を身につけておきましょう。

相続の基本的なルールを理解しておこう

相続の対象となるもの、ならないものはそれぞれ何でしょうか。相続の基本ルールをしっかりと理解しておきましょう。

ここをチェック！
● 死亡した人の権利や義務を一括して受け継ぐ
● プラスの財産だけでなく、借金も受け継がなければならない

死亡した人の権利・義務をまとめて受け継ぐのが相続

相続とは、**人が死亡したときに、その人のすべての権利や義務、または法的地位を、特定の人がまとめて引き継ぐこと**です。

たとえば、太郎が持家と土地、現金5,000万円、S社の株、500万円の**貸金債権***を残して死亡し、息子の一郎だけが相続したとします。一郎は、これらの財産や権利のうち、持家だけ、現金5,000万円だけ、または500万円の貸金債権だけ、などと一部に限定して受け継ぐことはできません。すべての財産、債権を一括して受け継がなければならないのです。

相続するときに気をつけなければならないのは、上記の例のような**プラスの財産や権利だけではなく、借金のようなマイナスの財産や義務も、受け継がなければならない**ということです。

たとえば、太郎が1,000万円の債務を負っていたとしたら、相続した人は原則として、その1,000万円の借金を返さなければなりません。ただし、あとで解説しますが、このような場合でも、1,000万円の借金を返さなくてもすむ方法があります（相続放棄・限定承認→40ページ参照）。

相続の対象とならない権利もある

相続の対象となる権利や義務、法的地位にはさまざまなものがあります。たとえば、上記の太郎が交通事故にあっていた場合には、加害者に損害賠償を請求する権利も、相続した人が受け継ぎます。

ただし、死亡した人が生前に行使するのが適切とみなされる権利は、相続の対象となりません。たとえば、親が子に扶養してもらう権利などは相続されないのです。

相続の具体的なルールについては、民法の**相続法***で定められています。相続法では、遺産を残した人、上記の例でいうと太郎を**被相続人**、遺産を相続する人、上記の例でいうと一郎を**相続人**といいます。

もっと詳しく！
貸金債権*
お金を貸している人が、貸した相手からお金を返してもらう権利。左の例でいうと、太郎が貸した500万円を相手から返してもらう権利のこと。

もっと詳しく！
相続法*
民法のなかで「第5編 相続」という見出しがつけられた部分。条文でいうと、882条から1050条まで。

相続では財産が一括して受け継がれる

父の太郎が死亡し、息子の一郎だけが相続した場合、太郎の財産はすべて一郎の財産となります。

山川太郎
（父・被相続人）

山川一郎
（子・相続人）

太郎の財産

| 家 | 土地 | 株式 | 現金 |

貸金債権は現金に含む

一郎の財産

| 家 | 土地 | 株式 | 現金 |

★相続人が複数いる場合には、遺産分割によって財産を分ける（36ページ参照）

相続では借金も受け継がれる

父の太郎が良夫に1,000万円を返さないうちに死亡し、息子の一郎だけ相続した場合は、太郎の良夫に対する1,000万円の借金も相続したことになります。

太郎は良夫から1,000万円を借りた

太郎が1,000万円を返さないうちに死亡し、一郎は1,000万円の借金を相続した

一郎は良夫に1,000万円を返済しなければならない

★借金を相続したくない場合には、相続放棄を行う（40ページ参照）

相続人の範囲は法律で定められている

だれが遺産を相続できるのかは、法律で定められています。まず、配偶者と子、両親、兄弟姉妹が相続人になる場合について理解しましょう。

配偶者と子は常に相続人になれる

優先的に相続人になれる人のことを、推定相続人*といいます。まず、被相続人の配偶者、つまり夫や妻は、常に相続人になることができます。ただし、あくまでも法律上の婚姻関係にある配偶者に限られ、内縁関係の夫や妻は相続人にはなれません。

次に、被相続人の子も、実子か養子かを問わず、常に相続人になれます。非嫡出子*でも相続することができ、相続できる財産の割合も、平成25年12月から同等になりました（34ページ参照）。

また、被相続人が死亡したときには胎児だった被相続人の子も、死産にならずに生まれれば、相続することができます。

兄弟姉妹は直系尊属の次に相続人になれる

民法が定めた相続人になれる人を法定相続人*といい、被相続人の直系尊属が相続人となる場合もあります。直系尊属とは、被相続人の父母と、それより上の世代の祖父母や曾祖父母などのことです。直系尊属が相続人となるのは、被相続人に子がいない場合か、子が相続欠格や相続廃除（196ページ参照）によって相続権を失った場合で、さらに相続人に代襲相続が生じない場合です（32ページ参照）。たとえば自分の子が死亡して、その子に子や孫などがいない場合には、親である自分がその財産を相続できます。

また、被相続人の兄弟姉妹が、相続人となる場合もあります。被相続人に子も直系尊属もいない場合か、いたとしても相続欠格や廃除によって相続権を失っており、さらに被相続人の子に代襲相続も生じていないような場合です。

ほかにも、被相続人の甥、姪などが代襲相続によって相続人となることがありますが、これについては32ページで解説します。

もっと詳しく！

推定相続人*
被相続人が生きている時点で、予想される法定相続人。民法上は、配偶者と子が推定相続人になる。

非嫡出子*
法律上の婚姻をしていない男女の間に生まれた子。法律上の婚姻をしている夫婦の子は嫡出子という。

もっと詳しく！

法定相続人*
民法の規定で相続人になれる人。配偶者・子・父母・兄弟姉妹がこれにあたる。

ここに注意！

直系尊属間の相続順
直系尊属が複数の世代にわたるときは、被相続人に近い世代が相続人になる。たとえば、父と祖父が存命の場合には、父だけが相続人になれる。

相続人になれる人は法律で決められている

❶ 被相続人に配偶者と子がいる場合
→配偶者と子が相続人になる（代襲相続がない場合）

被相続人
○ 相続人になれる
× 相続人になれない

 太郎の父 ×

 太郎の母 ×

 太郎の兄 ×

 太郎 被相続人

 一郎 ○ 子

 花子 配偶者 ○

太郎を相続するのは、花子・一郎になる

❷ 被相続人に配偶者と直系尊属はいるが、子がいない場合
→配偶者と直系尊属が相続人になる（代襲相続がない場合）

 太郎の父 ○ 直系尊属

太郎の母 ○

 太郎の兄 ×

 太郎 被相続人

 花子 配偶者 ○

太郎を相続するのは、花子・太郎の父母になる

❸ 被相続人に配偶者はいるが、子も直系尊属もいない場合
→配偶者と兄弟姉妹が相続人になる（代襲相続がない場合）

 太郎の兄 ○ 兄弟姉妹

 太郎 被相続人

 花子 配偶者 ○

太郎を相続するのは、花子・太郎の兄になる

子が死亡している場合は代襲相続が行われる

代襲相続によって孫や曾孫、甥、姪などが相続人になることがあります。代襲相続がどのような場合に認められるのか、理解しておきましょう。

子が死亡していれば、孫が相続人になる

前項で説明したように、被相続人に子がいる場合は、子が相続人となります。

しかし、被相続人の死亡以前に、すでに子が死亡していた場合には、どうなるのでしょうか。このような場合は、被相続人の孫が、遺産を相続することになります。これを、**代襲相続**といいます。

さらに、孫も死亡していた場合には、その孫の子、つまり被相続人の曾孫が代襲相続することも、認められています。曾祖父の遺産を、曾孫が相続するわけです。したがって、**被相続人に子やそれより下の世代（直系卑属という）がいる限りは、代襲相続が次々と認められる**ことになります。

代襲相続は、相続人である子が**相続開始***以前に死亡していたときだけでなく、**相続欠格***や**相続廃除***（196ページ参照）によって、相続権を失ったときにも認められます。

なお、相続放棄によって相続権を失った場合には、代襲相続は認められていません。

兄弟姉妹の相続についても代襲相続が認められる

代襲相続は、被相続人の兄弟姉妹が相続人となる場合にも、認められています。つまり、その兄弟姉妹が被相続人の死亡時以前に死亡しているか、相続欠格や相続廃除によって相続権を失っている場合には、兄弟姉妹の子、つまり被相続人の甥・姪が相続します。

ただし、被相続人の甥・姪がすでに死亡している場合に、甥・姪の子が代襲相続することはできません。その点は、被相続人の子についての代襲相続とは扱いが異なりますので、注意が必要です。

もっと詳しく！

相続開始*
被相続人の死亡によって、相続が始まること。

相続欠格*
民法にあげる一定の事由によって相続人にふさわしくないと判断され、相続権を奪われること。

相続廃除*
被相続人への虐待や著しい非行を理由に、家庭裁判所への申し立てによって相続権を奪われること。

こんな場合は代襲相続が行われる

❶被相続人の子がすでに死亡している場合
→配偶者と孫が相続人になる

被相続人
すでに死亡した人
◯ 相続人になれる
✕ 相続人になれない

被相続人である太郎の死亡より前に、被相続人の子である一郎が死亡

 太郎の父 ✕　 太郎の母 ✕

 太郎の兄 ✕

 太郎
被相続人

  一郎

 子（死亡）

 花子 ◯
配偶者

 一郎の妻 ✕

> 太郎を相続するのは、花子・一郎の子になる（一郎の子が代襲相続する）

 一郎の子 ◯
孫

❷被相続人に子がなく、兄弟姉妹もすでに死亡している場合
→配偶者と甥・姪が相続人になる

被相続人である太郎の死亡より前に、被相続人の兄が死亡

 太郎の兄の妻 ✕

 太郎の兄（死亡）

 太郎
被相続人

 花子 ◯
配偶者

 甥　太郎の兄の子 ◯

> 太郎を相続するのは、花子・太郎の兄の子になる（太郎の兄の子が代襲相続する）

相続人が複数いる場合は共同相続する

複数の相続人がいる場合には、遺産相続の割合を決めなければなりません。相続分には2通りの考え方があります。

被相続人が決める「指定相続分」

相続人がひとりの場合を単独相続、複数の場合を共同相続*といいます。共同相続では、各相続人に遺産をどのような割合で相続させるのかが、問題となります。

相続する割合のことを、**相続分**といいます。被相続人は、共同相続における相続分を、「妻には3分の2、息子ふたりには6分の1ずつ」などと遺言で決めることができます。被相続人が決めた相続分を、**指定相続分**といいます。相続分を指定するには、被相続人が遺言書の中で自ら指定する方法と、第三者に指定を委託する方法があります。

指定がない場合は「法定相続分」になる

被相続人が相続分を指定しない場合は、民法の定める割合が基準になります。これを**法定相続分**といいます。

まず、配偶者と子が相続人となる場合は、それぞれの相続分は2分の1ずつとなります。子が複数いる場合には、その2分の1を均等に割ったものが、各自の相続分です。子の中に非嫡出子がいる場合も、平成25年9月5日以降（その時点で遺産分割未確定の場合は平成13年7月1日以降）開始の相続については、相続分は嫡出子と同等です。

次に、配偶者と直系尊属が相続人となる場合は、配偶者の相続分は3分の2、直系尊属の相続分は3分の1です。直系尊属が複数いる場合には、3分の1を均等に割ったものが、各自の相続分となります。

最後に、配偶者と兄弟姉妹が相続人となる場合は、配偶者の相続分は4分の3、兄弟姉妹の相続分は4分の1です。兄弟姉妹が複数いる場合には、4分の1を均等に割ったものが、各自の相続分となります。ただし、兄弟姉妹の中に、父母の一方が被相続人と同じでない者がいる場合には、その相続分は父母が同じ兄弟姉妹の2分の1となります。

もっと詳しく！
共同相続*
共同相続の各相続人を、共同相続人という。

ここに注意！
非嫡出子の相続分
非嫡出子の相続分を嫡出子の2分の1とする民法の規定は、平成25年9月5日の最高裁判決で違憲とされ、民法が改正された（同年12月11日公布・施行）。

各相続人の法定相続分の割合

❶ 配偶者と子が相続人になる場合

子 $\frac{1}{2}$ $\frac{1}{2}$ 配偶者

● 子が複数いる場合は、相続分2分の1を均等に分ける

> **例** 太郎が1,200万円の遺産を残して死亡し、妻の花子、子の一郎と二郎が相続した場合
>
> 花子の相続分　1,200万円×$\frac{1}{2}$＝600万円
>
> 一郎の相続分　1,200万円×$\frac{1}{2}$×$\frac{1}{2}$＝300万円
>
> 二郎の相続分　1,200万円×$\frac{1}{2}$×$\frac{1}{2}$＝300万円

❷ 配偶者と直系尊属が相続人になる場合

直系尊属 $\frac{1}{3}$ $\frac{2}{3}$ 配偶者

● 直系尊属が複数いる場合は、相続分3分の1を均等に分ける

> **例** 太郎が1,200万円の遺産を残して死亡し、妻の花子、太郎の父と母が相続した場合
>
> 花子の相続分　1,200万円×$\frac{2}{3}$＝800万円
>
> 太郎の父の相続分　1,200万円×$\frac{1}{3}$×$\frac{1}{2}$＝200万円
>
> 太郎の母の相続分　1,200万円×$\frac{1}{3}$×$\frac{1}{2}$＝200万円

❸ 配偶者と兄弟姉妹が相続人になる場合

兄弟姉妹 $\frac{1}{4}$ $\frac{3}{4}$ 配偶者

● 兄弟姉妹が複数いる場合は、相続分4分の1を均等に分ける
● 父母の一方が被相続人と同じでない兄弟姉妹の相続分は、父母が両方とも同じ兄弟姉妹の2分の1となる

> **例** 太郎が1,200万円の遺産を残して死亡し、妻の花子、太郎の兄と姉が相続した場合
>
> 花子の相続分　1,200万円×$\frac{3}{4}$＝900万円
>
> 太郎の兄の相続分　1,200万円×$\frac{1}{4}$×$\frac{1}{2}$＝150万円
>
> 太郎の姉の相続分　1,200万円×$\frac{1}{4}$×$\frac{1}{2}$＝150万円

★代襲相続する場合の法定相続分は、代襲相続される子や兄弟姉妹と同じになる

相続人が複数いる場合は遺産分割を行う

相続人が複数いる場合には、遺産分割をしなければなりません。遺産分割の主な方法は、3通りあります。

分配される財産の額や内容を決める遺産分割

　複数の相続人がいる場合には、相続した財産を各相続人がどのような形で相続するのかを決めて、分配しなければなりません。これを**遺産分割**といいます。

　実際の遺産分割では、法定相続分とは異なった形で、各自に分配される財産の内容や、金額などを決めることができます。たとえば、妻と子ひとりが相続人の場合には、妻と子の法定相続分は、それぞれ2分の1ですが、遺産分割によって、妻に遺産の3分の1、子に遺産の3分の2を分配することもできます。

　相続人は、いつでも遺産分割を求めることができますが、被相続人が遺言によって、一定期間分割を禁止した場合は例外です。また、相続人同士の協議や調停、家庭裁判所の審判によっても、一定期間分割を禁止することが可能です。

　禁止できる期間は、どちらの場合も相続開始時から5年が限度とされています。

遺産分割の3つの方法

①**現物分割**……「不動産は妻に」「骨董品は長男に」というように、遺産を現物のまま分配する方法

②**換価分割**……遺産の一部または全部を金銭に換えて、その代金を分配する方法

③**代償分割**……特定の相続人に遺産の現物を取得させ、取得した者が他の相続人に対して、金銭などの自己の財産を代わりに与える方法

　そのほかには、相続人中の数人または全員で、相続財産の全部または一部を共有する分割方法なども、認められています。

相続人が複数の場合の遺産分割の方法

❶ 現物分割

→「家と土地は妻に、株式は息子に、現金は娘に」というように、
相続財産の形を換えずにそのまま与える

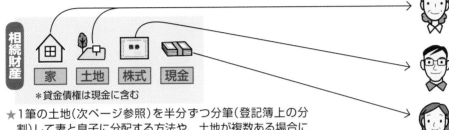

*貸金債権は現金に含む

★ 1筆の土地（次ページ参照）を半分ずつ分筆（登記簿上の分割）して妻と息子に分配する方法や、土地が複数ある場合にAの土地は息子に、Bの土地は娘にという形で分配する方法もある

❷ 換価分割

→遺産の一部または全部を、競売や任意売却などによって金銭に換えて分配する

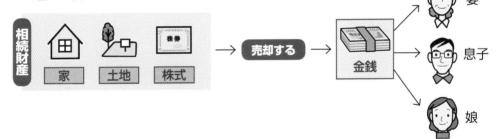

❸ 代償分割

→特定の相続人が遺産の現物を取得し、取得した相続人が他の相続人に金銭等を支払う

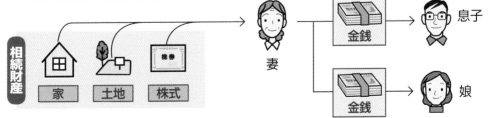

37

遺産分割が行われるまで相続財産は共有される

共同相続の場合、遺産分割前の相続財産は全員で共有する状態になっています。勝手に処分できないことがあるので、注意しましょう。

相続財産は持分の割合に応じて共有される

　複数の相続人がいる場合、相続した財産は、遺産分割が行われるまでの間、相続人全員が共有している状態になります。共有とは、物の所有権が、**持分**という形で、各自に帰属する状態のことです。相続によって共有が生じた場合、この持分の割合は、相続分の割合と同じになります。

　たとえば、太郎が１筆の土地*を残して死亡したとします。相続人が妻の花子、子の一郎と二郎だった場合、相続分はそれぞれ２分の１、４分の１、４分の１となります(34ページ参照)。この場合、遺産となった１筆の土地について、花子は２分の１、一郎・二郎はそれぞれ４分の１ずつの持分があることになるわけです。

相続財産に現金や金銭債権がある場合

　相続財産の中に現金が含まれており、その現金を相続人のだれかが管理している場合は、相続財産が共有された状態にある限り、他の相続人は、自己の相続分の額に応じた金銭の支払いを求めることはできません。

　たとえば、太郎が現金1,000万円を残して死亡し、長男の一郎がそれを管理しているような場合に、次男の二郎が「自分の相続分である４分の１にあたる250万円を支払え」と請求することはできません。これは、最高裁判所が判例(平成４年４月10日判決)として示した見解です。

　相続財産の中に銀行等の預金が含まれている場合については、今までは、遺産分割が終わるまでは、相続人は、単独では預金の払戻しすることを、簡単にはできませんでした。

　しかし、平成30年の民法の改正により、各相続人は、一定の範囲内で、単独で預貯金の払戻しを受けられることになりました。

　これは、遺産分割における公平性を図りつつ、葬儀費用等の相続人の資金需要に配慮された制度です。

ここに注意！
自己の持分は処分できる
遺産分割の前でも、自己の持分を処分することはできる。つまり、持分を第三者に譲渡したり、抵当権などを設定したりすることが可能。

もっと詳しく！
１筆の土地*
「筆」は宅地などの土地の区画を示す不動産登記上の単位。「１筆」は「１区画」という意味。

相続財産の共有

遺産分割が行われる前の相続財産は、相続分に応じて、相続人全員に共有されます。

相続財産

建物　　自動車　　骨董品　　土地

4人の相続分が4分の1ずつの場合、それぞれの財産について
4分の1ずつ持分(所有権)がある

相続人

一郎
長男

二郎
次男

春子
長女

夏子
次女

相続財産である現金の管理についての注意点

相続人のうちひとりが現金を保管・管理している場合、ほかの相続人は遺産分割まで支払いを求めることができませんが、民法の改正で一定範囲内での払戻しが可能になりました。

法改正前

一郎が現金を管理しているので、遺産分割までは支払いを求めることができない

法改正後

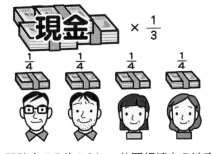

預貯金の3分の1に、共同相続人の法定相続分を乗じた金額の払戻しができる。ただし、同一の金融機関につき、150万円が上限となる

借金が含まれた遺産は相続を放棄できる

遺産に借金が含まれている場合には、相続放棄か限定承認を検討します。単純承認・相続放棄・限定承認とその注意点について知っておきましょう。

ここをチェック！
● 借金を相続したくない場合は**相続を放棄する**こともできる
● 借金の額が不明なら**限定承認する**とよい

単純承認・相続放棄・限定承認とは

　遺産に借金が含まれている場合の選択肢としては、単純承認・相続放棄・限定承認の３つが考えられます。

①**単純承認**……プラスの財産はもちろん、借金などのマイナスの財産もそのまますべて受け継ぐ意思表示をすること

②**相続放棄**……プラスの財産もマイナスの財産も、すべて相続しないという意思表示をすること

③**限定承認**……相続人が得たプラスの財産の範囲内で被相続人の債務を弁済し、**遺贈***を認めるという意思表示をすること

　遺産が借金しかないような場合には、相続放棄を選択すべきです。借金の額がどのくらいなのかはっきりしない場合には、限定承認をするとよいでしょう。

相続放棄と限定承認は3か月以内に行う

　単純承認には、とくにそのために何か手続きをする必要はありません。そのまま財産を相続する意思を示すだけです。

　相続放棄か限定承認をする場合は、自分が相続人になったことを知った日から3か月以内に、家庭裁判所に申し立てる必要があります。この期限内に行わない場合には、単純承認したことになります。注意しなければならないのは、相続財産の全部または一部をすでに**処分***してしまっていると、相続放棄や限定承認をしたくてもできなくなることです。ただし、腐敗しやすい物を売却するなど、相続財産の保存を目的とした処分行為は、認められています。

　また、相続放棄や限定承認の手続きを終えたあとでも、相続財産を隠したり、勝手に消費したり、故意に財産目録に記載しなかった場合には、相続を単純承認したものとして扱われてしまいます。

● 相続放棄の手続き
84ページ参照
● 限定承認の手続き
86ページ参照

もっと詳しく！

遺贈*
被相続人が遺言によって財産を無償で譲渡すること。相続人以外に対しても行える（42ページ参照）。

もっと詳しく！

処分*
財産の現状や性質を変える行為。不動産や動産などを売却したり、壊したりすることは、処分にあたる。また、相続財産を長期間賃貸することは処分とみなされるが、樹木の栽植または伐採を目的とする山林は10年、上記以外の土地は5年、建物は3年、動産は6か月以内であれば賃貸することができる。

借金が含まれた遺産の相続方法

遺産に借金が含まれていた場合は、相続放棄か限定承認を検討します。

❶ 単純承認
→プラスの財産もマイナスの財産
　もすべて相続する

プラスの財産が多い場合
は、単純承認するとよい

❷ 相続放棄
→プラスの財産もマイナスの財産
　もすべて相続しない

借金の額が多い場合は、
相続放棄するとよい

❸ 限定承認
→プラスの財産がマイナスの財産
　を上回れば相続する

借金の額がはっきりしな
い場合は、限定承認する
とよい

★相続放棄と限定承認は、自分が相続人になった
　ことを知った日から3か月以内に行う

遺贈や死因贈与があれば相続財産は少なくなる

被相続人が遺贈や死因贈与を行っていた場合には、受遺者や受贈者に遺産の一部を引き渡したり、支払ったりしなければなりません。

ここをチェック！
● **遺贈**は贈る側の一方的な意思表示
● **死因贈与**は贈与を受ける相手の承諾が必要
● **遺贈や死因贈与**があると**相続財産**が減る

遺言で他人に財産を譲渡する「遺贈」

　相続があった場合には、被相続人が**遺贈や死因贈与**をしていないか、確認する必要があります。相続人は、遺贈を受けた者、死因贈与を受けた者に対して、財産を引き渡したり、支払ったりする義務を負うからです。**遺贈と死因贈与、どちらの場合も、現在手元にある分よりも、相続財産が減少する**ことになります。

　まず、遺贈とは、被相続人が遺言によって、その財産を他人に無償で譲渡することをいいます。遺贈する側を**遺贈者**、遺贈を受ける側を**受遺者**といいます。遺贈は、相続人以外の者に対してだけでなく、相続人に対しても行うことができます。

　遺贈には、**包括遺贈***と**特定遺贈**の2種類があります。包括遺贈は、「遺産のすべてを遺贈する」「遺産の2分の1を遺贈する」というように、遺産の割合を示して行います。特定遺贈は、「A不動産を遺贈する」「S社の株式を遺贈する」というように、特定の財産を指定して行います。

「死因贈与」は死亡を条件とする契約の一種

　死因贈与とは、「私が死んだら5,000万円を贈与する」というように、贈与する側が死亡することを条件に、無償で財産を譲渡する**契約***です。贈与する側を**贈与者**、受ける側を**受贈者**といいます。財産を無償譲渡する側の死亡によって効力が生ずる点が遺贈と似ているので、遺贈に関する民法上のルールが適用されることになっています。

　ただし、遺贈が受ける側の意思とは無関係に、遺言という贈る側の一方的な意思によって行われるのに対して、死因贈与はあくまでも契約の一種なので、受ける側が承諾している必要があります。遺贈ではなく死因贈与にすると、不動産の場合は**所有権移転の仮登記***ができることが、メリットといえるでしょう。

もっと詳しく！
包括遺贈*
包括遺贈を受けた側を、包括受遺者という。包括受遺者は、遺産分割協議に参加する必要がある。したがって、相続人以外に遺贈する場合は、特定遺贈にしたほうがわずらわしさを避けられる。

もっと詳しく！
契約*
法的な拘束力をもった当事者の合意。「売ります」と「買います」のような、当事者の「申し込み」と「承諾」によって成立する。

所有権移転の仮登記*
後日予定されている所有権の移転を、確実なものにするために行う仮登記。

遺贈と死因贈与の違い

❶ 遺贈は遺言による一方的な意思表示

遺言書
私が死んだら
土地Bを○○
に遺贈する

遺贈者
（被相続人）

遺贈
一方的な意思表示

受遺者

★受遺者が遺贈された遺産をほしくない場合には、権利を放棄すればよい

❷ 死因贈与は相手の承諾が必要な契約

受け取り
ますか？

契約書
私が死んだら
2,000万円を○
○に贈与する

贈与者
（被相続人）

死因贈与
申し込み
承諾

はい、もら
います

受贈者

遺贈・死因贈与と相続財産

遺贈や死因贈与が行われると、相続人は受遺者・受贈者に財産を引き渡したり、支払ったりしなければなりません。

土地Bを遺贈し
てもらいまし
た。引き渡して
ください

受遺者

受遺者や受贈者に
財産を渡す
↓
相続財産が
減少する

2,000万円を
死因贈与しても
らいました。支
払ってください

受贈者

兄弟姉妹以外の相続人には遺留分がある

遺産の一定部分は、遺留分として、相続人となる配偶者や子、直系尊属に必ず
与えられます。遺留分の割合と計算方法を知っておきましょう。

ここをチェック！
● 被相続人の**配偶者や子**は、**遺産の一定部分**を受け取る権利がある
● **遺留分**に反する遺贈があった場合は、遺産を返すように請求できる

配偶者・子・親は遺留分として最低限の遺産をもらえる

テレビドラマなどに、資産家の老人が親不孝な子どもたちには遺産を与えず、自分に尽くしてくれた女性に、遺言で全財産を与える、という場面があります。このような遺贈は、実際に可能なのでしょうか。

じつは、被相続人の兄弟姉妹以外の相続人には、遺産の一定部分を必ず与えなければならないことになっています。このような遺産の一定部分を、**遺留分**といいます。遺留分の割合は、だれが相続人になるかによって異なり、**直系尊属だけが相続人の場合は、遺産の3分の1が遺留分**です。それ以外の場合は、**遺産の2分の1が遺留分**となります。

遺留分算定の基礎となる財産（遺産）の額は、相続開始時に被相続人が持っていた財産に、被相続人が**生前贈与**＊した財産のうち一定の条件を満たすもの（右ページ参照）を加え、債務を控除して計算したものです。遺留分を有する者（**遺留分権利者**）が複数いる場合には、遺留分の割合（**遺留分率**）に、法定相続分の割合をかけます。遺留分の額の計算方法は、右ページを参照してください。

遺留分が侵害されたら、「遺留分侵害額請求権」を行使できる

遺留分のルールに反する形で遺贈や贈与が行われ、遺留分が侵害された場合、遺留分権利者は**遺留分侵害額請求権**＊という権利を行使して、自分がもらえるはずだった遺産と同額の金銭を返すように求めることができます。

たとえば、夫が死んで1,000万円の遺産が残され、相続人が妻だけの場合、妻にはその2分の1にあたる500万円を、遺留分として受け取る権利が認められています。もし夫が愛人に1,000万円をすべて遺贈してしまった場合には、遺留分侵害額請求権を行使して、遺留分の500万円を返すように、愛人に請求することができるわけです。

もっと詳しく！
生前贈与＊
被相続人が死亡する前に、自分の意思で相続人やそれ以外の人に財産を無償で譲渡すること。死亡を条件に財産を譲渡することは「死因贈与」という（42ページ参照）。

もっと詳しく！
遺留分侵害額請求権＊
自分のもらえる財産の権利を侵害された人が、遺留分侵害額に相当する金銭を請求することができる権利。令和元年7月1日に施行された制度で、それまでの名称は「遺留分減殺請求権」。

兄弟姉妹以外の相続人には遺留分がある

全財産を他人に与えるような遺贈がされても、配偶者や子は遺留分の侵害額を請求できます。

❶ 直系尊属だけが相続人の場合

$\frac{1}{3}$　直系尊属

● 直系尊属が複数いる場合は、遺留分3分の1を均等に分ける

❷ それ以外の場合

$\frac{1}{2}$　法定相続人

● 相続人が複数いる場合は、遺留分2分の1を法定相続分に応じて分ける
● 兄弟姉妹には遺留分がない

遺留分の額の計算方法

❶ 遺留分算定の基礎となる財産を算定する

相続開始時に持っていた財産	＋	贈与した財産	－	相続した債務	＝	遺留分算定の基礎となる財産

● 相続開始前の1年間（相続人への生前贈与は10年間）に行った贈与
● 遺留分権利者に損害を加えることを知って行われた贈与
● 遺留分権利者に損害を加えることを知って行われた売却など
　（2,000万円の家を100万円で売った場合など）

❷ 遺留分算定の基礎となる財産に遺留分の割合をかける

遺留分算定の基礎となる財産	×	遺留分の割合	×	法定相続分の割合（遺留分権利者が複数の場合）	＝	遺留分の額

● 直系尊属だけが相続人の場合は、遺産の3分の1
● それ以外の場合は、遺産の2分の1

例　遺留分算定の基礎となる財産が1,000万円で、配偶者と子2人が相続人の場合

配偶者の遺留分　1,000万円 × $\frac{1}{2}$ × $\frac{1}{2}$ ＝ 250万円

子1人の遺留分　1,000万円 × $\frac{1}{2}$ × $\frac{1}{2}$ × $\frac{1}{2}$ ＝ 125万円

贈与や遺贈を受けていた相続人は相続額が減らされる

相続人のなかに被相続人から贈与や遺贈を受けていた者がいれば、「特別受益」として、相続額がその分減らされます。

公平な相続を行うための「特別受益」という考え方

相続人が複数いる場合には、そのなかのひとりが被相続人の生前に高額な財産をもらっていたり、相続とは別に**遺贈**（42ページ参照）を受けていることがあります。

たとえば、「姉は結婚したとき、父から結婚祝いとして高級車をもらっていた」「母の遺書に『長男に1,000万円を遺贈する』と書かれていた」というようなケースです。

これらの生前贈与や遺贈を考慮せずにそれぞれの相続分を決めてしまっては、贈与や遺贈を受けた相続人が、そうでない相続人よりも実質的に遺産を多くもらうことになり、不公平になります。

そこで、**婚姻、養子縁組のためもしくは生計の資本としてなされた生前贈与や遺贈**を特別受益*、特別受益を受けた相続人を**特別受益者**として、特別受益者の相続できる額を特別受益の額だけ減らし、公平性を保とうとする制度が用意されています。

特別受益者の相続分額の計算方法

特別受益者の相続分額の算定は、次の3段階で行います。

①相続開始時の財産の価額に、特別受益である生前贈与の価額を加える

②①で求めたみなし相続財産*の額に、**指定相続分または法定相続分**をかけて、**一応の相続分額**を計算する

③一応の相続分額から**特別受益である生前贈与または遺贈**の価額を控除して、**特別受益者の相続分額**（具体的相続分額）を導き出す

③の結果、特別受益者の相続分額がゼロやマイナスになることもありますが、その場合はもらえる遺産がゼロということになります。なお、マイナス分について、他の相続人が、「もらいすぎだから遺産に戻せ」と言うことはできません。

もっと詳しく！
特別受益*
「こづかいや誕生祝い程度の贈与を除く」というニュアンスをもった言いまわしで、高額な生前贈与が対象となる。

ここに注意！
「特別受益」の例外
被相続人が贈与や遺贈を特別受益として扱わないように意思表示していた場合には、その意思が尊重され、特別受益とみなされない。

もっと詳しく！
みなし相続財産*
相続開始時の財産に、特別受益である生前贈与を加えたものを、このように呼ぶことがある。

生前贈与や遺贈が特別受益となる場合

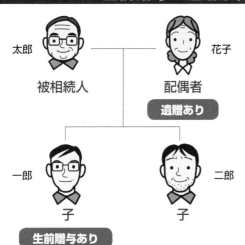

太郎　被相続人
花子　配偶者
遺贈あり

一郎　子
二郎　子

生前贈与あり

太郎が一郎に、事業資金として1,000万円を援助した

↓

太郎が3,000万円の不動産を含む総額9,000万円の遺産を残して死亡した

↓

太郎は花子に遺言で上記の3,000万円の居住用不動産を遺贈した
婚姻期間が20年以上である夫婦間で、居住用不動産（居住用建物、又はその敷地）の遺贈、贈与がされた場合、持ち戻し免除の意思表示の推定がなされ、特別受益とみなされない

特別受益となるのは…
● 一郎が援助された1,000万円（生前贈与）のみ

特別受益者の相続分額の計算方法

第1段階　相続開始時の財産の価額　＋　特別受益である生前贈与の価額　＝　みなし相続財産の額

第2段階　みなし相続財産の額　×　指定相続分または法定相続分　＝　一応の相続分額

第3段階　一応の相続分額　－　特別受益である生前贈与または遺贈の価額　＝　特別受益者の相続分額

例 上記の場合、花子、特別受益者である一郎、二郎の相続分はいくらか

❶みなし相続財産の額　9,000万円＋1,000万円＝1億円

❷花子の一応の相続分　$7,000万円 \times \frac{1}{2} = 3,500万円$
（遺贈の3,000万円を引いた額）

一郎の一応の相続分　$7,000万円 \times \frac{1}{4} = 1,750万円$

二郎の一応の相続分　$7,000万円 \times \frac{1}{4} = 1,750万円$　遺留分$\frac{1}{8}$　1,250万円

❸花子の具体的相続分　3,000万円＋3,500万円＝6,500万円

一郎の具体的相続分　1,750万円－1,000万円＝750万円

二郎の具体的相続分　1,750万円

花子に対する遺贈は、持ち戻し免除の推定を受け、特別受益の対象とならない。遺留分を侵害しないよう気をつける必要がある

財産形成に寄与した相続人は相続分が増えることもある

相続人のなかに、被相続人の財産形成に特別な寄与をした者がいれば、その相続人の相続分には「寄与分」が加えられます。

財産形成への貢献を評価する「寄与分」

親が個人事業を営んでいる場合に、息子や娘がその事業を手伝うことは、よくあります。このようなケースで、親が財産を残して死んだ場合、その子も財産形成を手伝ったといえるでしょう。それにもかかわらず、事業を手伝っていない子と、事業を手伝ってきた子に同じ割合で遺産を分配することは、明らかに不公平です。

そこで、被相続人の財産の維持や増加に特別の寄与があった相続人の相続分については、寄与を金銭的に評価した寄与分を加算します。このようにして相続の公平性を保つことが、寄与分の趣旨です。

どのような場合に寄与が認められるか

「寄与」が認められるケースとしては、①被相続人の事業に関する労務の提供、②被相続人の事業に関する財産上の給付、③被相続人の療養看護、などがあげられています。

①の典型的な例は、家族が協力して農業や自営業を行っていたような場合です。②の例は、被相続人の事業に資金を提供し、それによって倒産をまぬがれて事業が発展したような場合です。③の例には、病気の被相続人の世話をした結果、被相続人が本来支払うはずだった看護費用が節約できた場合などが該当します。

寄与が認められた相続人の相続分額の算定は、次の３段階で行います。

①相続開始時の財産の価額から寄与分の額を引いて、みなし相続財産の額を求める

②みなし相続財産の額に指定相続分または法定相続分をかけて、一応の相続分額を計算する

③一応の相続分額に寄与分の額を加えて、寄与が認められる相続人の相続分額（具体的相続分額）を導き出す

ここに注意！

寄与分は争いの原因になりやすい

妻が夫の介護をした場合には、「寄与」とはみなされない。配偶者の世話をするのは、夫婦としての協力扶助義務を果たしているにすぎないからである。

家庭裁判所での遺産分割調停では、よく寄与分が主張される。療養看護の場合は、ヘルパーさんの時給に換算することもある。しかし、寄与分は算定が難しく、争いのもとになりがちなため、寄与分を取り下げて調停が成立する例が多い。

寄与分が認められる場合

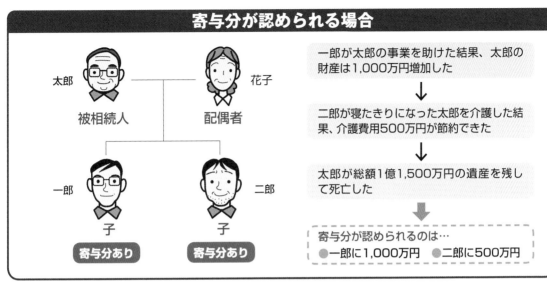

太郎　被相続人

花子　配偶者

一郎　子　**寄与分あり**

二郎　子　**寄与分あり**

一郎が太郎の事業を助けた結果、太郎の財産は1,000万円増加した

↓

二郎が寝たきりになった太郎を介護した結果、介護費用500万円が節約できた

↓

太郎が総額1億1,500万円の遺産を残して死亡した

⬇

寄与分が認められるのは…
- 一郎に1,000万円　● 二郎に500万円

寄与分のある相続人の相続分額の計算方法

第1段階　相続開始時の財産の価額 － 寄与分の額 ＝ みなし相続財産の額

第2段階　みなし相続財産の額 × 指定相続分または法定相続分 ＝ 一応の相続分額

第3段階　一応の相続分額 ＋ 寄与分の額 ＝ 寄与分のある相続人の相続分額

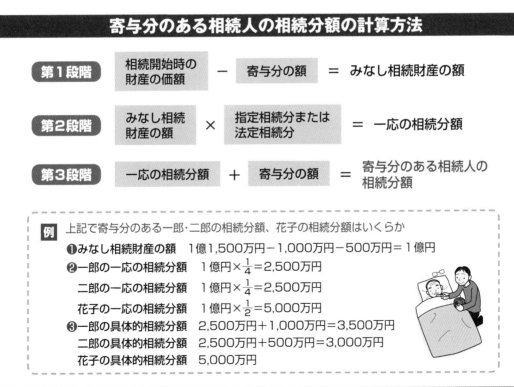

例　上記で寄与分のある一郎・二郎の相続分額、花子の相続分額はいくらか

❶みなし相続財産の額　1億1,500万円－1,000万円－500万円＝1億円

❷一郎の一応の相続分額　$1億円 × \frac{1}{4} = 2,500万円$

　二郎の一応の相続分額　$1億円 × \frac{1}{4} = 2,500万円$

　花子の一応の相続分額　$1億円 × \frac{1}{2} = 5,000万円$

❸一郎の具体的相続分額　2,500万円＋1,000万円＝3,500万円

　二郎の具体的相続分額　2,500万円＋500万円＝3,000万円

　花子の具体的相続分額　5,000万円

他人が不正な手段で取得した相続財産は取り戻せる

自分が相続するはずだった財産が他人のものにされている場合は、一定の手続きによって、返すように相手に請求することができます。

他人のところにある相続財産は返すように請求できる

本来自分が相続すべきだった財産を、不正な手段で他人が所有している場合があります。たとえば、被相続人である山川太郎の持っていた土地Aの登記を、赤の他人の海田良夫がこっそりと移転して、その土地を自分のものにしていたような場合です。

しかし、相続によって、土地Aは相続人のものになっています。相続人は、土地Aの所有権を持っているのです。そこで、太郎の相続人は、所有権に基づいて、良夫に「土地を返してください」と請求することができます。相手が返さない場合は、最終的には訴訟を起こし、裁判所の力を借りて取り戻すことになるでしょう。

このように、所有権に基づいて請求する場合には、相手に時効取得*が成立しない限りは、いつでも返すように請求することができます。

「表見相続人」のところにある相続財産は期間内に請求する

本来ほかの相続人のものになるはずの財産を、「自分はこの財産を相続する権利がある」と信じている人が、自分のものにしていることがあります。このように、自己の相続権を信じてそれを主張していても、実際には相続人でない人を、表見相続人*といいます。

表見相続人に対しても、相続人は「自分のものだから返してほしい」と請求することができます。しかし、表見相続人に返すように請求する相続回復請求権は、一定の期間内に行使しなければなりません。

一定の期間とは、①相続が開始された、②自分が相続人である、③自分が相続から除外されている（相続権が侵害されている）、という3つの事実をすべて知ってから5年以内です。または、相続開始時から20年以内です。この期間内に請求しなければ、取り戻すことができなくなるので、十分な注意が必要です。

もっと詳しく！
時効取得*
所有権がなくても、一定期間占有を続けるなど所定の条件を満たせば、その占有していた人のものになることをいう。

もっと詳しく！
表見相続人*
表見相続人の具体例としては、次のようなものがあげられる。
①相続欠格者（196ページ参照）
②被相続人によって廃除された者（196ページ参照）
③虚偽の出生届による戸籍上の子
④無効の養子縁組による戸籍上の養子
⑤虚偽の認知届で子となっている者

相続財産を他人が所有している場合

相続人は所有権に基づいて、相手に財産の引き渡しを求めることができます。

太郎の土地を、不正な手段で良夫が自分のものにした

太郎が死亡し、太郎の財産を息子の一郎が相続した

一郎は良夫に対して、土地を自分に引き渡すように請求できる

相続財産を表見相続人が所有している場合

相続人は一定の期間内に、財産の引き渡しを請求しなければなりません。

表見相続人とは？ 自己の相続権を信じてその旨を主張しているが、実際には相続人でない者

その土地は自分が相続したものです。引き渡してください

相続人

表見相続人

いや、相続したのは私だから、引き渡せません

土地

財産を返すように請求できる期間

❶相続が開始されたこと
❷自分が相続人であること
❸自分が相続から除外されていること
　（相続権が侵害されていること）

のすべてを知ったときから
5年以内

または

相続開始時から
20年以内

相続人がいない遺産は法人として処理される

相続人のいない相続財産は、「相続財産法人」として処理されます。また、内縁の妻や夫などが、特別縁故者として遺産をもらえることがあります。

相続人がいない場合には遺産が法人になる

死亡した人に財産があっても、相続人がひとりもいない場合や、相続人がいるかどうか不明の場合があります。このような場合には、相続財産は**相続財産法人**という**法人***になります。

相続財産法人の管理は、受遺者や債権者などの利害関係者、または検察官の請求に基づいて家庭裁判所に選任される、**相続財産管理人**が行います。相続財産管理人は、被相続人の借金を相続財産の中から返済したり、遺贈があったら履行するなど、相続財産の清算を進めていきます。また、相続人を捜す手続きも行います。清算後も相続人が不明の場合には、相続財産は国庫に帰属し、国のものになります。

「特別縁故者」への財産分与制度もある

相続人が不明の場合に、長年生計をともにしてきた内縁の妻などが**特別縁故者**と認められ、遺産の全部または一部を与えられる場合があります。これを、**特別縁故者への財産分与制度***といいます。特別縁故者への財産分与制度を利用するには、家庭裁判所に請求して認められることが必要です。しかし、被相続人の死亡直前に短期間世話をした程度では、認められないでしょう。

民法では次のような人を、特別縁故者に該当するとしています。
①**被相続人と生計を同じくしていた者**
②**被相続人の療養看護に努めた者**
③**その他被相続人と特別の縁故があった者**

裁判所に認められた例としては、30年以上被相続人といっしょに暮らしていた事実上の養子、被相続人に依頼された看護師として2年以上連日誠心誠意看護をした者、そして、50年以上被相続人の相談相手となって経済面でも助け合い、死を看取った教え子などがあります。

もっと詳しく！
法人*
法によって特別に権利・義務の主体とされる人間以外のもの。会社や日本相撲協会などもその例。

もっと詳しく！
特別縁故者への財産分与制度*
被相続人と生活をともにしていた人は、家庭裁判所に「特別縁故者に対する財産分与の審判申し立て」をすれば、財産分与が認められることがある。

相続人がいない遺産の管理

相続財産法人となって、家庭裁判所に選任された相続財産管理人が管理・清算します。

遺産	→	相続財産法人	→	国庫に帰属する

被相続人

●相続人がいない場合

または

●相続人がいるかどうか不明の場合

相続財産管理人

借金の返済や遺贈の履行、相続人捜しを行う

清算後も相続人が不明の場合は、国のものになる（特別縁故者のものになる場合は下記参照）

特別縁故者への財産分与制度

家庭裁判所に被相続人の特別縁故者として認められると、遺産が与えられます。

遺産	→	特別縁故者に与えられる

被相続人

●相続人がいない
↓
●家庭裁判所に請求する
↓
●家庭裁判所が認める

特別縁故者

●被相続人と長年生計をともにしてきた内縁の妻・夫、事実上の養子、事実上の養親
●被相続人を一生懸命世話したり、看病してきた人
●被相続人が入所していた老人ホームなどの法人

被相続人が亡くなっても配偶者が自宅を売却せず相続できる

配偶者居住権は、夫など被相続人が亡くなり残された妻などの相続人が引き続き自宅に住み続けられる権利です。

ここをチェック！
● 「長期居住権」と「短期居住権」の2種類がある
● 配偶者が自宅を売却して他の相続人に金銭を支払わなくてもよい、配偶者の保護が目的

長年連れ添った配偶者の保護を目的とした制度

配偶者居住権とは、配偶者の住む場所と生活費の確保を目的として、家の持ち主である夫が亡くなった場合も、配偶者である妻（同居が条件）が生涯、または一定期間引き続きその家に住み続けることができる権利のことです。

配偶者居住権は、配偶者の居住権の保護を目的としたもので、平成30年7月の相続に関する民法の改正によって制定されたものです。

配偶者が相続開始時に、被相続人所有の建物に居住していた場合に、配偶者は遺産分割において配偶者居住権を取得することにより、終身、または一定期間、その建物に無償で居住することができます。

また、配偶者は自宅での居住を継続しながら、その他の財産も取得できます。ただし、当該被相続人所有建物が、配偶者以外の者と共有であったときは、適用されないので注意が必要です。

配偶者居住権の要件と効果は、次のとおりです。

[配偶者居住権の要件]
① 配偶者が、相続開始時に被相続人の所有建物に居住していたこと
② 遺贈や遺産分割によって、配偶者が配偶者居住権を取得するとされたこと

配偶者短期居住権

配偶者が相続開始時に、遺産に属する建物に居住していた場合は、遺産分割が終了するまでの間、配偶者短期居住権（使用借権類似の法定債権）を付与し、配偶者は無償でその建物に住み続けることができます。

居住建物が第三者に遺贈された場合や、配偶者が相続放棄して共有持ち分を有しない場合は、居住建物の所有者による消滅請求を受けてから6か月間は、無償で住み続けることができます。

ここに注意！

配偶者は自宅を売却できない

配偶者居住権は、配偶者が終身自宅に住むことを予定して作られた制度なので、譲渡することができない。これを回避する方法の一つが、配偶者居住権の消滅。配偶者が子（所有者）から配偶者居住権の消滅に対して対価の支払いを受けるもので、その場合、対価の支払いを受けた配偶者に譲渡所得税が課される。

一次相続と二次相続の節税対策

配偶者居住権は、すべてのケースで節税になるとは限らない。小規模宅地等の適用によっては、二次相続での節税以上に一次相続の相続税が大きくなる可能性もあるため、節税になるかどうかの判断は、税理士などに相談するのがよい。

相続の基本知識

相続の手続きガイド

相続税の基本知識

相続税の手続きガイド

生前対策の基本知識

生前対策ガイド

さくいん

配偶者居住権のイメージ

被相続人（夫）が死亡し、相続人（妻、子2人）で、
自宅（5,000万円）・預貯金（1,000万円）を相続する場合
（配偶者居住権評価額を2,500万円と仮定）。

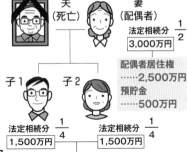

夫（死亡）　妻（配偶者） $\frac{1}{2}$
法定相続分 3,000万円

配偶者居住権……2,500万円
預貯金……500万円

子1　子2

法定相続分 $\frac{1}{4}$ 1,500万円　法定相続分 $\frac{1}{4}$ 1,500万円

自宅の所有権……1,250万円
預貯金……250万円

妻の相続分（1/2）3,000万円、子の相続分（各1/4）各1,500万円
配偶者居住権により下記のようにすることが可能に！

● 自宅（5,000万円）→所有権2,500万円・配偶者居住権2,500万円
● 預貯金（1,000万円）→妻（1/2）500万円・子（各1/4）各250万円

**妻の相続分3,000万円→配偶者居住権2,500万円＋預貯金500万円
いままでどおり、自宅に住み続けることができる**

建物と土地の配偶者居住権

建物相続税評価額 － 建物所有者の建物所有権評価額 ＝ 建物配偶者居住権評価額

建物所有権評価額

相続税評価額 × 所有者として実際使用できる年数（残存耐用年数 － 居住権の存続年数）
÷ 残存耐用年数（所得税法上の建物法定耐用年数×1.5－築後経過年数） × 存続年数に応
じた民法の法定利率による複利現価率

★存続年数とは、一般的には被相続人死亡時の配偶者の年齢による平均余命年数（余命年数
表から算出）、または遺産分割協議等により定められた年数

土地相続税評価額 － 土地取得者の土地所有権評価額 ＝ 土地配偶者居住権評価額

土地所有権評価額とは

土地相続税評価額 × 存続年数に応じた民法の法定利率による複利現価率

● 配偶者居住権は登記が必要で、単独で売買はできない。
● 土地所有者が土地を売却しても、権利は消滅しない。
● 婚姻期間が20年以上の夫婦の場合で、自宅である居住用土地家屋については、遺贈により遺産分
割の対象外とできることとされたが、二次相続の場合に注意が必要。

相続した財産が他人の所有物でも
時効が成立することもある

相続した土地の所有権がない場合

　Aさんは、自分の土地に家を建てて住んでいました。Aさんの死亡後、息子のBさんがその土地と家を相続し、そのまま住み続けていました。ところがある日、見ず知らずのCさんという人が来て、「その土地は私のものです。家を取り壊して、土地を引き渡してください」と言われました。

　Bさんは驚き、Cさんの言うことが本当かどうかを調べたところ、次のような事実がわかりました。Aさんは10年前に、不動産業者Dから土地を購入しました。そのとき、「この土地は、私がCさんから購入したものです」とDが言ったので、Aさんはそれを信じていました。しかし、実際は、CさんはDにその土地を売却していませんでした。Dは土地の権利証や契約書などを偽造し、Cさんから譲り受けたかのようなふりをしていたのです。

土地の取得には時効がある

　Dがもともと土地の所有権を持っていなかったのですから、それを譲り受けたAさんも、所有権を持っていなかったことになります。そうすると、その土地を相続した息子のBさんにも、所有権はなさそうに思

われます。Bさんは言われるままに家を取り壊して、Cさんに土地を明け渡さなければならないのでしょうか。

　しかし、このケースでは、AさんがDのものだと信じてその土地を購入したのが、10年前だということがポイントです。民法では、自分のものだと信じて10年間土地を占有し続けた（住み続けた）場合は、時効によってその土地を取得することが、認められているのです。この「10年間占有する」という条件を満たすには、途中に相続があってもかまわないとされています。つまり、Aさんの死亡後に相続したBさんが占有を続け、ふたり合わせて10年間占有した場合にも認められます。

　したがって、このケースではBさんが時効を主張すれば、土地を自分のものとすることが認められ、Cさんに土地を明け渡さずにすむことになります。

第2章

相続の手続きガイド

家族の死後には、各種の事務手続きや、相続に
関する手続きなど、やるべきことが数多くあり
ます。「いざ」というときにあわてないために、
必要な手続きの種類と流れを理解しておくこ
とが大切です。

ステップ❶ 死亡後の 事務手続き	ステップ❷ 相続に関する 手続き	ステップ❸ 遺産分割の 手続き	ステップ❹ 名義変更の 手続き
死亡届や未支給の 年金の請求など、 被相続人の死亡後 に必要な事務手続 きについて解説し ます。	相続に関して家庭 裁判所に申し立て る際の、書式の書 き方を中心に解説 します。	遺産分割に関して 家庭裁判所に申し 立てる際の、書式 の書き方を中心に 解説します。	不動産の登記や、 預貯金の名義変更 など、遺産分割後 に必要な事務手続 きを中心に解説し ます。

相続手続き全体の流れを理解しておこう

被相続人死亡後に、相続人などの遺族が行わなければならないのは、葬儀だけではありません。相続に関する手続きについて、確認しておきましょう。

葬儀以外にもさまざまな手続きが必要になる

被相続人の死亡後に、相続人などの遺族が行わなければならない手続きには、さまざまな種類があります。葬儀以外にも、役所に書類を提出したり、相続人同士で話し合ったりしなければなりません。

相続をスムーズに進めるためには、そうした手続きのひとつひとつを、確実に行う必要があります。

相続人が行う手続きは2種類に分けられる

相続人が行う手続きは、次の2種類に大きく分けられます。

①被相続人の生前の法律関係の事務的な処理

市区町村役場への死亡届の提出(60ページ参照)や生命保険金の請求(72ページ参照)、健康保険の保険証の返還(64ページ参照)、公的年金への死亡届等の提出(66ページ参照)、所得税の準確定申告(70ページ参照)などがあります。

②相続財産の処理

相続人の確定作業(82ページ参照)、遺言書がある場合の検認(74ページ参照)や遺言執行者選任の申し立て(78ページ参照)、相続放棄(84ページ参照)、限定承認(86ページ参照)などがあげられます。遺産分割が必要な場合には、遺産分割協議書の作成(94ページ参照)や遺産分割調停(96ページ参照)などの手続きも行います。

さらに、相続人に帰属する遺産が確定したら、名義や登記、登録などを、被相続人から相続人へ変更する手続きをとらなければなりません(114ページ以降参照)。

また、相続した財産に相続税が発生するのであれば、相続税の申告と納付も行う必要があります。相続税に関する手続きについては、第3章以降で詳しく解説します。

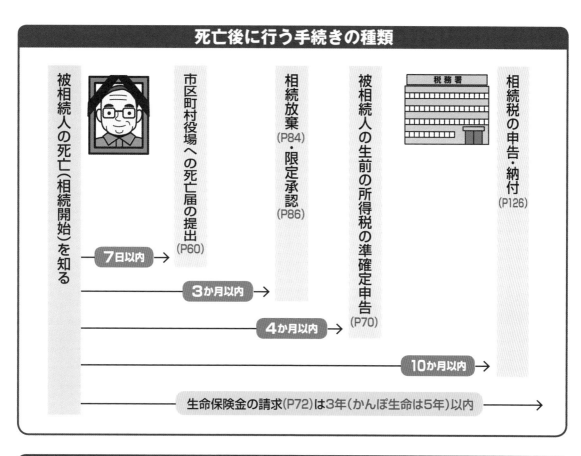

死亡後に行う手続きの種類

被相続人の死亡（相続開始）を知る

市区町村役場への死亡届の提出（P60）

相続放棄・限定承認（P84）（P86）

被相続人の生前の所得税の準確定申告（P70）

税務署

相続税の申告・納付（P126）

7日以内 →

3か月以内 →

4か月以内 →

10か月以内 →

生命保険金の請求（P72）は3年（かんぽ生命は5年）以内 →

相続人が行う手続きは2種類に分けられる

❶生前の法律関係の事務的な処理

- 市区町村役場への死亡届の提出（P60）
- 生命保険金の請求（P72）
- 健康保険の保険証の返還（P64）
- 公的年金への死亡届等の提出（P66）
- 所得税の準確定申告（P70）

❷相続財産の処理

- 相続人の確定作業（P82）
- 遺言書がある場合の検認（P74）
- 遺言執行者選任の申し立て（P78）
- 相続放棄や限定承認（P84・P86）
- 遺産分割協議書の作成や遺産分割調停（P94・P96）
- 相続した財産の名義や登記、登録などの変更（P114・P116）
- 相続税の申告と納付（P126）

死亡後の事務手続き①
死亡届を提出する

《時期》
死亡を知った日を含めて
7日以内

《手続きをする人》
・親族
・同居者など

被相続人が亡くなったとき、第一に行わなければならないのは死亡届の提出です。死亡届を提出しなければ、故人を埋葬することができません。

ここを
チェック！
●**死亡届**は死亡を知った
日を含めて**7日以内**に
提出する
●死亡した者が**世帯主**な
ら世帯変更届も必要

死亡届は死亡後7日以内に所定の市区町村役場に提出する

被相続人が死亡したら、**死亡届**を提出しなければなりません。届出を義務づけられているのは、親族や同居者などです。届出用紙は、市区町村役場や病院に置かれています。

提出先は、死亡した人の本籍地か死亡地、または届出人の住所地（住民票が置いてあるところ）、所在地のうち、どれかの市区町村役場です。提出期限は、**死亡を知った日を含めて7日以内**ですが、7日目が役所の休日の場合は、その翌日までになります。提出の際には、**死亡診断書（死体検案書）**を添付しなければなりません。これらの書面は、死亡届の用紙と一体になっていて、医師が記入します。

死亡届を提出すると、**死体埋火葬許可証**が交付されます。これがないと、火葬や墓地への埋葬ができません。故人を手厚く葬るためにも、死亡届の提出は忘れないようにしましょう。

なお、自治体によっては、死亡届とは別に、**死体埋火葬許可申請書**の提出を求めるところもあります。

世帯主が死亡した場合は14日以内に世帯変更届を

世帯主が死亡した場合には、死亡した日から14日以内に、世帯変更届を出すことが必要になります。世帯主とは、世帯の中で主に生計を維持し、世帯を代表している人のことです。届け出るのは、新たに世帯主になる人や世帯員、つまり世帯主と世帯をともにしてきた人です。届出用紙は、市区町村役場の窓口に置かれています。

なお、地方公共団体によっては、職権で世帯主を変更している場合もあります。その場合は、世帯変更届を提出する必要はありません。ただし、職権によって世帯主とされた人以外が世帯主となる場合には、世帯変更届の提出が必要になります。

ここに注意！

国外で死亡した場合
国外で死亡した場合は、その事実を知った日から3か月以内に死亡届を出せばよいとされている。

ステップ❶
死亡後の事務手続き

ステップ❷
相続に関する手続き

ステップ❸
遺産分割の手続き

ステップ❹
名義変更の手続き

相続の基本知識 | 相続の手続きガイド | 相続税の基本知識 | 相続税の手続きガイド | 生前対策の基本知識 | 生前対策ガイド | さくいん

└→ 死亡届を提出する

死亡届を提出しないと故人を埋葬できない

故人を火葬し、墓地へ埋葬するには「死体埋火葬許可証」が必要です。

市区町村役場

父を火葬したいので
おねがいします

死亡届の提出
死亡診断書（死体検
案書）を添付する

死体埋火葬許可証の
交付

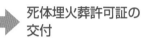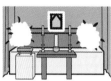

死亡届提出後の事務処理

死亡届を提出すると、戸籍・住民票等について所定の処理が行われます。

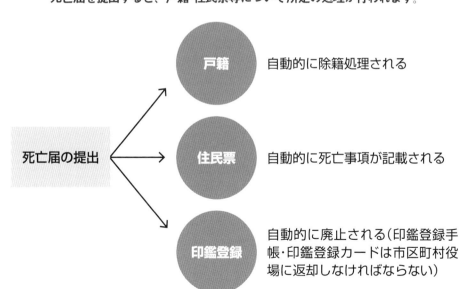

死亡届の提出

戸籍 — 自動的に除籍処理される

住民票 — 自動的に死亡事項が記載される

印鑑登録 — 自動的に廃止される（印鑑登録手帳・印鑑登録カードは市区町村役場に返却しなければならない）

★住民票に関しては、住民票上の世帯主が死亡した場合は、世帯変更届の提出が必要となる

次ページへ続く

61

死亡届と世帯変更届の記入方法

★死亡届の用紙は病院や市区町村役場にある

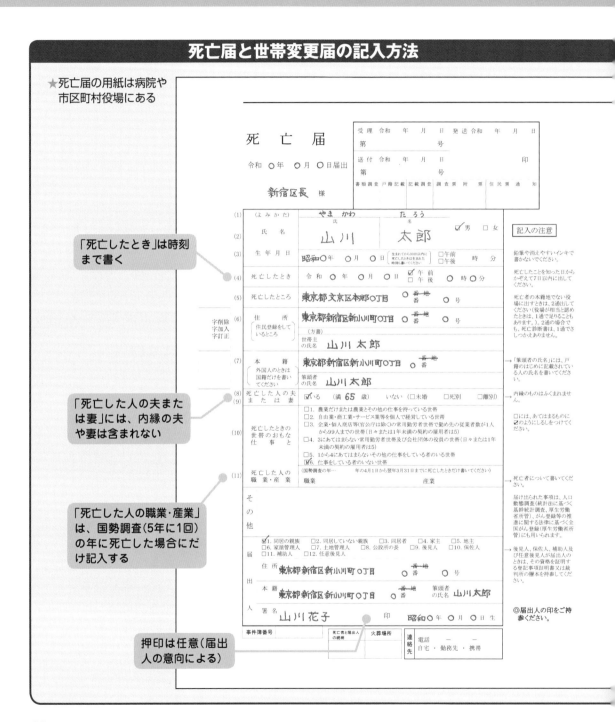

「死亡したとき」は時刻まで書く

「死亡した人の夫または妻」には、内縁の夫や妻は含まれない

「死亡した人の職業・産業」は、国勢調査（5年に1回）の年に死亡した場合にだけ記入する

押印は任意（届出人の意向による）

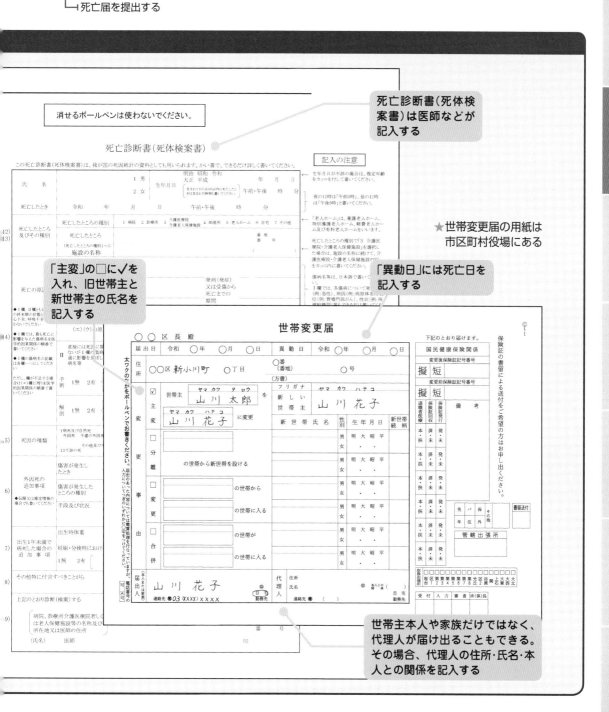

消せるボールペンは使わないでください。

死亡診断書(死体検案書)

死亡診断書(死体検案書)は医師などが記入する

★世帯変更届の用紙は市区町村役場にある

「主変」の□に✓を入れ、旧世帯主と新世帯主の氏名を記入する

「異動日」には死亡日を記入する

世帯変更届

世帯主本人や家族だけではなく、代理人が届け出ることもできる。その場合、代理人の住所・氏名・本人との関係を記入する

死亡後の事務手続き❷
健康保険証を返還する

《時 期》
死亡後**14**日以内
（国民健康保険の場合）

《手続きをする人》
・被保険者の
被扶養者など

国民健康保険等の被保険者が死亡した場合には、保険証の返還などの手続きをします。葬祭費なども忘れずに受け取りましょう。

ここを
チェック！
●死亡によって権利を失う
ものはすべて**返還**する
●**葬祭費は一定期間内**に
請求する

健康保険や介護保険などの手続きを忘れずに

健康保険は、①国民健康保険、②後期高齢者医療制度（長寿医療制度）、③健康保険、④共済組合、⑤船員保険、の５つに分けられます。

①は民間企業に勤務していない自営業者など、②は75歳以上の人と65歳〜74歳の障害者、③は民間企業に勤務している人、④は公務員など、⑤は船員、がそれぞれ加入することになっています。

それぞれの保険において、被保険者が死亡した場合には、**保険証の返還**など、脱退のための所定の手続きをする必要があります。**国民健康保険を例にあげると、死亡したときには14日以内に届け出る**ことが、義務づけられています。

上記の保険証以外にも、**介護保険被保険者証**など、被相続人が受けていた行政サービスに関連して支給されていたものも、返還する必要があります。また、被保険者に扶養されていた者が、被保険者の死亡によってそれまでの健康保険から給付を得られなくなる場合には、国民健康保険などの別の保険に加入する手続きを忘れないようにしましょう。

被保険者の死亡時には葬祭費が支給される

それぞれの保険制度では、被保険者の死亡時に、**葬祭費**や**埋葬料**などの名目で、一定額の支給が行われます。たとえば、国民健康保険の被保険者が死亡したときには、葬祭を行った喪主に、葬祭費として５万円が支給されます。また、国民健康保険と後期高齢者医療制度以外では、被保険者に扶養されていた者が死亡した場合にも、一定額の支給があります。右ページの表にまとめましたので、ご参照ください。

葬祭費を請求する権利は、一定期間が過ぎると消滅します。たとえば国民健康保険では、葬祭を行ってから２年で請求権が消滅します。できるだけ早く、請求の手続きをとるようにしましょう。

ここに注意！

以前に加入していた健康保険から給付がある場合

現在加入している国民健康保険ではなく、以前に加入していた健康保険から、葬祭費に該当するものが給付されることがある。具体的には、次のような場合である。

①死亡前3か月以内に、その健康保険に被保険者本人として加入していた

②死亡時または死亡前3か月以内に、その健康保険から傷病手当金の継続給付を受けていた

③死亡時または死亡前3か月以内にその健康保険から出産手当金の継続給付を受けていた

ステップ❶
死亡後の事務手続き

ステップ❷
相続に関する手続き

ステップ❸
遺産分割の手続き

ステップ❹
名義変更の手続き

└ 健康保険証を返還する

各健康保険から死亡時に支給されるもの

保険の種類	被保険者	被保険者とその被扶養者の死亡時に支給されるもの
国民健康保険	健康保険・船員保険・共済組合などに加入している勤労者以外の一般住民	●被保険者の死亡時には、埋葬を行った人に葬祭費が支払われる
後期高齢者医療制度	●75歳以上の人 ●65歳〜74歳で一定の障害の状態にあることを理由に、後期高齢者医療広域連合の認定を受けた人	●被保険者の死亡時には、埋葬を行った人に葬祭費が支払われる
健康保険	●健康保険の適用事業所で働く民間企業の勤労者 ●健康保険の適用事業所に臨時に雇用される人や季節的事業に従事する人など（一定期間を超えて雇用される人を除く）	●被保険者やその被扶養者の死亡時に、埋葬を行った家族に埋葬料（被扶養者の場合は被保険者に家族埋葬料）が支払われる ●死亡した被保険者に家族がいないときは、埋葬を行った人に対して、埋葬料の額の範囲内で埋葬にかかった費用が支払われる
共済組合	国家公務員、地方公務員、私立学校の教職員など	●被保険者やその被扶養者の死亡時に、埋葬料（被扶養者の場合は家族埋葬料）が支給される ●被扶養者のいない組合員が死亡した場合は、埋葬を行った人に対して、埋葬料の範囲内で実費が支払われる ●ほかにも、各共済が定めた附加金が支払われることがある
船員保険	船員として船舶所有者に雇用される人	●被保険者やその被扶養者の死亡時には、原則として、埋葬を行った家族などに対して葬祭料（被扶養者の場合は家族葬祭料）が支払われる ●ほかにも、附加金が支払われる

死亡後の事務手続き❸

《時 期》
10日以内
（国民年金は**14日以内**）

《手続きをする人》
・相続人など

未支給の年金などを請求する

被相続人が国民年金などの被保険者の場合には、年金受給権者死亡届を提出します。条件を満たしている場合には、遺族基礎年金などを請求できます。

ここを
チェック！

● **未支給の年金**があれば
請求できる

● 妻は**遺族年金**や**寡婦年金**をもらえる場合あり

年金受給権者死亡届や未支給年金請求書を提出する

被相続人が国民年金や厚生年金保険の被保険者である場合には、まず**年金受給権者死亡届**を提出しなければなりません。提出期間は、厚生年金保険は死亡日から10日（国民年金は14日）以内になっています。提出先は最寄りの年金事務所、または年金相談センターに問い合わせれば、教えてくれます。

その際に、被相続人に給付されていない年金があれば、いっしょに**未支給年金請求書**も提出します。未支給の年金は、被相続人と生活をともにしていた遺族が受け取ることができます。

被保険者の死亡によって受け取れる年金と一時金

被保険者の死亡によって、**遺族基礎年金**や**遺族厚生年金**を、遺族が受け取れる場合があります。

たとえば、国民年金の被保険者である被相続人が死亡した場合には、所定の条件が満たされていれば、被相続人によって生計を維持されていた、子どものいる妻や、その子どもが、遺族基礎年金を受け取ることができます。また、厚生年金保険の被保険者である被相続人が死亡した場合などは、所定の条件が満たされていれば、その遺族が遺族厚生年金を受け取れます。詳細については68〜69ページの図を見てください。

また、国民年金独自の制度として、**寡婦年金**と**死亡一時金**があります。寡婦年金は、被保険者が夫で、その保険料納付済期間と保険料免除期間の合計が10年以上ある場合に、夫によって生計を維持されてきた、婚姻関係が10年以上継続している妻に対して、60歳から65歳になるまでの間支給されるものです（68ページ参照）。

もうひとつの死亡一時金は、被保険者の保険料納付済期間が3年以上ある場合に、一定の遺族へ支給されるものです（68ページ参照）。

ここに注意！

船員保険の場合
船員を対象とする船員保険の場合も、ここで述べたものと同様の手続きをとる必要がある。遺族基礎年金や遺族厚生年金と同様の制度も用意されている。

ステップ❶　死亡後の事務手続き　┗未支給の年金などを請求する
ステップ❷　相続に関する手続き
ステップ❸　遺産分割の手続き
ステップ❹　名義変更の手続き

相続の基本知識
相続の手続きガイド
相続税の基本知識
相続税の手続きガイド
生前対策の基本知識
生前対策ガイド
さくいん

未支給（年金・保険給付）請求書の記入方法

「未支給（年金・保険給付）請求書」は複写になっており、2枚目が「年金受給権者死亡届（報告書）（副）」になっている。前者を作成すると、同時に後者も作成される。未支給の保険給付を請求しない人は、2枚目の死亡届だけに記入する

死亡した受給権者の基礎年金番号・年金コードを記入する。死亡した受給権者が複数の年金を受けていたときは、すべての年金コードを記入する。ただし、未支給分の請求者が年金ごとに異なる場合は、請求する年金コードだけを記入する

請求者の電話番号を記入する

押印は請求者自身が署名している場合は不要

死亡した受給権者と生活をともにしていた人（別居で生活費の送金を受けていた場合を含む）がいるかどうかを記入する

★用紙は年金事務所で入手するか、日本年金機構のホームページからダウンロードする

次ページへ続く

67

遺族基礎年金の支給を受けられる人

| 死亡者 | 右の❶〜❹のどれかである |

❶国民年金の被保険者だった

❷60歳以上65歳未満で以前に国民年金の被保険者であり、日本国内に住んでいた

❸老齢基礎年金の受給権者だった

❹老齢基礎年金の受給資格期間を満たしていた

| 対象者 | 死亡者によって生計を維持されていた「子どものいる妻」または「子ども」 |

★「子ども」は18歳になってから最初の3月31日を迎えていない子、または1級・2級の障害がある20歳未満の子
★結婚している子は対象とならない
★死亡時に胎児だった子も、出生すれば対象となる

❶❷の場合は次のいずれかの条件を満たす必要がある
●死亡日の前々月までの被保険者期間のうち、保険料納付済期間（厚生年金の被保険者期間、共済組合の組合員期間を含む）と保険料免除期間の合算が3分の2以上であること
●死亡日の前々月までの直近の1年間に保険料の未納がないこと

寡婦年金と死亡一時金の注意点

●寡婦年金の注意点

●夫が障害基礎年金の受給権を持っていた場合や、老齢基礎年金の支給を受けたことがある場合、妻が繰り上げ支給の老齢基礎年金を受けている場合は請求できない
●60歳から65歳になるまでの間支給されるが、他の年金を受給している場合は、どちらかを選択する
●寡婦年金と死亡一時金の両方を受けられる場合は、どちらかを選択する

●死亡一時金の注意点

●死亡一時金を受けることができる遺族の順番は、配偶者→子→父母→孫→祖父母→兄弟姉妹で、死亡時に生計をともにしていた者
●死亡者が老齢基礎年金か障害基礎年金の給付を受けていた場合と、遺族基礎年金を受けることのできる者がいる場合には支給されない

└→ 未支給の年金などを請求する

遺族厚生年金の支給を受けられる人

| 死亡者 | 右の❶〜❹のどれかである |

❶ 厚生年金の被保険者だった

❷ 厚生年金の被保険者期間中に初診日がある病気やけがが原因で、初診日から5年以内に死亡した

❸ 1級・2級の障害厚生年金を受けていた

| 対象者 | 死亡者の遺族のうち所定の条件を満たす者(下記の順位参照) |

❹ 老齢厚生年金の受給権者であるか、または老齢厚生年金の受給資格期間を満たしていた

❶❷の場合は次のいずれかの条件を満たす必要がある
● 死亡日の前々月までの被保険者期間のうち、国民年金の保険料納付済期間(厚生年金保険の被保険者期間、共済組合の組合員期間を含む)と保険料免除期間の合算が3分の2以上であること
● 死亡日の前々月までの直近の1年間に保険料の未納がないこと

遺族厚生年金を受けられる遺族は範囲が決まっており、さらに順番があります。

| 第1順位 | ➡ | 第2順位 | ➡ | 第3順位 | ➡ | 第4順位 |

| 妻 | | 55歳以上の父母 | | 孫 | | 55歳以上の祖父母 |

55歳以上の夫

★ いずれの場合も、被保険者の死亡時に、被保険者によって生計を維持されていたことが条件
★「55歳以上」という条件がある者への実際の支給開始は60歳から
★ 子・孫については、以下の条件を満たしていることが必要
　(1)被保険者の死亡時に18歳未満か、18歳になってから最初の3月31日を迎えておらず、結婚していないこと
　(2)20歳未満で1級・2級の障害があり、結婚していないこと

子

↑
上記の親に支給されている間は、支給されない

死亡後の事務手続き④
所得税の準確定申告をする

《時 期》
相続開始を知った日の翌日から
4か月以内

《手続きをする人》
・相続人など

生前の被相続人が自営業者などで、毎年確定申告をしていたような場合には、
準確定申告の手続きを行わなければなりません。

ここをチェック！
- 被相続人に**未申告の分**があれば合わせて申告
- 相続人が複数の場合は、**連署して申告**

自営業の場合は「準確定申告」を行う

被相続人に給与所得以外の所得がある場合、たとえば自営業を営んでおり、毎年確定申告をしていたような場合には、**準確定申告**の手続きをする必要があります。

準確定申告とは、相続人が、被相続人の死亡した年の1月1日から死亡した日までの所得を計算して、申告と納税を行う手続きです。**申告期限は、相続開始を知った日の翌日から、4か月以内**です。

確定申告をしなければならない被相続人が、期限までに確定申告書を提出せずに死亡していた場合には、その分も含めて準確定申告をしなければなりません。この場合の申告期限は、前年分・本年分ともに、相続の開始があったことを知った日の翌日から4か月以内です。

相続人が連署して所轄の税務署に準確定申告する

準確定申告は、準確定申告書と付表を所轄の税務署に提出して行います。付表は、死亡した者の住所・氏名や相続人に関する事項、納める税金などを記載する書面です。

相続人や包括受遺者(42ページ「もっと詳しく！」参照)が2名以上いる場合には、各相続人が連署した準確定申告書を提出します。他の相続人の氏名を付記して、それぞれが個別に提出することもできますが、その場合は、他の相続人に申告した内容を通知しなければなりません。

申告書の作成方法などについては、通常の確定申告の場合と基本的に同じです。

ただし、医療費や社会保険料、生命保険料などが控除の対象となるのは、死亡日までに支払った額に限定されています。

ここに注意！
民間企業勤務でも申告が必要な場合

被相続人が民間企業勤務だった場合は、準確定申告が不要なことが多い。しかし、給与の年間収入金額が2,000万円を超えている場合など、所定の条件に該当する場合には申告が必要となる。

ここに注意！
税務関係書類の押印義務の一部廃止

令和3年3月の税制改正により、税務署長等に提出する税務関係書類において、実印および印鑑証明書を求めている手続等を除き、押印義務が廃止された。所得税の確定申告書や法人税申告書、消費税申告書、相続税申告書、届出書なども押印は不要。遺産分割協議書(相続税及び贈与税の特例における添付書類)には押印が必要。

準確定申告の確定申告書付表の記入方法

すべての相続人（相続放棄した人を除く）、包括受遺者の住所・氏名・相続分などを記載する

死亡した人の準確定申告書と同じ年度を記入する

準確定申告書の「所得税及び復興特別所得税の第3期分の税額」欄の記載から税額を転記する。還付される場合には、頭に△をつける

マイナンバーを記載する

2の「死亡した者の納める税金又は還付される税金」が黒字のときは上段に「各人の納付税額」を、赤字のときは下段に「各人の還付金額」を記入する

「各人の納付税額」は、納める税金に各人の相続分をかけて求めた金額を記載する

「各人の還付金額」は、協議等によって分割されていない場合には、各人が相続や包括遺贈によって取得する財産の相続分に応じた金額を記載する

還付金がある場合には、振り込みを希望する銀行名・口座番号などを記載する

相続人や包括受遺者が2人以上いる場合は、そのなかから代表者を選び、氏名を記載する

法定相続分によって財産を取得した人は「法定」を、遺言による「指定相続分」によって財産を取得した人は「指定」を○で囲み、その割合を記入する

死亡した者の ○ 年分の所得税及び復興特別所得税の確定申告書付表
（兼相続人の代表者指定届出書）

受付印				
1 死亡した者の住所・氏名等				死亡年月日
住所 （〒162 0814）新宿区新小川町○丁目○番○号	氏名 フリガナ ヤマ カワ タ ロウ 山川太郎			○○ 年 ○ 月 ○ 日
2 死亡した者の納める税金又は還付される税金 第3期分の税額		還付される税金のときは頭に△印を付けてください。		△258,300 円…A
3 相続人等の代表者の指定	代表者を指定されるときは、右にその氏名を記入してください。	相続人等の代表者の氏名	山川花子	
4 限定承認の有無		相続人が限定承認をしているときは、右の「限定承認」の文字を○で囲んでください。		限定承認

		(1) 住所	(〒162 0814）新宿区新小川町○丁目○番○号	(〒162 0814）新宿区新小川町○丁目○番○号	(〒105 0001）港区虎ノ門○丁目○番○号	(〒162 0814）新宿区新小川町○丁目○番○号
5 相続人等に関する事項		(2) 氏名	フリガナ ヤマカワ ハナコ 山川花子	フリガナ ヤマカワ イチロウ 山川一郎	フリガナ ヤマカワ ジロウ 山川二郎	フリガナ ヤマカワ サブロウ 山川三郎
		(3) 個人番号	1234 5678 9012	1234 5678 9012	1234 5678 9013	1234 5678 9014
		(4) 職業及び被相続人との続柄	職業 なし 続柄 妻	職業 会社員 続柄 子	職業 会社員 続柄 子	職業 無職 続柄 子
		(5) 生年月日	明・大・昭・平・令 年 月 日	明・大・昭・平・令 年 月 日	明・大・昭・平・令 年 月 日	明・大・昭・平・令 年 月 日
		(6) 電話番号	03 - XXXX - XXXX	03 - XXXX - XXXX	03 - XXXX - XXXX	03 - XXXX - XXXX
		(7) 相続分 … B	法定・指定 1/2	法定・指定 1/8	法定・指定 1/8	法定・指定 1/8
		(8) 相続財産の価額	円	円	円	円
6 納める税金等		各人の納付税額 A×B（100円未満端数切り捨て）	00 円	00 円	00 円	00 円
		各人の還付金額 A×B（1円未満端数切り捨て）	258,300 円	円	円	円
7 還付される税金の受取場所		銀行名等	○○ 銀行 金庫・組合 農協・漁協	銀行 金庫・組合 農協・漁協	銀行 金庫・組合 農協・漁協	銀行 金庫・組合 農協・漁協
		支店名等	○○ 本店・支店 出張所 本所・支所	本店・支店 出張所 本所・支所	本店・支店 出張所 本所・支所	本店・支店 出張所 本所・支所
		預金の種類	普通 預金	預金	預金	預金
		口座番号	7654321			
		貯金口座の記号番号				
		郵便局名等				

（注）「5 相続人等に関する事項」以降については、相続を放棄した人は記入の必要はありません。

整理番号	0	0	0	0
番号確認 身元確認	□ 済 □ 未済	□ 済 □ 未済	□ 済 □ 未済	□ 済 □ 未済

この付表は、申告書と一緒に提出してください。

★相続人等が4人よりも多い場合は、2枚以上に分けて書く（上の例は子が4人いる場合の1枚目）
★用紙は税務署で入手するか、国税庁のホームページからダウンロードする

死亡後の事務手続き❺

生命保険金を請求する

《時期》
一般に
3年以内

《手続きをする人》
・生命保険金の
受取人

ここを
チェック！
● 時効期間を過ぎると請求できない
● 税金の支払い義務が生じることもある

被相続人が生命保険に加入していた場合には、生命保険金の支払いを請求する
手続きをします。

生命保険金の請求には時効期間がある

　被相続人の死亡によって生命保険金を受け取れる場合は、できるだけ
すみやかに、支払い請求の手続きをしましょう。保険金はいつまでも請
求できるわけではなく、時効期間があります。一般的には3年と定めら
れていますが、日本郵政グループのかんぽ生命保険は5年です。

　受取人になっている人は、保険会社から交付されている「保険証券」や
「ご契約のしおり」「約款」などで契約内容などを確認して、担当者や営業
所、支社、サービスセンター、コールセンターなどに連絡しましょう。
必要書類の案内や支払請求書が、すぐに送られてくるはずです。

　送られてきた支払請求書に必要書類などを添えて提出すれば、**免責事
項***などに該当しない限り、生命保険金が支払われることになります。

生命保険金を受け取ると税金の支払い義務が発生する

　生命保険金を受け取ると、その契約形態に応じて、税金の支払い義務
が生じます。被保険者が被相続人の場合で考えてみましょう。

　まず、保険料負担者も被相続人で、受取人が相続人などの場合には、
相続税が発生する可能性があります。

　また、保険料負担者と受取人が被相続人以外で、同じ人である場合は
一時所得*とみなされ、その人に**所得税**や**住民税**が発生する可能性があ
ります。さらに、保険料負担者と受取人が被相続人以外で、しかもそれ
ぞれ別の人である場合には、保険料負担者から受取人に贈与がされたと
みなされ、受取人に**贈与税**が発生します。

　ただし、実際に税金を支払わなければならないかどうかは、それぞれ
の税の基礎控除額など、その他の条件がかかわってきます。なお、被相
続人が、自分以外を被保険者とする生命保険の保険料を負担していた場
合は、解約や名義変更の手続きが必要になります。

💡**もっと詳しく！**
免責事項*
保険契約を結んだ際に
配布される約款では、
保険金が支払われない
事由について定めてい
る。これを免責事項と
いう。

💡**もっと詳しく！**
一時所得*
営利目的の継続的行為
や労務の対価以外に
よって発生した所得。
懸賞金や公営ギャンブ
ルの払戻金、生命保険
の一時金や損害保険の
満期返戻金など。

└┤生命保険金を請求する

生命保険金が支払われるまでの流れ

❶契約内容を確認し、生命保険会社に連絡する

❷請求の詳しい案内と、請求に必要な書類が送られてくる

❸生命保険会社が支払い内容を確認する（免責事項等に該当する場合は支払われない）

❹保険金が支払われ、支払い金額などの明細が送られてくる

●生命保険金請求のために必要な書類

- ●保険証券
- ●保険金受取人の戸籍謄本（抄本）
- ●被保険者の住民票
- ●死亡保険金請求書
- ●保険金受取人の印鑑証明書
- ●死亡診断書（死体検案書）　など

生命保険の契約形態と死亡保険金に課される税金

被保険者	保険料負担者	受取人	課される税金
被相続人	被相続人	被相続人以外の人	相続税
被相続人	被相続人以外の人	保険料負担者と同じ人	所得税＋住民税
被相続人	被相続人以外の人	保険料負担者以外の人	贈与税

相続に関する手続き**1**
遺言書の検認を申し立てる

《時期》
相続開始後
すみやかに

《手続きをする人》
・遺言書の
保管者

**ここを
チェック！**

●**封のある遺言書**は家庭
裁判所で開封する
●**公正証書遺言**は検認が
不要

被相続人の遺言書がある場合は、家庭裁判所の検認が必要です。また、封のされた遺言書を独断で開いてはいけません。

遺言書は家庭裁判所で検認・開封する

　被相続人が遺言書を残していた場合には、**遺言の執行**を行わなければなりません。遺言の執行とは、遺言書に書かれた内容を実現するために必要な措置をとることです。たとえば、遺言書の中に「土地Aを一郎に遺贈する」と記載されていれば、一郎に土地Aを譲渡するための手続きをとらなければならないのです。

　自筆証書遺言（76・200ページ参照）を執行するためには、家庭裁判所で**遺言書の検認**を行わなければなりません。検認とは、相続人に対して遺言書の存在とその内容を知らせ、それと同時に、遺言書の形状や加除訂正の状態、日付、署名など、遺言書の状態を明らかにすることです。

　検認の申し立ては、**遺言書の保管者が相続の開始を知ったり、相続人が遺言書を発見したら、すみやかに**行わなければなりません。申立先は、**遺言者の最後の住所地を管轄する家庭裁判所**です。また、遺言書が封印されていた場合には、家庭裁判所で相続人または代理人の立ち会いのもとに、開封する決まりになっています。なお、**遺言書が公正証書遺言**（200ページ参照）、または**自筆証書遺言法務局保管制度**を利用した場合には、**検認の手続きは不要**です。

遺言書検認の申し立てに必要な書類と費用

①遺言書の検認申立書
②申立人・相続人全員の戸籍謄本
③遺言者の出生から死亡までのすべての戸籍謄本（除籍謄本・改製原戸籍謄本）
④遺言書の写し（遺言書が開封されている場合）
●遺言書1通につき収入印紙800円＋連絡用の郵便切手

★上記以外の資料の提出が必要になる場合もある

ここに注意！

検認しないと罰則を科されることも
遺言の保管者、または発見者が遺言書を家庭裁判所に提出することを怠り、検認せずに遺言を執行した場合には、過料（罰金）を科されることがある。しかし、検認しなかったとしても、遺言が無効になるわけではない。

遺言書の検認申立書の作成方法

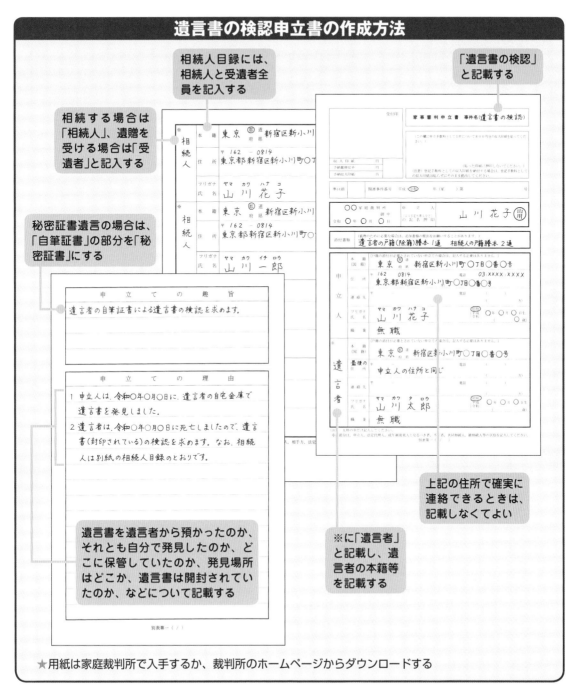

相続人目録には、相続人と受遺者全員を記入する

「遺言書の検認」と記載する

相続する場合は「相続人」、遺贈を受ける場合は「受遺者」と記入する

秘密証書遺言の場合は、「自筆証書」の部分を「秘密証書」にする

遺言書を遺言者から預かったのか、それとも自分で発見したのか、どこに保管していたのか、発見場所はどこか、遺言書は開封されていたのか、などについて記載する

上記の住所で確実に連絡できるときは、記載しなくてよい

※に「遺言者」と記載し、遺言者の本籍等を記載する

★用紙は家庭裁判所で入手するか、裁判所のホームページからダウンロードする

法務局に自筆証書遺言の 管理申請ができるようになった

法務局に自筆証書遺言を管理申請することにより、遺言書の紛失を防止でき、相続人も遺言書を容易に発見することができるようになりました。

自筆証書遺言の保管制度の創設で遺言書の紛失防止になる

平成31年1月から全文自書を要求していた自筆証書遺言の方式が緩和され、自筆証書遺言に添付する財産目録については、自書でなくパソコン等での作成が認められました。

また、自筆証書遺言を法務局で保管してもらえる制度が創設され、**遺言書の紛失防止や相続人の遺言書の発見が容易**になります。

遺言者本人が法務局に出頭する

遺言者は法務局に出頭し、自筆証書遺言の保管を申請します。代理人による申請はできません。手数料は、**1件3,900円**です。法務局の管轄は、遺言書を書いた人の住所地、本籍地、所有している不動産の所在地のいずれかを選択できます。

自筆証書遺言書保管制度[*]は、遺言者が法務局へ行けない等の事情がある場合、利用が難しくなります。また、本人であることの確認は身分証明の提示など所定の書類により厳格に行われます。本人出頭のうえで法務局に提出された自筆証書遺言は、法律上の要件を形式的に満たしているかの確認が行われ、原本を保管したうえでデータとして記録されます。法務局で中身を確認するため、遺言書は封をせずに提出します。

法務局で保管された遺言書は、遺言した本人が訂正や破棄したい場合は、撤回が可能です。その後、訂正や書き直した遺言書を、再度保管申請できます。法務局に遺言書を保管してもらえば、遺言者の死後、相続人などは法務局で遺言書の有無や遺言内容の確認などをすることができます。これらの請求は、遺言者の生存中は認められません。

遺言者が死亡しても法務局から「遺言を預かっています」という通知が来るわけではないため、遺言書保管制度を利用した場合は、遺言者がそのことを相続人などに伝えておくようにします。

● 自筆証書遺言の作成方法
228ページ参照

もっと詳しく！

自筆証書遺言書保管制度[*]
民法の相続に関する規定（相続法）の改正に伴い、「法務局における遺言書の保管等に関する法律（遺言書保管法）」が成立し、自筆証書遺言の保管制度が新設され、令和2年7月に施行された。

ここに注意！

自筆証書遺言の検認
自筆証書遺言は以前、被相続人が亡くなったあとに検認が必要だったが、法務局に保管する遺言書の場合、検認は不要である。

ステップ❶
死亡後の事務手続き

ステップ❷
相続に関する手続き

ステップ❸
遺産分割の手続き

ステップ❹
名義変更の手続き

└→ 法務局に自筆証書遺言の管理申請ができるようになった

自筆証書遺言の保管制度 保管申請の流れ

❶自筆証書遺言にかかわる遺言書を作成する

228ページの作成ポイントに注意して作成

❷保管の申請をする遺言書保管所を決定する

遺言者の住所地、遺言者の本籍地、遺言者が所有する不動産の所在地のいずれかを管轄する遺言書保管所（法務局）

❸保管申請書を作成する

法務省のホームページからダウンロードできる

❹保管の申請をする

［持参するもの］

● 遺言書
● 申請書
● 添付書類
　本籍記載のある住民票の写し等
　（作成後3か月以内のもの）

● 本人確認書類（マイナンバーカード、運転免許証、パスポート等）
● 手数料
　1通につき3,900円

❺保管証を受け取る

遺言者の氏名、生年月日、遺言書保管所の名称、保管番号が記載されている

★一度保管した遺言書は、保管の申請の撤回をしない限り返却されない
★遺言者は、遺言書の閲覧請求をして、遺言書保管所で保管されている遺言書の内容を確認することができる（モニターによる遺言書の画像の閲覧、または遺言書の原本の閲覧）

《時期》
相続開始後
すみやかに

《手続きをする人》
・相続人など

ここを
チェック！

●遺言執行者が必要なの
　にいない場合に申し立て
　る
●子の認知や相続人の廃
　除が遺言されている場
　合には必要

相続に関する手続き❷
遺言執行者の選任を申し立てる

遺言を執行するために、遺言執行者が必要になる場合、その選任を家庭裁判所
に申し立てます。

遺言執行者が必要になる場合

　被相続人が遺言書を残していた場合は、遺言の中に書かれていた事項を、**遺言執行者**が執行しなければならないことがあります。遺言執行者とは、遺言の内容を実現する者のことです。

　遺言執行者が執行しなければならない遺言事項には、子の認知や相続人の廃除などがあります。また、遺贈や遺産分割法の指定のように、相続人が執行すればよい事項であっても、相続人全員の協力が得られないような場合には、遺言執行者が必要になります。

　遺言執行者は、遺言で指定されることになっていますが、指定されていなかったり、指定された遺言執行者が死亡などによっていなくなったりすることもあります。そのような場合には、家庭裁判所に申し立てて、遺言執行者を選任してもらわなければなりません。

　遺言執行者選任の申し立てができるのは**相続人や遺言者の債権者、遺贈を受けた者などの利害関係者**で、申立先は**遺言者の最後の住所地を管轄する家庭裁判所**です。

ここに注意！

**遺言執行者に
なれる人**

遺言執行者は、未成年者及び破産者でなければ、だれでもなることができる。遺言執行者選任申立書には、候補者を書く。相続人間で争いがなければ、裁判所はその人を選任する。争いがある場合は、利害関係のない第三者を選任する。

遺言執行者選任の申し立てに必要な書類と費用

①遺言執行者選任の申立書
②申立人の戸籍謄本と遺言者の戸籍謄本（除籍謄本・改製原戸籍謄本）
③遺言執行者候補者の戸籍附票または住民票・身分証明書（証明の対象
　者の本籍地を管轄する市区町村長発行の破産手続開始決定を受けて
　いない旨の証明書）
④利害関係を証する資料
⑤遺言書の写し
●遺言書１通につき収入印紙800円＋連絡用の郵便切手

★上記以外の資料の提出が必要になる場合もある

遺言執行者の権利と義務

選任された**遺言執行者**は、相続財産の管理など、**遺言の執行に必要なすべての行為を する権利と義務**を持ちます。

❶遺言で被相続人が子を認知していた場合
→遺言執行者の職についた日から10日以内に認知届を出す

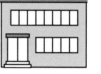

遺言執行者　　　　　　　　　　　　　　　　　市区町村役場

❷遺言で被相続人が不動産を遺贈していた場合
→受遺者に不動産を引き渡し、登記を移転する

遺言執行者　　　　　　　　　　　　　　　　　受遺者

❸遺言で被相続人が一定額の金銭を遺贈していた場合
→受遺者にその額の金銭を給付する
　給付すべき金銭がない場合には、遺産を処分して換価した金銭を給付する

遺言執行者　　　　　　　　　　　　　　　　　受遺者

次ページへ続く

遺言執行者選任申立書の作成方法

「遺言執行者選任」と記載する

家事審判申立書　事件名（遺言執行者選任）

（この欄に申立手数料として1件について800円分の収入印紙を貼ってください。）

受付印

収入印紙	円
予納郵便切手	円
予納収入印紙	円

（貼った印紙に押印しないでください。）

（注意）登記手数料としての収入印紙を納付する場合は、登記手数料としての収入印紙は貼らずにそのまま提出してください。

| 準口頭 | 関連事件番号　平成・令和　　年（家　　）第　　　　号 |

| ○○家庭裁判所 御中 | 申立人（又は法定代理人など）の記名押印 | 山川花子 ㊞ |
| 令和○年○月○日 | | |

添付書類　（審理のために必要な場合は、追加書類の提出をお願いすることがあります。）　申立人の戸籍謄本 1通
遺言者の戸籍（除籍）謄本 1通　遺言書の写し 1通
遺言執行者候補者の戸籍謄本・住民票・身分証明書・登記事項証明書　各1通

申立人

上記の住所で確実に連絡できるときは、記載しなくてよい

本籍（国籍）	（戸籍の添付が必要とされていない申立ての場合は、記入する必要はありません。）　東京 都道府県 新宿区新小川町○丁目○番○号
住所	〒162-0814　電話 03（XXXX）XXXX　東京都新宿区新小川町○丁目○番○号　方
連絡先	〒　－　電話　（　）（　　　方）
フリガナ 氏名	ヤマ カワ ハナ コ 山川花子	昭和 平成 令和 ○年○月○日生（　歳）
職業	無職

※ 遺言者

※に「遺言者」と記載し、遺言者の本籍等を記載する

本籍（国籍）	（戸籍の添付が必要とされていない申立ての場合は、記入する必要はありません。）　東京 都道府県 新宿区新小川町○丁目○番○号
最後の住所	〒　－　電話　（　）　申立人の住所と同じ　方
連絡先	〒　－　電話　（　）（　　　方）
フリガナ 氏名	ヤマ カワ タ ロウ 山川太郎	昭和 平成 令和 ○年○月○日生（　歳）
職業	無職

（注）　太枠の中だけ記入してください。
※の部分は、申立人、法定代理人、成年被後見人となるべき者、不在者、共同相続人、被相続人等の区別を記入してください。

別表第一（1/　）

★用紙は家庭裁判所で入手するか、裁判所のホームページからダウンロードする

80

申　　立　　て　　の　　趣　　旨

遺言者の令和○年○月○日にした遺言につき、遺言執行者を
選任するとの審判を求めます。

> どの遺言について遺言執行者の選任を求めるのか、遺言の作成年月日を示して明確にする

申　　立　　て　　の　　理　　由

1　申立人は、遺言者から別添の遺言書記載のとおり、遺言者
　　所有の株式の遺贈を受けた者です。

2　この遺言書は、令和○年○月○日に御庁（令和○年（家）第
　　○○○○号）においてその検認を受けましたが、遺言執行
　　者の指定がないので、その選任を求めます。
　　なお、遺言執行者として、弁護士である次の者を選任すること
　　を希望します。
　　住所　東京都文京区本郷○丁目○番○号
　　連絡先　東京都千代田区大手町○丁目○番○号
　　　　　　○○ビル2階　○○法律事務所
　　　　　　　　　（電話番号 03-XXXX-XXXX）
　　氏名　鈴木　正（昭和○年○月○日生）

> 遺言に関してどのような利害関係を持っているのか、遺言執行者の存在しない理由、遺言執行者として選任を希望する者がいればその氏名・連絡先などを記載する

別表第一（　/　）

相続に関する手続き❸
相続人を確定する

《時 期》
相続開始後
3か月以内

《手続きをする人》
・相続人など

遺産分割や相続税の申告などを行うためには、被相続人の遺産を相続できる相続人を確定しなければなりません。

相続人を確定しなければ遺産分割はできない

相続後の手続きをスムーズに進めるためには、被相続人がひそかに認知していた子どもはいないか、兄弟姉妹は何人いるのかなどを確認し、相続人を確定しておく必要があります。相続人が確定しなければ遺産分割を行うことができませんし、相続税の申告・納付も不適正なものとなるでしょう。

相続人を確定するためには、被相続人が生まれてから死亡するまでの、連続した戸籍が必要となります。

戸籍簿をたどって相続人を確定する

ここでいう戸籍とは、具体的には戸籍謄本*、除籍謄本*、改製原戸籍謄本*などをさします。戸籍謄本とは、戸籍内の全員の記録を複写した書面のことです。それに対して、除籍謄本とは、戸籍内にいた者すべてが婚姻や死亡によっていなくなった戸籍謄本のことです。また、改製原戸籍謄本とは、戸籍制度の改正によって戸籍のスタイルが変更される前の戸籍謄本のことです。

被相続人の最も新しい戸籍謄本には、被相続人の身分関係に関するすべての情報が記載されているとは限りません。除籍謄本や改製原戸籍謄本に記載されていることが、最新の戸籍謄本には書かれていないことがよくあります。つまり、除籍謄本や改製原戸籍謄本に、被相続人の隠された兄弟姉妹や過去の結婚、ひそかな養子縁組や認知などについて、記載されている可能性があるのです。そのため、多くの場合、**相続人を確定するためには、ここにあげた3種類の戸籍がすべて必要**になります。戸籍謄本類は、いちばん新しいものから古いものへと、順々にさかのぼって入手していきます。具体的な入手方法については、右ページをご参照ください。

もっと詳しく！

戸籍謄本*と戸籍抄本
戸籍内容の一部を証明するものを、戸籍抄本という。相続手続きのために必要なのは、戸籍謄本なので、間違えないようにしたい。

除籍謄本*
全員が除籍された戸籍は、除籍謄本として別に保管される。

改製原戸籍謄本*
近年では、昭和32年と平成6年に、戸籍の改製（作り替え）が行われている。改製の際には、すでに除籍されている人の情報は転記されない。

ここに注意！

戸籍のデジタルデータ化
現在、戸籍はデジタルデータ化が進められている。デジタルデータ化された戸籍謄本を「戸籍全部事項証明書」、除籍謄本を「除籍全部事項証明書」という。

ステップ❶
死亡後の事務手続き

ステップ❷
相続に関する手続き
└─▶相続人を確定する

ステップ❸
遺産分割の手続き

ステップ❹
名義変更の手続き

被相続人の出生時から死亡時までの戸籍謄本類の入手方法

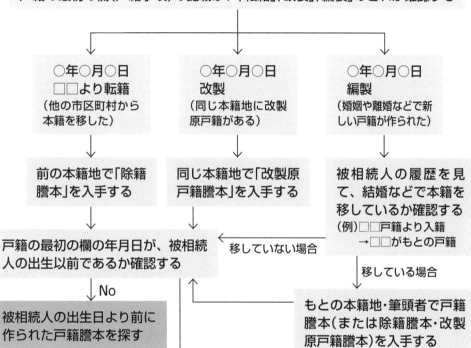

被相続人の本籍地の市区町村役場で、死亡時の戸籍謄本（または除籍謄本）を入手する

↓

戸籍の最初の欄（戸籍事項）の記載が、「転籍」「改製」「編製」のどれか確認する

○年○月○日
□□より転籍
（他の市区町村から本籍を移した）

○年○月○日
改製
（同じ本籍地に改製原戸籍がある）

○年○月○日
編製
（婚姻や離婚などで新しい戸籍が作られた）

前の本籍地で「除籍謄本」を入手する

同じ本籍地で「改製原戸籍謄本」を入手する

被相続人の履歴を見て、結婚などで本籍を移しているか確認する
（例）□□戸籍より入籍
→□□がもとの戸籍

戸籍の最初の欄の年月日が、被相続人の出生以前であるか確認する

移していない場合

移している場合

↓ No

被相続人の出生日より前に作られた戸籍謄本を探す

もとの本籍地・筆頭者で戸籍謄本（または除籍謄本・改製原戸籍謄本）を入手する

Yes

被相続人の出生時の戸籍（除籍・改製原戸籍）謄本である

★被相続人の本籍地がわからない場合は、被相続人の住民票の除票を「本籍表示あり」で入手し、本籍地を確認する
★除籍謄本、改製原戸籍謄本の保存期間はともに150年（平成22年6月1日より変更）

相続に関する手続き④
相続放棄をする

《時　期》
相続人になったことを知った日から
3か月以内

《手続きをする人》
・相続人など

遺産相続では、プラスの財産よりも債務のほうが多いこともあります。このような理由で相続放棄をする場合には、家庭裁判所で手続きを行います。

ここをチェック！

● 相続放棄は**3か月以内**に行う

● **未成年者**や**成年被後見人**は**法定代理人**が必要

● 相続放棄の解説
40ページ参照

被相続人の最後の住所地の家庭裁判所で行う

　相続放棄は、家庭裁判所にその意思を伝える、つまり申述することによって行います。この申述は、**自分が相続人となったことを知った日から3か月以内**に行わなければなりません。この3か月間は、承認するか、放棄するか、それとも限定承認するか、じっくりと考えて決めなければならない期間なので、**熟慮期間**といわれています。

　申述先は、**被相続人の最後の住所地を管轄する家庭裁判所**です。

相続人が未成年者などの場合の手続き

　相続人に未成年者や成年被後見人*がいて、相続放棄をさせる必要がある場合には、**法定代理人**＊が代理となって申述します。

　未成年者の場合には、通常親が法定代理人となります。このときに注意しなければならないのは、相続放棄をするために、**特別代理人**を選任しなければならない場合があるという点です。

　具体的にいうと、親も相続人になっていて、親自身は相続放棄をせずに、未成年の子だけが相続放棄をする場合や、複数の未成年の子が相続放棄をする場合です。このような場合には、相続放棄する未成年の子の特別代理人を選任しなければなりません（106ページ参照）。成年被後見人の代理として法定代理人が相続放棄をするときも、法定代理人が相続人の場合などは、特別代理人を選任しなければなりません。

もっと詳しく！

成年被後見人＊
認知症や知的障害、精神障害などのために十分な判断能力がなく、後見開始の審判を受けた人のこと（102ページ参照）。

法定代理人＊
未成年者や成年被後見人などは、単独で契約などの法律行為を行うことができない。後見的な立場から、これらの人たちの代理として（または同意を与えて）法律行為を行うように法律で定められた者を、法定代理人という。

ここに注意！

成年年齢の見直し
民法の改正により、令和4年4月1日より成年年齢は20歳から18歳に引き下げられた。

相続放棄の申述に必要な書類と費用

①相続放棄の申述書

②申述人・法定代理人等の戸籍謄本

③被相続人の戸籍謄本（除籍謄本・改製原戸籍謄本）、住民票除票または戸籍附票

●申述人1名につき収入印紙800円＋連絡用の郵便切手

★上記以外の資料の提出が必要になる場合もある

相続放棄申述書の作成方法

★用紙は家庭裁判所で入手するか、裁判所の
ホームページからダウンロードする

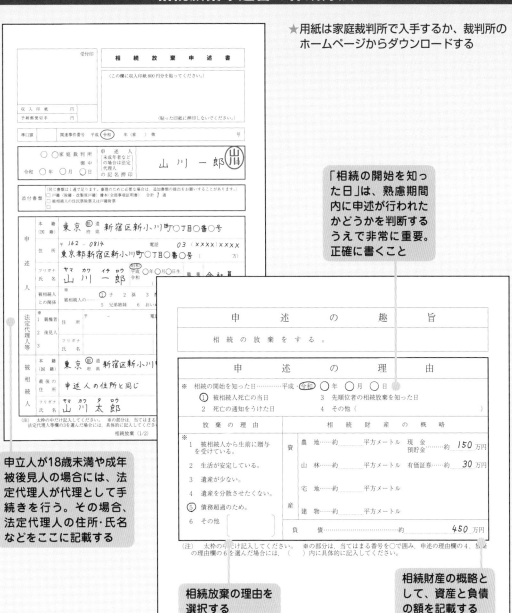

「相続の開始を知った日」は、熟慮期間内に申述が行われたかどうかを判断するうえで非常に重要。正確に書くこと

申立人が18歳未満や成年被後見人の場合には、法定代理人が代理として手続きを行う。その場合、法定代理人の住所・氏名などをここに記載する

相続放棄の理由を選択する

相続財産の概略として、資産と負債の額を記載する

相続に関する手続き❺
限定承認をする

相続した遺産のうち、債務の額がどの程度なのか不明な場合などは、限定承認の手続きを家庭裁判所で行います。

限定承認の申述先や期間は相続放棄と同じ

限定承認も、相続放棄と同じように、家庭裁判所に申述して行います。3か月間の熟慮期間のうちに申述を行わなければならない点も、相続放棄と同じです。申述先は、**被相続人の最後の住所地を管轄する家庭裁判所**です。相続人が複数いる場合には、**限定承認の手続きは相続人全員でしなければなりません。**だれかひとりでも反対していたらできないので、十分に注意しましょう。

限定承認に反対する人がいる場合の解決策としては、まずその人に相続放棄をさせて、その後に限定承認を行うという方法があります。

未成年者や成年被後見人には法定代理人が必要

相続人の中に、未成年者または成年被後見人がいて、限定承認をさせる必要がある場合には、相続放棄と同じく、法定代理人が代理として申述します。

親が法定代理人となり、未成年の子などの限定承認をする場合には、相続放棄の項で解説したように、状況によっては特別代理人を選任しなければならないことがあります(106ページ参照)。

相続の限定承認申述に必要な書類と費用

①相続の限定承認の申述書
②申述人・法定代理人等の戸籍謄本
③被相続人の出生から死亡までのすべての戸籍謄本(除籍謄本・改製原戸籍謄本)、住民票除票または戸籍附票
④遺産目録(被相続人が所有していた不動産・動産・株式・債権・債務などの種類や数量などを記載する)
●収入印紙800円＋連絡用の郵便切手

★上記以外の資料の提出が必要になる場合もある

ここをチェック！

●限定承認は**3か月以内**に行う
●**共同相続人**全員で行う
●**未成年者**や**成年被後見人は法定代理人**が必要

●限定承認の解説
40ページ参照

ここに注意！

限定承認も相続放棄も拒否された場合
限定承認に反対している人が相続放棄も拒否した場合に、債務を相続しないためには、自分が相続放棄をするしかない。

限定承認後の手続き
限定承認をすると、被相続人から相続人へ相続財産の譲渡があったとみなされ、譲渡所得が発生する(所得税法59条)。その場合は、相続開始を知った日の翌日から4か月以内に準確定申告(70ページ参照)を行う必要があるので、注意する。承認・放棄の期間伸長を申し立てる場合(90ページ参照)も、準確定申告の期限は延長できない。

└→限定承認をする

相続の限定承認申述書の作成方法❶

★用紙は家庭裁判所で
入手するか、裁判所
のホームページから
ダウンロードする

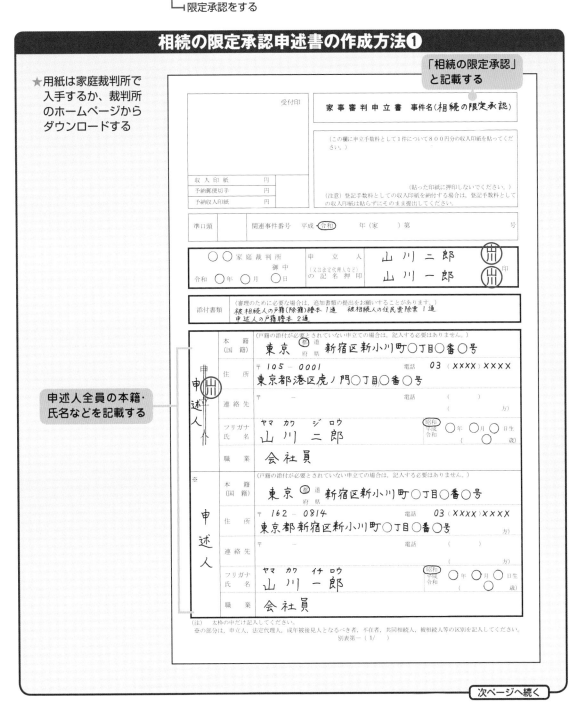

「相続の限定承認」
と記載する

受付印

家事審判申立書 事件名（相続の限定承認）

（この欄に申立手数料として1件について800円分の収入印紙を貼ってください。）

収入印紙	円
予納郵便切手	円
予納収入印紙	円

（貼った印紙に押印しないでください。）

（注意）登記手数料としての収入印紙を納付する場合は、登記手数料として
の収入印紙は貼らずにそのまま提出してください。

準口頭		関連事件番号 平成・令和　年（家　）第　　　　号

○○家庭裁判所　御中 令和○年○月○日	申立人 （又は法定代理人など） の記名押印	山川二郎　㊞ 山川一郎　㊞

添付書類	（審理のために必要な場合は、追加書類の提出をお願いすることがあります。） 被相続人の戸籍（除籍）謄本 1通　被相続人の住民票除票 1通 申述人の戸籍謄本 2通

申述人全員の本籍・
氏名などを記載する

（戸籍の添付が必要とされていない申立ての場合は、記入する必要はありません。）

申述人

本籍（国籍）	東京㊞都道府県 新宿区新小川町○丁目○番○号
住所	〒105－0001　電話 03（××××）×××× 東京都港区虎ノ門○丁目○番○号
連絡先	〒　－　　　　電話　（　） （　　方）
フリガナ 氏名	ヤマ カワ ジ ロウ 山川二郎　昭和・平成・令和○年○月○日生（○歳）
職業	会社員

※ （戸籍の添付が必要とされていない申立ての場合は、記入する必要はありません。）

申述人

本籍（国籍）	東京㊞都道府県 新宿区新小川町○丁目○番○号
住所	〒162－0814　電話 03（××××）×××× 東京都新宿区新小川町○丁目○番○号（○方）
連絡先	〒　－　　　　電話　（　） （　　方）
フリガナ 氏名	ヤマ カワ イチ ロウ 山川一郎　昭和・平成・令和○年○月○日生（○歳）
職業	会社員

（注）　太枠の中だけ記入してください。

※の部分は、申立人、法定代理人、成年被後見人となるべき者、不在者、共同相続人、被相続人等の区別を記入してください。

別表第一－（1/　　）

次ページへ続く

相続の基本知識

相続の手続きガイド

相続税の基本知識

相続税の手続きガイド

生前対策の基本知識

生前対策ガイド

さくいん

87

※ 被相続人	本　籍	（戸籍の添付が必要とされていない申立ての場合は、記入する必要はありません。） 都 道 府 県　　申述人一郎の本籍と同じ	
	最後の 住　所	〒　－ 申述人一郎の住所と同じ　　　　　　　（　　　　方）	
	フリガナ 氏　名	ヤマ カワ タ ロウ 山 川 太 郎	大正 ⑲昭和 ○年 ○月 ○日生 平成 令和（　　　歳）
※	本　籍	（戸籍の添付が必要とされていない申立ての場合は、記入する必要はありません。） 都 道 府 県	
	住　所	〒　－ （　　　　方）	
	フリガナ 氏　名		大正 ⑲昭和 年 月 日生 平成 令和（　　　歳）
※	本　籍	（戸籍の添付が必要とされていない申立ての場合は、記入する必要はありません。） 都 道 府 県	
	住　所	〒　－ （　　　　方）	
	フリガナ 氏　名		大正 ⑲昭和 年 月 日生 平成 令和（　　　歳）
※	本　籍	（戸籍の添付が必要とされていない申立ての場合は、記入する必要はありません。） 都 道 府 県	
	住　所	〒　－ （　　　　方）	
	フリガナ 氏　名		大正 ⑲昭和 年 月 日生 平成 令和（　　　歳）

（注）太枠の中だけ記入してください。　※の部分は、申立人、相手方、法定代理人、不在者、共同相続人、
相続人等の区別を記入してください。

（　／　）

被相続人の氏名などを記載する

相続の開始をいつ知ったかは、熟慮期間内に申述が行われたかどうかを判断するうえで非常に重要。正確に書くこと

申　立　て　の　趣　旨
被相続人の相続について、限定承認します。

申　立　て　の　理　由
1 申述人らは被相続人の子であり、相続人は申述人らだけです。
2 被相続人は、令和○年○月○日に死亡してその相続が開始し、申述人らは、どちらも被相続人の死亡当日に相続の開始を知りました。
3 被相続人には、別添の遺産目録記載の遺産がありますが、相当の債務もあり、申述人らはどちらも、相続によって得た財産の限度で債務を弁済したいと考えますので、限定承認をすることを申述します。
4 なお、相続財産管理人には、申述人の山川一郎を選任していただくよう、希望します。

別表第一（　／　）

複数の相続人が共同して限定承認を申述した場合は、そのなかから相続財産の管理・清算等を行う相続財産管理人が選任される。そのため、選任されるのを希望する者をあげておく

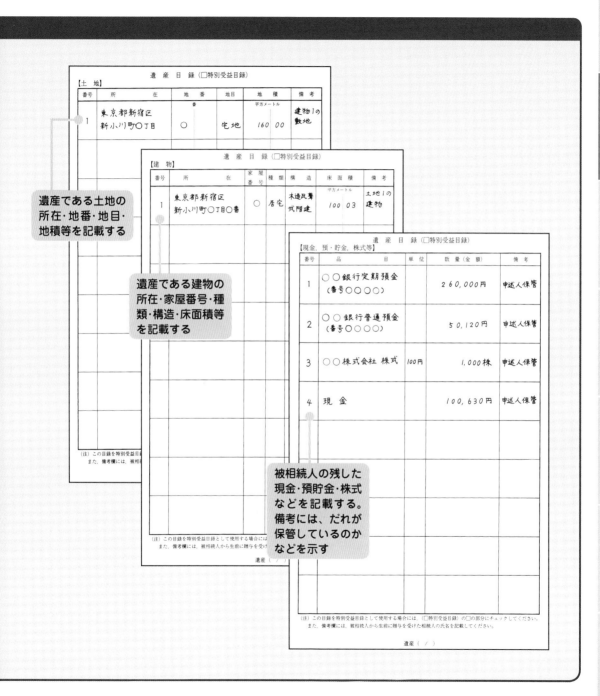

遺産である土地の所在・地番・地目・地積等を記載する

遺産である建物の所在・家屋番号・種類・構造・床面積等を記載する

被相続人の残した現金・預貯金・株式などを記載する。備考には、だれが保管しているのかなどを示す

《時期》
相続人になったことを知った日から
3か月以内

《手続きをする人》
・相続人など

相続に関する手続き⑥
承認・放棄の期間伸長を申し立てる

3か月間の熟慮期間内に、相続を承認するか、放棄するかを決められないときには、相続の承認または放棄の期間伸長を申し立てます。

ここをチェック!

● 相続の**承認・放棄・限定承認**は、一度行うと**撤回できない**

● 遺産や債務を把握できない場合などに申し立てる

熟慮期間は申し立てによって延ばすことができる

　相続の承認・放棄・限定承認は、どれも**一度行ったら撤回することができません**。相続をいったん承認したあとで放棄したり、逆に放棄したあとで承認するようなことを認めてしまっては、ほかの相続人に予想外の不利益を及ぼすおそれがあるからです。相続を放棄したあとで撤回すれば、新たに相続人になった人にも、影響を与えます。

　したがって、相続の承認や放棄、限定承認は、くれぐれも慎重に決断する必要があります。そうはいっても、3か月間の熟慮期間の期限が迫ってきても遺産がどのくらいあるのかわからなかったり、被相続人の債務の額がはっきりしなかったりして、どの方法を選択すればよいのか、なかなか決められないこともあるでしょう。

　そのような場合には、**相続の承認又は放棄の期間伸長を求める審判**を申し立てることができます。裁判所に申し立てが認められれば、熟慮期間を延ばしてもらえます。

　申し立てを行う裁判所は、被相続人の最後の住所地を管轄する家庭裁判所です。なお、この申し立ては、自分の熟慮期間だけでなく、ほかの相続人の熟慮期間を伸長したい場合にも、行うことができます。

ここに注意!

承認・放棄の取消しが認められる場合
詐欺や強迫によって相続の承認や放棄がなされた場合などには、取り消すことができる。これは、撤回とは意味が異なる。

相続の承認又は放棄の期間伸長申し立てに必要な書類と費用

①相続の承認又は放棄の期間伸長申立書
②申立人(相続人)の戸籍謄本
③被相続人の戸籍謄本(除籍謄本・改製原戸籍謄本)、住民票除票または戸籍附票
●相続人1名につき収入印紙800円＋連絡用の郵便切手

★上記以外の資料の提出が必要になる場合もある

相続の承認又は放棄の期間伸長申立書の作成方法

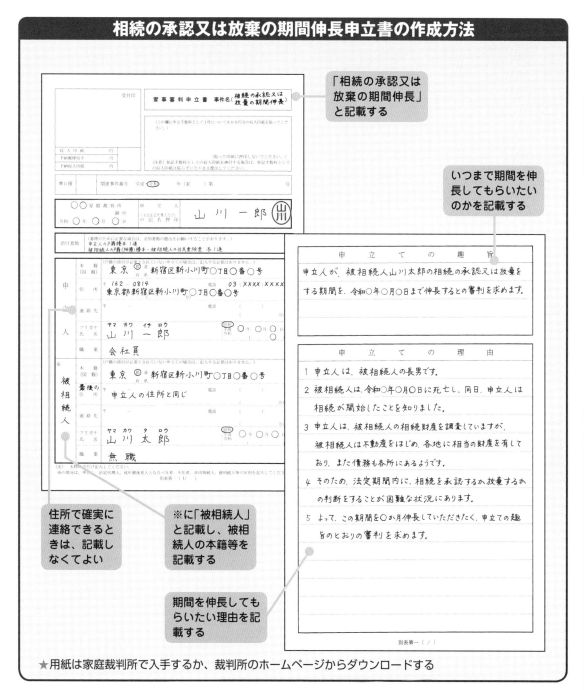

「相続の承認又は放棄の期間伸長」と記載する

いつまで期間を伸長してもらいたいのかを記載する

住所で確実に連絡できるときは、記載しなくてよい

※に「被相続人」と記載し、被相続人の本籍等を記載する

期間を伸長してもらいたい理由を記載する

申立ての趣旨

申立人が、被相続人山川太郎の相続の承認又は放棄をする期間を、令和○年○月○日まで伸長するとの審判を求めます。

申立ての理由

1 申立人は、被相続人の長男です。

2 被相続人は、令和○年○月○日に死亡し、同日、申立人は相続が開始したことを知りました。

3 申立人は、被相続人の相続財産を調査していますが、被相続人は不動産をはじめ、各地に相当の財産を有しており、また債務も各所にあるようです。

4 そのため、法定期間内に、相続を承認するか放棄するかの判断をすることが困難な状況にあります。

5 よって、この期間を○か月伸長していただきたく、申立ての趣旨のとおりの審判を求めます。

★用紙は家庭裁判所で入手するか、裁判所のホームページからダウンロードする

遺産分割には4種類の手続きがある

遺産分割は相続人の話し合いで行うことができますが、それが難しい場合には、家庭裁判所の手を借りることになります。

遺産分割の手続きは遺言・協議・調停・審判の4種類

遺産分割の方法には、**現物分割**や**換価分割**などがあります（36ページ参照）。さらに、これらの分割を行うための手続きにも、複数の選択肢があります。具体的にいうと、**遺言による指定分割**や**協議による分割（協議分割）**が不調の場合は、家庭裁判所の力を借りる**調停分割**や**審判分割**によって解決します。

①遺言による指定分割

被相続人が遺言に定めた方法で分割を行うことです。被相続人が遺言の中で、第三者に分割方法を決めるように委託する場合もあります。遺言にしたがって実際に財産を分配するのは、**遺言執行者**（78ページ参照）です。

②協議分割

相続人全員の合意によって遺産分割を行うことです。被相続人が遺言で遺産分割を一定期間禁じない限り、いつでもこの手続きをすることができます。遺産をどのように分割するかは、法定相続分の定めに拘束されず、相続人同士の話し合いで自由に決めることができます。

③調停分割

家庭裁判所の調停によって遺産分割を行うことです。調停では調停委員や家事審判官が相続人の話し合いを仲介し、全員が納得する分割案をまとめるための手助けをしてくれます。

④審判分割

家庭裁判所の審判によって、遺産分割を行うことです。家庭裁判所は、遺産に属する物や権利の種類と性質、各相続人の年齢・職業・心身の状態・生活の状況などを考慮して、分割を行うことになっています。通常は調停が不調だった場合に行われます。

ここに注意！

調停と審判の関係
遺産分割の場合は、まず調停の申し立てをする必要がある。審判の申し立てがあっても、家庭裁判所は職権で調停に付することができ、ほとんどの場合はそのような処置がとられているからである。

家事事件手続法の公布
平成23年5月25日に「家事事件手続法」が公布され、平成25年1月1日から施行された。それにともなって、従来の「家事審判法」は廃止された。

遺産分割手続きの種類

❶ 遺言による指定分割
→被相続人が遺言で分割方法を指定する

太郎

被相続人

> **遺言書**
> 三郎には不動産A、二郎にはB社株式、一郎には残る財産すべてを相続させる

相続人

 一郎　 二郎　三郎

❷ 協議分割
→相続人の話し合いで分割方法を決める

一郎

> 三郎は不動産A、二郎はB社株式、私は残る財産すべてを相続するということでどうだろうか

相続人

 二郎　 三郎

> それでいいよ

> 異議なし

❸ 調停分割
→家庭裁判所で行われる調停で分割方法を決める(最終的に決めるのは相続人)

家庭裁判所

調停委員

> 三郎さんは不動産A、二郎さんはB社株式、一郎さんは残る財産すべてを相続するということでいかがですか?

相続人

 一郎　 二郎　 三郎

❹ 審判分割
→家庭裁判所で行われる審判で分割方法を決める(最終的に決めるのは裁判官)

家庭裁判所

家事審判官(裁判官)

> 三郎さんは不動産A、二郎さんはB社株式、一郎さんは残る財産すべてを相続してください!

相続人

 一郎　 二郎　 三郎

遺産分割の手続き❶
遺産分割協議書を作成する

《時 期》
相続開始後
10か月以内

《手続きをする人》
・相続人
・受遺者など

協議によって遺産分割を行った場合には、遺産分割協議書を作成します。だれがどの財産を取得したのかを明記しておけば、よけいな争いをせずにすみます。

遺産分割協議書があれば親族間の紛争を防げる

協議によって遺産分割を行った場合には、合意内容を**遺産分割協議書**の形にまとめておくことをおすすめします。遺産分割協議書の作成は、法律によって義務づけられているわけではありません。ですから、たとえ作成しなかったとしても、遺産分割が無効になることはありません。

しかし、協議の内容をめぐって、「不動産Aは自分に分割されたはずだ」「いや、そんなことはない」などと、あとで相続人の間に争いが起こった場合に、遺産分割協議書は協議の内容を明らかにする重要な証拠となります。それよりも、協議書があれば、このような親族間の無益な紛争自体を、事前に防ぐことができるでしょう。

また、実際のところ、協議によって遺産分割した場合には、相続登記や相続税の申告などの相続にかかわるさまざまな手続きにおいて、遺産分割協議書の提出が求められます。

したがって、遺産分割協議書は、相続税の申告期限である相続開始後10か月以内に、忘れずに作成するようにしましょう。

遺産分割協議書には相続人全員の実印を押す

遺産分割協議書の書き方には、とくに決まったルールがあるわけではありません。ただし、だれがどの遺産を取得するのかは、もれなく明記しましょう。

また、**作成した書面はすべての相続人が確認し、各自が署名・押印します。押印は実印で行ってください。**相続登記の手続きなどで遺産分割協議書の提出が必要となる場合に、書面に**各相続人の実印が押されている**ことと、**各自の印鑑証明の提出**を求められるためです。

書面は1通だけでなく、相続人の人数分作成し、それぞれが厳重に保管するようにしましょう。

ここに注意！

遺産分割協議書と相続同意書の違い

どちらも遺産の分割方法を明らかにするための書類だが、両者には明確な違いがある。遺産分割協議書はすべての遺産の分割方法が記載されるのに対し、相続同意書は特定の遺産についてのみ記載される。そのため、相続同意書は特定の遺産の相続手続きには利用できるが、それ以外には使えない。法務局での相続登記には、必ず遺産分割協議書が必要になる。

ここに注意！

公正証書の利用も検討したい

遺産分割協議書を作成する際には、公正証書の形にすることも検討するとよい。公正証書は、公証役場（200ページ参照）で公証人の手によって作成される公文書なので、証拠としてより高い価値がある。

ステップ❶
死亡後の事務手続き

ステップ❷
相続に関する手続き

ステップ❸
遺産分割の手続き

ステップ❹
名義変更の手続き

└→ 遺産分割協議書を作成する

遺産分割協議書の作成方法

**手書き・ワープロ
どちらでもよい**

遺産分割協議書

遺産分割協議書であることが
明らかなタイトルをつける

　被相続人山川太郎の遺産について、共同相続人である山川花子、山川一郎および山川二郎は、協議の結果、次のとおり遺産分割し、取得することに決定した。

だれの遺産について、だれ
が相続人として遺産分割を
行ったのかを示す

1　相続人山川花子が取得する財産
（1）東京都新宿区新小川町○丁目○番○号
　　　宅地　350平方メートル
（2）同所同番地　家屋番号○番
　　　木造瓦葺弐階建　居宅　床面積110平方メートル
（3）上記居宅内にある家財一式
（4）○○銀行○○支店の被相続人山川太郎名義の定期預金（口座番号○○
　　　○○）2,800万円

2　相続人山川一郎が取得する財産
（1）株式会社○○の株式　3万株
（2）日本画○○作「富士」ほか3点

3　相続人山川二郎が取得する財産
相続人山川花子、相続人山川一郎が取得する遺産を除くすべての遺産

　上記のとおり遺産分割の協議が成立したので、これを証するため、本協議書を
参通作成して、それぞれに署名、捺印し、各自壱通を保有するものとする。

協議の結果、
各自が取得す
ることになっ
た財産を記載
する

遺産分割協議が成立した
日を明確にする

令和○年○月○日

東京都新宿区新小川町○丁目○番○号
山川花子　㊞

相続人全員が署名
し、実印を押す

東京都新宿区新小川町○丁目○番○号
山川一郎　㊞

東京都港区虎ノ門○丁目○番○号
山川二郎　㊞

《時期》
相続開始後**10**か月以内
（これ以降も申し立て可能）

《手続きをする人》
・相続人
・受遺者など

遺産分割の手続き❷
遺産分割調停を申し立てる

協議がまとまらず、遺産分割を行えない場合には、遺産分割調停を申し立てましょう。調停がうまくいかなければ、裁判所が審判で分割してくれます。

ここを
チェック！

● **協議**で合意できない場合は**調停**を申し立てる

● **調停**で合意が成立すると**調停調書**を作成する

● **調停が不成立**だと自動的に審判に移行する

協議がまとまらない場合は調停で解決する

相続人の間で遺産分割協議がまとまらない場合や、協議に応じようとしない相続人がいる場合には、家庭裁判所の**遺産分割調停**を利用して、解決をめざすことになります。

調停は、民間人から任命された家事調停委員と家事審判官（裁判官）で構成される、調停委員会によって進められます。調停の場では相続人各自が意見を出し合い、全員が納得できる分割方法を検討します。

全員の合意が成立した場合には、**調停調書**が作成されます。調停調書は確定判決や確定した審判と同一の効力があるので、これに基づいて調停の内容を強制的に実現することが可能になります。合意が成立せず、調停が不成立となった場合は、審判手続きに移行します。このような場合は、家事審判官が強制的に遺産分割を行うことになります。

調停を申し立てることができるのは、**共同相続人・包括受遺者・相続分譲受人・遺言執行者**（包括遺贈の場合）で、申立先は、**ほかの相続人などのうちだれかの住所地を管轄する家庭裁判所**、または**当事者が合意で定める家庭裁判所**です。

ここに注意！

遺産分割の期限

「小規模宅地等の特例」などの優遇措置を受ける場合は、相続税の申告期限まで（10か月以内）に遺産分割をすませる必要がある。ただし、一定の手続きによって特例を受ける期限を延長できる。

寄与分について争いがある場合

寄与分（48ページ参照）の有無や額についても、通常は遺産分割調停のなかで決められる。しかし、争いがある場合には、寄与分を定めることを目的とした調停や審判を、別に申し立てる必要がある。なお、遺産分割審判では、家庭裁判所は寄与分に関する判断を行わない。寄与分を認めてほしい相続人は、改めて調停や審判を申し立てる必要がある。

遺産分割調停の申し立てに必要な書類と費用

①遺産分割調停の申立書

②被相続人の戸籍謄本（除籍謄本・改製原戸籍謄本）

③相続人全員の戸籍謄本、住民票または戸籍附票

④遺産目録と当事者目録

⑤遺産に関する証明書（不動産登記事項証明書、固定資産評価証明書、預貯金通帳写しまたは残高証明書、有価証券写しなど）

●収入印紙1,200円＋連絡用の郵便切手

★上記以外の資料の提出が必要になる場合もある

遺産分割調停申立書の作成方法

「調停」を選ぶ

この申立書の写しは、法律の定めるところにより、申立ての内容を知らせるため、相手方に送付されます。

| | 受付印 | 遺産分割 | ☑ 調停　□ 審判 | 申立書 |

（この欄に申立て1件あたり収入印紙1,200円分を貼ってください。）

収入印紙　　円
予納郵便切手　　円

（貼った印紙に押印しないでください。）

| ○○家庭裁判所 御中 | 申　立　人（又は法定代理人など）の記名押印 | 山川花子 ㊞ |
| 令和 ○年 ○月 ○日 | | |

添付書類　（審理のために必要な場合には、追加書類の提出をお願いすることがあります。）
☑ 戸籍（除籍・改製原戸籍）謄本（全部事項証明書） 合計 6 通
☑ 住民票又は戸籍附票 合計 4 通　☑ 不動産登記事項証明書 合計 5 通
☑ 固定資産評価証明書 合計 5 通　☑ 預貯金通帳写し又は残高証明書 合計 3 通
□ 有価証券写し 合計　通

準口頭

| 当　事　者 | 別紙当事者目録記載のとおり |

被相続人

| 最後の住所 | 東京 都道府県 新宿区新小川町○丁目○番○号 |
| フリガナ氏名 | ヤマガワ タロウ 山川太郎 | 平成 令和 ○年 ○月 ○日死亡 |

「調停」を選ぶ

申　立　て　の　趣　旨

☑ 被相続人の遺産の全部の分割の（☑ 調停／□ 審判）を求める。

□ 被相続人の遺産のうち、別紙遺産目録記載の次の遺産の分割の（□ 調停／□ 審判）を求める。※1
【土地】＿＿＿＿＿＿＿＿＿＿＿　【建物】＿＿＿＿＿＿＿＿＿＿＿
【現金、預・貯金、株式等】＿＿＿＿＿＿＿＿＿＿＿＿＿＿＿＿＿＿＿

申　立　て　の　理　由

遺産の種類及び内容	別紙遺産目録記載のとおり
特　別　受　益 ※2	□ 有　／　□ 無　／　☑ 不明
事前の遺産の一部分割 ※3	☑ 有　／　□ 無　／　□ 不明
事前の預貯金債権の行使 ※4	□ 有　／　☑ 無　／　□ 不明
申　立　て　の　動　機	☑ 分割の方法が決まらない。 □ 相続人の資格に争いがある。 ☑ 遺産の範囲に争いがある。 □ その他（＿＿＿＿＿＿＿＿＿＿＿）

（注）太枠の中だけ記入してください。□の部分は該当するものにチェックしてください。
※1　一部分割を求める場合は、分割の対象とする各遺産目録記載の遺産の番号を記入してください。
※2　被相続人から生前に贈与を受けている等特別な利益を受けている者の有無を選択してください。「有」を選択した場合には、遺産目録のほかに、特別受益目録を作成の上、別紙として添付してください。
※3　この申立てまでにした被相続人の遺産の一部の分割の有無を選択してください。「有」を選択した場合には、遺産目録のほかに、分割済遺産目録を作成の上、別紙として添付してください。
※4　相続開始からこの申立てまでに各共同相続人が民法909条の2に基づいて単独でした預貯金債権の行使の有無を選択してください。「有」を選択した場合には、遺産目録〔現金、預・貯金、株式等〕に記載されている当該預貯金債権の備考欄に権利行使の内容を記入してください。

遺産(1/　)

吹き出し・説明:

「調停」を選ぶ

申立ての動機を選択する

ほかに、遺産分割に関係のある当事者を記載した「当事者目録」と「遺産目録」等も作成する

特別受益の有無について選択する

事前の遺産の一部分割について選択する

被相続人の預貯金債権の行使の有無について選択する

★用紙は家庭裁判所で入手するか、裁判所のホームページからダウンロードする

遺産分割の手続き❸
不在者財産管理人を選任する

《時 期》 協議分割まで

《手続きをする人》 ・配偶者、相続人、債権者など

相続人の中に行方不明者がいる場合には、不在者財産管理人を家庭裁判所に選んでもらわなければならないことがあります。

不在者財産管理人が行方不明者に代わって協議を行う

　相続人のなかに、長年所在が不明で、連絡をとることさえできない者がいる場合もあるでしょう。たとえば、長期間外国に滞在し、居場所がわからなくなっている場合などです。

　そのような所在不明者が親族や弁護士などの**財産管理人**を置いており、その財産管理人が遺産分割協議を行う権限も与えられている場合には、その人を相手に協議を行うことができます。また、財産管理人はいるが、遺産分割協議を行う権限が与えられていない場合には、その権限を家庭裁判所に与えてもらうことが可能です。そのような人がいない場合には、**不在者財産管理人**を選び、その人を相手に協議を行います。

　不在者財産管理人選任の申し立ては、**所在不明者の配偶者や相続人にあたる者、債権者などの利害関係者**、そして**検察官**が行えます。申立先は、**不在者の従来の住所地を管轄する家庭裁判所**です。

　なお、不在者財産管理人を選任するだけでは、遺産分割協議を進めることはできません。家庭裁判所に申し立てて、**不在者に代わって遺産分割を行う権限**[＊]を、不在者財産管理人に与えてもらう必要があります。

ここに注意！

失踪宣告という方法もある
行方不明となっている期間が7年以上の場合は、失踪宣告を求めるという方法も考えられる。詳しくは118ページのコラムを参照。

もっと詳しく！

不在者に代わって遺産分割を行う権限＊
不在者に代わって遺産分割を行うためには、家庭裁判所に不在者財産管理人の「権限外行為許可」の申し立てを行う。

不在者財産管理人選任の申し立てに必要な書類と費用

①不在者財産管理人選任の申立書
②所在不明者の戸籍謄本、戸籍附票
③財産管理人候補者の住民票または戸籍附票
④不在の事実を証する資料（不在者の戸籍附票・謄本など）
⑤申立人の利害関係を証する資料（戸籍謄本、賃貸借契約書写しなど）
⑥財産目録、不在者の財産に関する資料（不動産登記事項証明書など）
●収入印紙800円＋連絡用の郵便切手

★上記以外の資料の提出が必要になる場合もある

不在者財産管理人選任申立書の作成方法❶

「不在者財産管理人選任」と記載する

受付印

家事審判申立書　事件名（不在者財産管理人選任）

（この欄に申立手数料として1件について800円分の収入印紙を貼ってください。）

収入印紙	円
予納郵便切手	円
予納収入印紙	円

（貼った印紙に押印しないでください。）

（注意）登記手数料としての収入印紙を納付する場合は、登記手数料としての収入印紙は貼らずにそのまま提出してください。

| 準口頭 | | 関連事件番号　平成・令和　　年（家　　）第　　　　　号 |

| ○○家庭裁判所　御中　令和○年○月○日 | 申立人（又は法定代理人など）の記名押印 | 山川一郎 ㊞ |

添付書類　（審理のために必要な場合は、追加書類の提出をお願いすることがあります。）申立人の戸籍謄本 1通　不在者の戸籍謄本・戸籍附票 各1通　財産管理人候補者の戸籍謄本・住民票各1通　不在の事実を証する資料 1通　不在者の財産目録・不動産登記事項証明書 各1通　利害関係を証する資料 1通

申立人

本籍（国籍）	（戸籍の添付が必要とされていない申立ての場合は、記入する必要はありません。）東京　都道府県　新宿区新小川町○丁目○番○号
住所	〒162-0814　　　　電話　03（XXXX）XXXX　東京都新宿区新小川町○丁目○番○号
連絡先	〒　－　　　　　　電話　（　　）　　　方
フリガナ氏名	ヤマ カワ イチ ロウ　山川一郎　昭和・平成・令和　○年○月○日生（　○歳）
職業	会社員

上記の住所で確実に連絡できるときは、記載しなくてよい

※ 不在者

本籍（国籍）	（戸籍の添付が必要とされていない申立ての場合は、記入する必要はありません。）東京　都道府県　新宿区新小川町○丁目○番○号
最後の住所	電話　（　　）　　申立人の住所と同じ　　　　　　　　　方
連絡先	〒　－　　　　　　電話　（　　）　　　方
フリガナ氏名	ヤマ カワ サブ ロウ　山川三郎　昭和・平成・令和　○年○月○日生（　○歳）
職業	無職

※に「不在者」と記載し、不在者の本籍等を記載する

（注）太枠の中だけ記入してください。
※の部分は、申立人、法定代理人、成年被後見人となるべき者、不在者、共同相続人、被相続人等の区別を記入してください。

別表第一（ 1/　 ）

★用紙は家庭裁判所で入手するか、裁判所のホームページからダウンロードする

次ページへ続く

不在者の財産管理人を選任する審判を求める旨を記載する

申　立　て　の　趣　旨

不在者の財産管理人を選任するとの審判を求めます.

不在者が行方不明となった事情、不在者の相続した財産、相続人が行方不明のために遺産分割ができない状況にあること、財産管理人として選任を希望する者がいれば、その氏名・連絡先などを記載する

申　立　て　の　理　由

1 申立人は, 不在者の兄です.

2 不在者は, 令和○年○月○日早朝, ○○湾に釣りに出かけると言って外出して以来行方不明となり, 今日までその所在が判明しません.

3 令和○年○月○日に不在者の父太郎が死亡し, 別紙財産目録記載の不動産等につき, 不在者がその共有持分（12分の1）を取得しました. また, 不在者に負債はなく, その他の財産は別紙目録のとおりです.

4 このたび, 父太郎の共同相続人間で遺産分割協議をすることになりましたが, 不在者は財産管理人を置いていないため, 分割協議ができないので, 申立ての趣旨のとおりの審判を求めます. なお, 財産管理人として, 弁護士である次の者を選任することを希望します.

住　所　東京都文京区本郷○丁目○番○号

連絡先　東京都千代田区大手町○丁目○番○号

　　　　○○ビル2階○○法律事務所

　　　　（電話番号 03-XXXX-XXXX）

氏名　鈴　木　　正（昭和○年○月○日生）

別表第一（　／　）

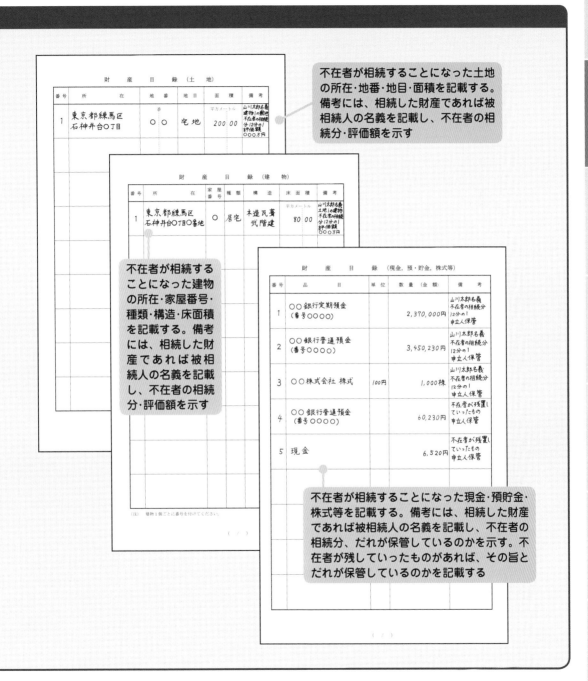

不在者が相続することになった土地の所在・地番・地目・面積を記載する。備考には、相続した財産であれば被相続人の名義を記載し、不在者の相続分・評価額を示す

不在者が相続することになった建物の所在・家屋番号・種類・構造・床面積を記載する。備考には、相続した財産であれば被相続人の名義を記載し、不在者の相続分・評価額を示す

不在者が相続することになった現金・預貯金・株式等を記載する。備考には、相続した財産であれば被相続人の名義を記載し、不在者の相続分、だれが保管しているのかを示す。不在者が残していったものがあれば、その旨とだれが保管しているのかを記載する

101

《時期》
協議分割まで

《手続きをする人》
・本人、配偶者、4親等内の親族など

●判断能力のない相続人の代わりに**成年後見人**が協議に参加する
●本人も**後見開始**を申し立てられる

遺産分割の手続き④
成年後見人を選任する

認知症などのために、合理的な判断をすることができない相続人がいる場合には、遺産分割を行うために成年後見人を選任してもらいます。

認知症や知的障害のある相続人には「成年後見人」を

相続人のなかに、認知症や知的障害、精神障害などのために、自分の行為や、その行為の結果がどのような意味を持つのか判断できない人がいることもあります。そのような場合は、そのままでは遺産分割協議を行うことはできません。

そこで、判断能力のない相続人に代わって本人の利益を図り、協議に参加する人を選ばなければなりません。そのための手続きが、**後見開始の申し立て**です。申し立てが認められ、家庭裁判所が後見開始の審判を行うと、上記のような相続人は**成年被後見人**とされ、その人に代わって法律行為を行う**成年後見人**が選任されます。遺産分割協議は、この成年後見人を交えて行うことになります。

後見開始の審判を申し立てられるのは、**本人（一時的に判断能力を取り戻したような場合）、配偶者、4親等内の親族、未成年後見人、未成年後見監督人、保佐人**＊**、保佐監督人**＊**、補助人**＊**、補助監督人**＊**、検察官**などです。申立先は、**本人の住所地を管轄する家庭裁判所**です。

後見開始の申し立てに必要な書類と費用

①後見開始申立書
②本人の戸籍謄本と住民票または戸籍附票、成年後見登記等に関する登記がされていないことの証明書、診断書、財産に関する資料など
③成年後見人候補者の住民票または戸籍附票
●収入印紙800円＋連絡用の郵便切手＋登記手数料として収入印紙2,600円（本人の判断能力を鑑定するための鑑定料が必要になることもある）

★上記以外の資料の提出が必要になる場合もある

もっと詳しく！
保佐人＊と保佐監督人＊

成年被後見人ほど判断能力が失われていないが、法律行為をするには不十分な場合は、遺産分割を行うために保佐開始の審判を家庭裁判所に申し立て、保佐人を選任してもらう。保佐人を監督するのが、保佐監督人である。

補助人＊と補助監督人＊

判断能力に軽度の障害がある場合には、補助開始の審判を家庭裁判所に申し立て、補助人を選任してもらう。補助人を監督するのが、補助監督人である。

ステップ❶
死亡後の事務手続き

ステップ❷
相続に関する手続き

ステップ❸
遺産分割の手続き
└ 成年後見人を選任する

ステップ❹
名義変更の手続き

相続の基本知識

相続の手続きガイド

相続税の基本知識

相続税の手続きガイド

生前対策の基本知識

生前対策ガイド

さくいん

後見開始の申し立てから登記までの流れ

後見開始の審判が確定すると、確定した内容が法務局で登記されます。

❶家庭裁判所に後見開始を申し立てる

❷審判手続きが行われる

❸家庭裁判所の判断が下される（審判）

❹審判の結果が本人と成年後見人に選任された者に伝えられる

❺❹の２週間後、審判が確定する

❻家庭裁判所から法務局に審判の内容が通知される

❼法務局の登記ファイルに成年後見人・成年被後見人の住所や氏名などが記載
される

★現在は、成年後見の詳細について記載したファイルの内容（登記事項証明書）の開示は、
成年被後見人本人や成年後見人など限られた人しか請求できない

次ページへ続く

後見開始申立書の作成方法

申立後は，家庭裁判所の許可を得なければ申立てを取り下げることはできません。

「後見」を選ぶ

受付印

（ ☑後見 □保佐 □補助 ） 開始等申立書
※ 該当するいずれかの部分の□にレ点（チェック）を付けてください。

※ 収入印紙（申立費用）をここに貼ってください。
・後見又は保佐開始のときは，８００円分
・保佐又は補助開始＋代理権付与又は同意権付与のときは，１，６００円分
・保佐又は補助開始＋代理権付与＋同意権付与のときは，２，４００円分
【注意】貼った収入印紙に押印・消印はしないでください。
収入印紙（登記費用）２，６００円分はここに貼らないでください。

収入印紙（申立費用）	円
収入印紙（登記費用）	円
予納郵便切手	円

準口頭 　　関連事件番号　　年（家　）第　　　号

○○ ○○ 家庭裁判所
　　　　　支部・出張所　御中

令和　○　年○月○日

申立人又は同手続
代理人の記名押印

山川二郎 ㊞

申立人

住所	〒105－0001 東京都港区虎ノ門○丁目○番○号 電話　（　　　）　　　携帯電話　090（XXXX）XXXX
ふりがな 氏名	やま かわ じ ろう 山川二郎	□大正 ☑昭和 □平成　○年○月○日生（○歳）
本人との関係	□本人　□配偶者　□親　☑子　□孫　□兄弟姉妹　□甥姪 □その他の親族（関係：　　　　　）　□市区町村長 □その他（　　　　　　　　　　　）

本人との関係を選択する

手続代理人

| 住所
（事務所等） | 〒
電話　（　　　）　　　携帯電話　（　　　） |
| 氏名 | |

本人

本籍 （国籍）	東京 ㊞道府県 新宿区新小川町○丁目○番○号
住民票上の住所	□申立人と同じ 〒170－0002 東京都豊島区巣鴨○丁目○番　○○介護センター 電話　03（XXXX）XXXX
実際に住んでいる場所	□住民票上の住所と同じ 〒　－　　　※病院や施設の場合は，所在地，名称，連絡先を記載してください。 病院・施設名（　　　　　　　　）電話（　　　）
ふりがな 氏名	やま かわ はな こ 山川花子	□大正 ☑昭和 □平成　○年○月○日生（○歳）

1

★用紙は家庭裁判所で入手するか、裁判所のホームページからダウンロードする

申　立　て　の　趣　旨
※ 該当する部分の□にレ点（チェック）を付けてください。

☑ 本人について**後見**を開始するとの審判を求める。

□ 本人について**保佐**を開始するとの審判を求める。
　※ 以下は、必要とする場合に限り、該当する部分の□にレ点（チェック）を付けてください。なお、保佐開始申立ての場合、民法13条1項に規定されている行為については、同意権付与の申立ての必要はありません。
　　□ 本人のために別紙代理行為目録記載の行為について**保佐人に代理権**を付与するとの審判を求める。
　　□ 本人が民法13条1項に規定されている行為のほかに、下記の行為（日用品の購入その他日常生活に関する行為を除く。）をするにも、**保佐人の同意を得なければならない**との審判を求める。
　　　　　　　　　　　　　記

□ 本人について補助を開始するとの審判を求める。
　※ 以下は、少なくとも1つは、該当する部分の□にレ点（チェック）を付けてください。
　　□ 本人のために別紙代理行為目録記載の行為について補助人に代理権を付与するとの審判を求める。
　　□ 本人が別紙同意行為目録記載の行為（日用品の購入その他日常生活に関する行為を除く。）をするには、補助人の同意を得なければならないとの審判を求める。

申　立　て　の　理　由
※ 該当する部分の□にレ点（チェック）を付けるとともに、具体的な事情を記載してください。

本人は、
□ 預貯金等の管理・解約　□ 保険金受取　□ 不動産の管理・処分　☑ 相続手続
□ 訴訟手続等　□ 介護保険契約　□ 身上監護（福祉施設入所契約等）
□ その他（　　　　　　　　　）
の必要があるが、
☑ 認知症　□ 統合失調症　□ 知的障害　□ 高次脳機能障害
□ 遷延性意識障害　□ その他（　　　　　　　　　）
により判断能力が欠けているのが通常の状態又は判断能力が（著しく）不十分である。

※ 具体的な事情を記載してください。書ききれない場合は別紙を利用してください。

1　本人は3年前からアルツハイマー型認知症を患い、○○介護センターで介護を受けているが、回復の見込みはまったく見られない。

2　昨年○月に本人の配偶者が亡くなり、遺産分割の必要が生じたことから、本件を申し立てた次第である。

3　成年後見人には、健康状態に問題がなく、経済的にも安定している本人の長男の山川一郎を選任してもらいたい。

2

□ 家庭裁判所に一任　※ 以下この欄の記載は不要
□ 申立人　※ 申立人のみが候補者の場合には、以下この欄の記載は不要
☑ 申立人以外の〔 ☑ 以下に記載の者　□ 別紙に記載の者 〕

成年後見人等候補者	住　所	〒162 - 0814　東京都新宿区新小川町○丁目○番○号
		電話（　　）　　　携帯電話 090（XXXX）XXXX
	ふりがな	やま かわ いち ろう
	氏　名	山 川 一 郎　☑昭和 □平成 ○年○月○日生（○歳）
	本人との関係	□ 親族：□ 配偶者　□ 親　☑ 子　□ 孫　□ 兄弟姉妹　□ 甥姪　□ その他（関係：　　）　□ 親族外（職業：　　）

手続費用の上申

□ 手続費用については、本人の負担とすることを希望する。
　※ 手続費用は申立人の負担が原則です。ただし、申立手数料、送達・送付費用、後見登記手数料、鑑定費用については、この上申に基づき、これらの全部又は一部について、本人の負担とできる場合があります。
　※ 本欄に記載した場合でも、必ずしも希望どおり認められるとは限りません。

添付書類
　※ 同じ書類は本人1人につき1通で足ります。審理のために必要な場合は、追加書類の提出をお願いすることがあります。
　※ 個人番号（マイナンバー）が記載されている書類は提出しないようにご注意ください。
　☑ 本人の戸籍謄本（全部事項証明書）
　☑ 本人の住民票又は戸籍附票
　☑ 成年後見人等候補者の住民票又は戸籍附票
　　（成年後見人等候補者が法人の場合には、当該法人の商業登記簿謄本（登記事項証明書））
　☑ 本人の診断書
　☑ 本人情報シート写し
　☑ 本人の健康状態に関する資料
　☑ 本人の成年被後見人等の登記がされていないことの証明書
　☑ 本人の財産に関する資料
　☑ 本人の収支に関する資料
　□（保佐又は補助開始の申立てにおいて同意権付与又は代理権付与を求める場合）同意権、代理権を要する行為に関する資料（契約書写しなど）

※ 太わくの中だけ記載してください。
※ 該当する部分の□にレ点（チェック）を付けてください。

3

《時 期》
協議分割まで

《手続きをする人》
・親権者、利害
関係者など

ここを
チェック！

● 親が**相続放棄をせずに**
遺産分割する場合に家
庭裁判所に申し立てる

● 親が相続放棄をしても、
複数の未成年の子が
いれば必要になる

遺産分割の手続き❺
未成年者の特別代理人を選任する

遺産分割の際にも、特別代理人が必要になる場合があります。ここでは、未成
年者の特別代理人を選任する場合について解説します。

遺産分割でも未成年者には特別代理人が必要

相続放棄と同じように、遺産分割の場面でも、**特別代理人**を選任しな
ければならないことがあります。

たとえば、父親が死亡して、母親と未成年の子が相続人となり、**母親
自身も参加する遺産分割協議で、母親と子がそれぞれの相続分について
取り決めようとする場合**などです。

このような場合に、母親が子の代理として遺産分割協議を進めると、
母親が自分に有利になるような分割案をまとめて、子の利益を損なうお
それがあります（このような危険性を「利益相反する」といいます）。そこ
で、子の保護という観点から特別代理人を選任し、その代理人との間で
協議が行われるようにしているのです。

なお、親が相続放棄をして相続人ではなくなった場合でも、複数の未
成年の子の代理として、遺産分割協議をすることはできません。この場
合に**親が代理をできるのは子ひとりだけ**ですので、残りの子のために特
別代理人を選任する必要があります。

特別代理人を選任するためには、子の住所地を管轄する家庭裁判所に
申し立てます。申し立てられるのは、親権者と利害関係者です。

特別代理人選任の申し立てに必要な書類と費用

①特別代理人選任申立書
②申立人（親権者または未成年後見人）と子の戸籍謄本
③特別代理人候補者の住民票または戸籍附票
④利益相反に関する資料（遺産分割協議の場合であれば遺産分割協議
書の案）など
●子１名につき収入印紙800円＋連絡用の郵便切手

★上記以外の資料の提出が必要になる場合もある

ここに注意！
成年年齢の見直し
民法の改正により、
令和4年4月1日より
成年年齢は20歳から
18歳に引き下げられ
た。

ここに注意！
**18歳以上であれば
協議に参加できる**
令和4年4月1日以後
に遺産分割協議を行う
場合は、相続開始日を
問わず、協議の時点で
18歳以上であれば、
法定代理人を立てるこ
となく協議に自ら参加
することができる。

ここに注意！
**特別代理人を選ば
ずに遺産分割協議
を行った場合**
特別代理人が必要であ
るにもかかわらず、選
任せずに行った遺産分
割協議での合意は、無
効と考えられている。

ステップ❶
死亡後の事務手続き
ステップ❷
相続に関する手続き
ステップ❸
遺産分割の手続き
ステップ❹
名義変更の手続き
└ 未成年者の特別代理人を選任する

未成年者の相続人に特別代理人が必要な場合

❶ 親も相続人として遺産分割協議に参加する場合

私の相続分を3,000万円にして子どもの相続分を0円にしよう

子どもにも適正に遺産を分割しましょう

親

遺産
（3,000万円）

未成年の子

代理

特別代理人

親子の利害が対立して子の利益が害される	→	特別代理人が未成年の子の代理として遺産分割協議に参加する

❷ 親は相続放棄しているが、複数の未成年の子の代理人として遺産分割協議に参加する場合

あさ子の相続分を3,000万円にして、ゆう子の相続分を0円にしよう

ゆう子さんの代理人を決めないと、遺産分割協議はできませんよ！

親

代理 →

未成年の子
（あさ子）

遺産
（3,000万円）

未成年の子
（ゆう子）

← 代理

特別代理人

親が代理をできる子はひとりだけである	→	特別代理人がもうひとりの子の代理として遺産分割協議に参加する

次ページへ続く

107

特別代理人選任申立書の作成方法

受付印	**特 別 代 理 人 選 任 申 立 書**
	（この欄に収入印紙 800 円分を貼ってください。）
収入印紙　　　円	
予納郵便切手　　　円	（貼った印紙に押印しないでください。）

準口頭　　関連事件番号　平成・（令和）　年（家　）第　　　　　号

○ ○ 家庭裁判所 御中 令和 ○年 ○月 ○日	申立人の 記名押印	山 川 花 子 ㊞

添付書類	（同じ書類は1通で足ります。審理のために必要な場合は，追加書類の提出をお願いすることがあります。） ☑ 未成年者の戸籍謄本（全部事項証明書）　　☑ 親権者又は未成年後見人の戸籍謄本（全部事項証明書） ☑ 特別代理人候補者の住民票又は戸籍附票　　☑ 利益相反に関する資料（遺産分割協議書案，契約書案等） □ （利害関係人からの申立ての場合）利害関係を証する資料 □

申 立 人	住　所	〒 162 - 0814　　電話　03（XXXX）XXXX 東京都新宿区新小川町○丁目○番○号（　　　方）
	フリガナ 氏　名	ヤマ カワ ハナ 子 山 川 花 子	昭和・平成・令和 ○年○月○日生（　○　歳）　職業 会社員
	フリガナ 氏　名	昭和・平成・令和　年　月　日生（　　歳）　職業
	未成年者 との関係	※　1 父母　2 父　③ 母　4 後見人　5 利害関係人

未 成 年 者	本　籍 （国籍）	東京 ㊞道 府県 新宿区新小川町○丁目○番○号
	住　所	〒 - 　　電話　（　　） 申立人の住所と同じ（　　　方）
	フリガナ 氏　名	ヤマ カワ ナツ コ 山 川 夏 子	平成・令和 ○年○月○日生（　○　歳）
	職業 又は 在校名	東京都立○○高等学校○年

（注）　太枠の中だけ記入してください。　※の部分は，当てはまる番号を○で囲んでください。

未成年者と申立人との関係を選択する

特代（1/2）

★用紙は家庭裁判所で入手するか、裁判所のホームページからダウンロードする

ステップ❶
死亡後の事務手続き

ステップ❷
相続に関する手続き

ステップ❸
遺産分割の手続き
└→未成年者の特別代理人を選任する

ステップ❹
名義変更の手続き

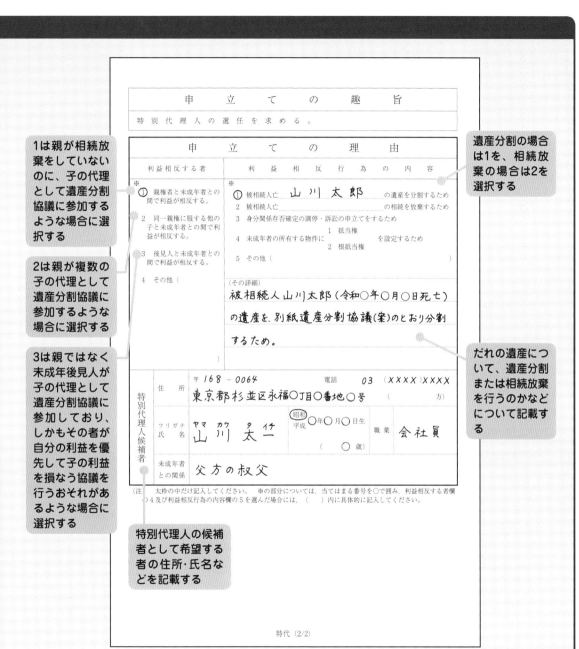

1は親が相続放棄をしていないのに、子の代理として遺産分割協議に参加するような場合に選択する

2は親が複数の子の代理として遺産分割協議に参加するような場合に選択する

3は親ではなく未成年後見人が子の代理として遺産分割協議に参加しており、しかもその者が自分の利益を優先して子の利益を損なう協議を行うおそれがあるような場合に選択する

特別代理人の候補者として希望する者の住所・氏名などを記載する

遺産分割の場合は1を、相続放棄の場合は2を選択する

だれの遺産について、遺産分割または相続放棄を行うのかなどについて記載する

申　立　て　の　趣　旨

特 別 代 理 人 の 選 任 を 求 め る 。

申　立　て　の　理　由

利益相反する者	利 益 相 反 行 為 の 内 容
※ ① 親権者と未成年者との間で利益が相反する。 2 同一親権に服する他の子と未成年者との間で利益が相反する。 3 後見人と未成年者との間で利益が相反する。 4 その他（ ）	※ ① 被相続人亡　山川太郎　　の遺産を分割するため 2 被相続人亡　　　　　　　の相続を放棄するため 3 身分関係存否確定の調停・訴訟の申立てをするため 　　　　　　　　　1 抵当権 4 未成年者の所有する物件に　　　を設定するため 　　　　　　　　　2 根抵当権 5 その他（ ）

(その詳細)
被相続人山川太郎（令和○年○月○日死亡）
の遺産を、別紙遺産分割協議（案）のとおり分割
するため。

特別代理人候補者	住　所	〒168－0064　　　　　　電話　　03（XXXX）XXXX 東京都杉並区永福○丁目○番地○号　　　（　　　方）	
	フリガナ 氏　名	ヤマ カワ タイ チ 山川 太一	昭和○年○月○日生 平成 （○歳）	職業　会社員
	未成年者との関係	父方の叔父		

(注)　太枠の中だけ記入してください。　※の部分については、当てはまる番号を○で囲み、利益相反する者欄の4及び利益相反行為の内容欄の5を選んだ場合には、（　　）内に具体的に記入してください。

特代（2/2）

109

《時 期》
相続開始と遺留分を侵害する贈与・
遺贈の存在を知った日から1年以内

《手続きをする人》
・遺留分権利者
とその承継人

遺産分割の手続き❻
遺留分侵害額請求権を行使する

遺留分が侵害された場合には、遺留分侵害額請求権を行使できます。調停を通じて、遺留分に相当する物件を取り戻すこともできます。

ここを
チェック！

●請求自体は**意思表示**だけでよい

●まずは**調停**で返還を求める

●遺留分の解説
44ページ参照

遺留分侵害額請求権は意思表示だけで行使できる

遺留分が侵害されている場合には、**遺留分侵害額請求権**を行使すれば、自分が相続すべきだった財産に相当する金銭の支払いを請求することができます。遺留分侵害額請求権は意思表示だけで行使することができますが、相続が開始したことと遺留分を侵害する贈与・遺贈のあったことの両方を知った日から1年、または相続開始時から10年以内に、意思表示をする必要があります。

相手が素直に金銭を支払ってくれない場合は、家庭裁判所の**家事調停**[*]を利用する方法があります。まず、遺留分を侵害している者がほかの相続人か包括受遺者の場合には、遺産分割調停で解決を図ります。また、**特定遺贈**（42ページ参照）や贈与によって遺留分が侵害された場合には、**遺留分侵害額による金銭の支払い請求調停**によって、取り戻します。

遺留分侵害額請求調停を申し立てることができるのは、**遺留分権利者**と、**遺留分権利者の承継人**です。**相手方の住所地を管轄する家庭裁判所**、または**当事者が合意で定める家庭裁判所**に申し立てます。

遺留分侵害額による金銭の支払い請求調停の申し立てに必要な書類と費用

① 遺留分侵害額による金銭の支払い請求調停の申立書
② 被相続人の出生から死亡までのすべての戸籍（除籍・改製原戸籍）謄本
③ 相続人全員の戸籍謄本
④ 被相続人の子（および代襲者）で死亡している人がいる場合、その人の出生時から死亡時までのすべての戸籍（除籍・改製原戸籍）謄本
⑤ 物件目録、不動産登記事項証明書
⑥ 遺言書写しまたは遺言書の検認調書謄本の写し
● 収入印紙1,200円＋連絡用の郵便切手

★上記以外の資料の提出が必要になる場合もある

ここに注意！

意思表示は内容証明郵便で行う

遺留分侵害額請求の意思表示は、内容証明郵便で行うのが確実。内容証明郵便とは、いつ、だれが、だれに対して、どのような内容の文書を送ったのかを日本郵便が証明してくれるサービス。訴訟などになったときは、意思表示を行ったという重要な証拠となる。

もっと詳しく！

家事調停[*]

調停委員を交えた話し合いで、家族間の問題の解決を図ること。相続をめぐるトラブルは、はじめに家事調停を行うのが基本。

新宿区新小川町一-七

成美堂出版 愛読者係 行

 愛読者カード

◆本書をお買い上げくださいましてありがとうございます。

これから出版する本の参考にするため、裏面のアンケートにご協力ください。
ご返送いただいた方には、後ほど当社の図書目録を送らせて戴きます。
また、抽選により毎月20名の方に図書カードを贈呈いたします。当選の方への
発送をもって発表にかえさせていただきます。

ホームページ　http://www.seibidoshuppan.co.jp

┌─ お買い上げの本のタイトル（必ずご記入下さい） ─┐
│   │
│   │
│   │
└──┘

●本書を何でお知りになりましたか？
　　□書店で見て　　　　□新聞広告で　　□人に勧められて
　　□当社ホームページで　□ネット書店で　□図書目録で
　　□その他（　　　　　　　　　　　　　）

●本書をお買い上げになっていかがですか？
　　□表紙がよい　□内容がよい　□見やすい　□価格が手頃

●本書に対するご意見、ご感想をお聞かせください

ご協力ありがとうございました。

お名前（フリガナ）		年齢　　　歳	男・女
		ご職業	
ご住所 〒			
図書目録（無料）を	希望する□		しない□

ꜛ遺留分侵害額請求権を行使する

遺留分侵害額請求調停の申立書の作成方法❶

「調停」を選ぶ

「遺留分侵害額の請求」と記載する

この申立書の写しは、法律の定めるところにより、申立ての内容を知らせるため、相手方に送付されます。

| 受付印 | 家事 | ☑ 調停
□ 審判 | 申立書　事件名（遺留分侵害額の請求） |

（この欄に申立て1件あたり収入印紙1,200円分を貼ってください。）

| 収入印紙 | 円 |
| 予納郵便切手 | 円 |

（貼った印紙に押印しないでください。）

| ○○ 家庭裁判所
御 中
令和 ○年 ○月 ○日 | 申立人
（又は法定代理人など）
の記名押印 | 山 川 一 郎 ㊞ |

| 添付書類 | （審理のために必要な場合は、追加書類の提出をお願いすることがあります。）
申立人の戸籍謄本 1通　被相続人の戸籍（除籍）謄本 1通
不動産登記事項証明書 2通　遺言書写し 1通 | 準口頭 |

申 立 人	本籍 （国籍）	（戸籍の添付が必要とされていない申立ての場合は、記入する必要はありません。） 東京 ㊬道府県 新宿区新小川町○丁目○番○号
	住所	〒162－0814 東京都新宿区新小川町○丁目○番○号 （ 　方）
	フリガナ 氏名	ヤマ カワ イチ ロウ 山 川 一 郎	大正 ㊭ 平成 令和 ○年 ○月 ○日生 （ ○歳）

相 手 方	本籍 （国籍）	（戸籍の添付が必要とされていない申立ての場合は、記入する必要はありません。） 東京 ㊬道府県 中央区東日本橋○丁目○番○号
	住所	〒103－0004 東京都中央区東日本橋○丁目○番○号 （ 　方）
	フリガナ 氏名	ウミ ノ ユキ コ 海 野 雪 子	大正 ㊭ 平成 令和 ○年 ○月 ○日生 （ ○歳）

（注）　太枠の中だけ記入してください。

別表第二，調停（ ／ ）

★用紙は家庭裁判所で入手するか、裁判所のホームページからダウンロードする

次ページへ続く

この申立書の写しは，法律の定めるところにより，申立ての内容を知らせるため，相手方に送付されます。

<table>
<tr><td colspan="2">申　立　て　の　趣　旨</td></tr>
</table>

相手方は，申立人に対し，相手方が被相続人山川太郎から遺贈を受けた別紙物件目録記載の土地及び建物につき，その時価の2分の1に相当する金銭の支払いをするとの調停を求めます。

遺留分侵害額請求権の行使によって取り戻したい物件を示して，物件の相当割合の金銭の支払いを調停によって求めていることを明らかにする

<table>
<tr><td colspan="2">申　立　て　の　理　由</td></tr>
</table>

1 被相続人山川太郎(本籍東京都新宿区新小川町○丁目○番○号)は，平成○年ごろから相手方と同棲し，内縁関係にありましたが，令和○年○月○日に死亡し，相続が開始しました。相続人は，被相続人の長男である申立人だけです。

2 被相続人は，別紙物件目録記載の土地，建物を相手方に遺贈する旨の令和○年○月○日付け自筆証書遺言による遺言書(令和○年○月○日に検認済み)を作成しており，相手方は，この遺言に基づき令和○年○月○日付け遺贈を原因とする所有権移転登記手続をしています。

3 被相続人の遺産は，別紙物件目録記載の不動産だけで，他に遺産及び負債はありません。また，前記遺言の他に遺贈や生前贈与をした事実もありません。

4 申立人は，相手方に対し，前記遺贈が申立人の遺留分を侵害するものであることから，遺産の2分の1に相当する金銭の支払いを申し立てましたが，相手方は話し合いに応じようとしないので，申立ての趣旨のとおり調停を求めます。

申し立てをするに至った事情をより詳細に説明する。遺留分の割合を算定する基礎事情となる相続人と被相続人の関係、相続財産の内容についても示す

別表第二，調停（　／　）

112

ステップ❶
死亡後の事務手続き

ステップ❷
相続に関する手続き

ステップ❸
遺産分割の手続き
└ 遺留分侵害額請求権を行使する

ステップ❹
名義変更の手続き

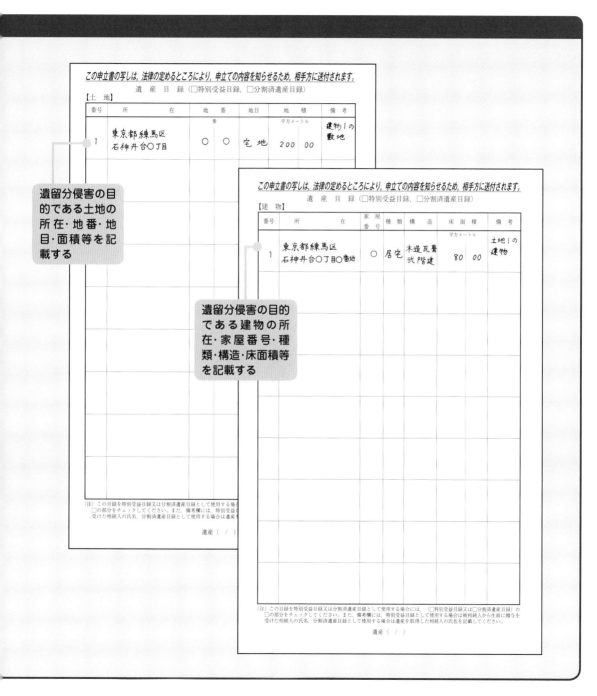

相続の基本知識

相続の手続きガイド

相続税の基本知識

相続税の手続きガイド

生前対策の基本知識

生前対策ガイド

さくいん

名義変更の手続き❶
不動産の相続登記をする

相続した不動産を登記せずにいると、10万円以下の過料の適用対象になります。すぐに登記所に行き、相続登記の手続きをしましょう。

ここをチェック！

● 協議分割で取得した場合は**遺産分割協議書**を提出する

相続した不動産の相続登記が義務づけられた

　相続した財産の種類によっては、その名義や登記、登録を被相続人から相続人へ変更しなければなりません。

　土地や建物などの不動産については登記が義務づけられ、正当な理由がないのに申請を怠ったときは、10万円以下の過料の適用対象になります。相続にともなって行う不動産登記の変更は、**相続登記**とよばれています。2024（令和6）年の相続登記義務化の法改正に先立ち、2023（令和5）年4月27日から**土地の国庫帰属制度（相続土地国庫帰属制度）**が開始されています。これは、相続や遺贈により土地の所有権を取得した人が土地を手放して国庫に帰属させることを可能にする制度です。

　どちらの制度も、**早期の遺産分割請求を促し、所有者不明の土地の発生を減らすための法改正**といえます。

　相続登記の申請は、登記しようとする不動産所在地を管轄する登記所に行います。審査の結果問題がなければ、登記手続きが完了し、**登記識別情報**が通知されます。これが、いわゆる権利証です。相続後も何らかの登記をする際に必要になるので、大切に保管しましょう。なお、インターネットによる**不動産登記のオンライン申請**＊も可能になりました。

相続登記の申請に必要な書類と費用

① 登記申請書
② 被相続人の出生から死亡までの戸籍謄本・除籍謄本など
③ 相続人の戸籍謄本と住民票の写し
④ 遺産分割協議書 ┐
⑤ 各相続人の印鑑証明書 ┘ 協議分割によって相続した場合
● 登録免許税＊（収入印紙で払う）

★上記以外の資料の提出が必要になる場合もある

ここに注意！

相続登記の義務化

令和6年4月1日から相続登記が義務化された。不動産の所有者不明を解消し、取引（売買等）、再開発、公共事業の支障をなくすことが目的で、登記しないと10万円以下の過料を課される。

もっと詳しく！

不動産登記のオンライン申請＊

平成16年に不動産登記法が大改正され、オンライン申請の導入など、さまざまな新しい制度が設けられた。以下のアドレスで申請者情報登録ができる。
https://www.touki-kyoutaku-online.moj.go.jp/index.html

もっと詳しく！

登録免許税＊

相続登記の登録免許税は、不動産の固定資産税評価額に0.4％をかければ求められる。

ステップ❶
死亡後の事務手続き

ステップ❷
相続に関する手続き

ステップ❸
遺産分割の手続き

ステップ❹
名義変更の手続き

不動産の相続登記をする ⤶

相続の基本知識 | 相続の手続きガイド | 相続税の基本知識 | 相続税の手続きガイド | 生前対策の基本知識 | 生前対策ガイド | さくいん

登記申請書の作成方法

**手書き・ワープロどちらでもよい
A4判で作成する**

登記申請書

被相続人の死亡した日
を記載する

登記の目的　所有権移転

原　　　因　令和○年○月○日相続

相　続　人　（被相続人　山　川　太　郎）

相続人の住所と氏名、持分
を記載、末尾に押印する（認
印でかまわない）

　　　　　　　新宿区新小川町○丁目○番○号

　　　　　　　（住民票コード　○○○○○○○○○○）

住民票コードを記載し
た場合、添付書面とし
て住所証明書（住民票
の写し）の提出を省略
できる

　　　　　　　　持分2分の1　山　川　花　子 ㊞

　　　　　　　新宿区新小川町○丁目○番○号

　　　　　　　　　2分の1　山　川　一　郎 ㊞

　　　　　　　連絡先の電話番号　03-××××-××××

添付書類

　　　　登記原因証明情報　住所証明書

疑問点などがあった場合に登記所
の担当者が連絡できるように、電
話番号を記載する

□登記識別情報の通知を希望しません。

登記識別情報の
通知を希望しな
い場合は、□に
✓を入れる

令和○年○月○日申請　○○法務局　○○支局（出張所）

課税価格　金○○○○○○○円

登録免許税　金○○○○円

不動産の表示

不動産番号を記載した場合に
は、土地の所在、地番、地目
および地積（建物の所在・家屋番
号・種類・構造・床面積）の記載を
省略できる

　所　　　在　　新宿区新小川町○丁目

　地　　　番　　○番

　地　　　目　　宅　　地

　地　　　積　　106 平方メートル

　　　　　　　　　　価格　金○○○○○○○円

　所　　　在　　新宿区新小川町○丁目

　家屋番号　　○番

　種　　　類　　居　宅

　構　　　造　　木造瓦葺2階建

　床　面　積　　1階　46.00 平方メートル

　　　　　　　　2階　23.45 平方メートル

　　　　　　　　　　価格　金○○○○○○○円

名義変更の手続き❷
株式・預貯金等の名義書換をする

《時期》
できるだけ早く

《手続きをする人》
・相続人、受遺者など

株式や預貯金も、名義変更をしなければ権利を行使することができません。その他の財産も、忘れずに名義変更などの手続きをしましょう。

上場株式は証券会社に連絡して名義変更する

株式を持っている人を、株主といいます。株式を相続すると株主になるわけですが、その権利を行使するためには、名義書換をする必要があります。そうしないと、配当の支払いや株主優待を受けたり、株主総会に参加したりすることができません。

まず、相続した株式が証券会社に預けられている**上場株式**で、被相続人が**保管振替制度***を利用していた場合には、証券会社に所定の書類等を提出して、名義書換の手続きを行います。具体的な方法については、被相続人の株式を預かっていた証券会社に問い合わせましょう。被相続人が保管振替制度を利用していなかった場合については、このページ右の「ここに注意！」を参照してください。

一方、証券会社に預けられていない**未上場株式**の場合には、株式を発行している会社に連絡して、名義書換をしなければなりません。株券が発行されているのであれば、株券の提出を求められるでしょう。

預貯金や自動車、公共料金の支払いも手続きが必要

被相続人の**預貯金**を相続しても、名義変更か解約手続きをしないと、お金を引き出すことはできません（一定の範囲内での預貯金の払戻しを除く。38ページ参照）。

また、**自動車**を相続した場合には、車検証に記載されている使用の本拠地を管轄する運輸支局・自動車検査登録事務所で、自動車の所有者名義を変更（**移転登録**）しなければなりません。そのためには、車検証や保管場所証明書など、各種の書類の提出が求められます。

これ以外にも、**電話加入権や電気・ガス・水道・ＮＨＫ受信料の口座振替、クレジットカード**などについて、名義変更や解約手続きが必要になるでしょう。右ページの表を参考に、手続きを進めてください。

もっと詳しく！
保管振替制度*
証券会社等の手続きを通じて、「証券保管振替機構」に株式を保管させ、株の売買にともなう受け渡しなどの手続きを簡素化・迅速化するしくみ。

ここに注意！
株券の電子化
上場会社の株式は電子化され、平成21年1月5日をもって、従来の株券が無効となった。この日以降、保管振替制度を利用していない株主の株式は、信託銀行などに開設された特別口座で管理されている。名義書換については、特別口座のある信託銀行などに問い合わせるとよい。
なお、株券電子化実施前に特別口座の名義人を相続したが、相続人への名義書換を忘れていた場合には、相続関係書類を提出して、新たに相続人の名義で特別口座を開設する必要がある。

各種名義変更・解約などの手続き窓口と提出書類

手続きの種類	手続き窓口	おもな提出書類（必要な連絡事項）
預貯金名義変更	銀行・ゆうちょ銀行	●銀行・ゆうちょ銀行所定の請求書 ●被相続人の預貯金通帳または預貯金証書と届出印 ●被相続人の出生から死亡までの戸籍謄本及び除籍謄本 ●相続人全員の戸籍謄本・住民票 ●相続人全員の承諾書・印鑑証明書 ●遺産分割協議書（分割協議後の場合）
自動車名義変更	運輸支局・自動車検査登録事務所	●申請書　●被相続人の戸籍謄本（除籍謄本） ●相続人の戸籍謄本・印鑑証明書 ●相続人の委任状（または実印）　●車検証 ●保管場所証明書　●自動車税申告書 ●遺産分割協議書（遺産分割で相続人を１名に限定する場合）　など
電話加入権	電話会社	●届出用紙　●被相続人の除籍謄（抄）本 ●死亡診断書　●相続人の印鑑　など
電気	電力会社	●「電気ご使用量のお知らせ」「電気料金領収証」などに記載された「お客様番号」などを営業所に連絡
ガス	ガス会社	●「検針結果のお知らせ」などに記載されている「お客様番号」などを「お客様センター」に連絡
水道	水道局	●「水道料金・下水道使用量納入通知書兼領収書」「上下水道使用量・料金等のお知らせ」などに記載されている「使用者番号」などを「お客様センター」に連絡
NHKの受信契約	NHK	●ただ名義を変更するだけなら、電話連絡でよい。受信料の引き落とし口座を変える場合には所定の用紙を提出
クレジットカード	各クレジットカード会社	●通常は電話連絡すればカードの機能を停止してくれる
各種会員証（スポーツクラブなど）	各クラブ	●それぞれのクラブに電話して問い合わせる

★電気・ガス・水道については、インターネットで手続きができることもある
★被相続人が保険料負担者で、被相続人以外が被保険者である生命保険も、解約や名義変更を行う

行方不明者は「失踪宣告」によって死亡したとみなされる

「失踪宣告」を申し立てる場合

98ページで、相続人の中に行方不明者がいる場合の対処方法について解説しました。ここでは、行方不明者が「失踪宣告」された場合の相続について、説明しておきましょう。

失踪宣告は、①不在者の生死が7年間わからない場合、または②戦争や船舶の沈没、震災などの危難に遭遇し、その危難が去ってから1年間生死がわからない場合に、申し立てによって家庭裁判所が行います。

失踪宣告されると、行方不明者は法律上、死亡した者として扱われることになります。その結果、行方不明者の財産等に関して、相続が開始します。死亡日とみなされるのは、①の場合は7年間が経過した時点、②の場合は危難が去ったときです。①と②では、死亡したとみなされる日が異なることに注意しましょう。

失踪宣告は取り消しができる

失踪宣告後に行方不明者が現れた場合には、申し出によって失踪宣告を取り消すことができます。つまり、Aさんの配偶者Bさんが失踪宣告を受けた後に、じつはBさんが生きていることがわかったら、失踪宣告は取り消されます。

その結果、Bさんの死亡による相続も発生しなかったことになりますので、相続によってAさんが得た財産は、原則として失踪宣告を受けたBさんに戻さなければなりません。

失踪宣告者の配偶者が再婚した場合

では、このケースで、もし失踪宣告を受けたBさんの配偶者Aさんが Cさんと再婚していたら、どうなるのでしょうか。この再婚の扱いについては判断が分かれるところですが、一般的な見解を紹介します。

まず、AさんもCさんも、Bさんが生存していることを知らなかったとしたら、この再婚はそのまま有効なものとして扱われると考えられています。

一方、AさんかCさんのどちらかが、Bさんが生きていることを知っていた場合には、AさんとBさんとの間で行われていた、前の結婚が復活すると考えられています。この場合、AさんとCさんの婚姻関係もそのまま維持されることになるため、重婚状態となります。前の結婚相手と離婚するか、後の結婚を取り消すかを選択して、重婚状態を解消しなければなりません。

第3章

相続税の基本知識

自分はどのくらい相続税を支払うのか、不安に思う方もいるでしょう。どんな財産をどのくらい相続すれば相続税がかかるのか、相続税の仕組みについて解説します。

遺産が基礎控除額を超えたら相続税を支払う

相続税の制度は、公平の観点から定められています。もし遺産が基礎控除額を超えなければ、相続税を支払う必要はありません。

人の死亡によって財産を取得すると相続税が課される

相続税は、相続や遺贈など人の死亡を原因として財産を取得した個人に課される国税*です。一般的には、親が死んで子が遺産を相続した場合に、相続した子が支払わなければならないのが相続税です。

「何で親の財産を受け継ぐだけで税金を支払わなければならないのだ？」と疑問に思う人もいるかもしれませんが、相続税の理由のひとつとしては「富の再分配」があげられています。つまり、親の持ち物であった財産を、子がそのまま受け継いで自分のものにするのは公平とはいえない、税金の形で社会に還元すべきだという発想です。

相続税に関する決まりについては相続税法*という法律が定めています。それによれば、相続税が課されるのは、①相続、②遺贈、③死因贈与、④相続時精算課税に係る贈与、によって財産を取得した場合です。④の「相続時精算課税に係る贈与」については、第５章で詳しく解説します。

遺産の額によっては支払わなくてよい場合もある

もっとも、これらの場合に必ず相続税を支払わなければならないというわけではありません。具体的に相続税を支払う義務が生じるのは、遺産の総額が基礎控除額と呼ばれる一定の額を超えた場合だけです。基礎控除額は、3,000万円＋（600万円×法定相続人の数*）によって算出されます。たとえば、法定相続人が２人の場合は基礎控除額が「3,000万円＋（600万円×2）＝4,200万円」ということになり、遺産の額が4,200万円以下であれば相続税を支払う必要はありません。

また、配偶者に認められている特別な税額軽減など、さまざまな税額控除制度があります（166〜167ページ参照）。これらの税額控除の結果、相続税を支払わなくてもよくなる場合があります。さらに、相続税がかからない財産もあり、これについては次項で詳しく説明します。

もっと詳しく！
国税*
国に納める税金のこと。これに対して、県や市などの地方公共団体に納める税金を地方税という。

相続税法*
相続税や贈与税について定めた法律。全部で8章、71条から構成される。

もっと詳しく！
法定相続人の数*
相続税の計算上、法定相続人数に含むもの。
● 相続人
● 相続放棄をした相続人（詳細は124ページ参照）

相続税法で決められていること

相続税法では、次のような理由で財産を取得した場合には、相続税を支払うことになっています。

 相続 被相続人の死亡によって相続人が財産を引き継いだ場合

 **遺贈** 遺贈者の遺言によって、財産が譲渡された場合

 死因贈与 契約に基づき、贈与者の死亡を条件として、財産が無償で譲渡された場合

 その他 相続時精算課税を利用して生前贈与が行われた場合

相続税が課される場合

遺産の額が基礎控除額を超えたら、相続税を支払う必要があります。

●基礎控除額の計算方法

$$3,000万円 \ + \ 600万円×法定相続人の数 \ = \ 基礎控除額$$

| 基礎控除額 | ≧ | 遺産の額 | ⟶ | 相続税を支払わなくてよい |

| 基礎控除額 | ＜ | 遺産の額 | ⟶ | 相続税を支払う |

●相続税を支払わなくてよい場合

法定相続人の数	遺産の総額	法定相続人の数	遺産の総額
1人	3,600万円以下	4人	5,400万円以下
2人	4,200万円以下	5人	6,000万円以下
3人	4,800万円以下		

★以下、法定相続人が1人増えるごとに遺産の総額を600万円ずつ足していけばよい

相続税が課税される財産と課税されない財産がある

相続税の対象となるのは、相続等によって得た遺産だけではありません。また、遺産であっても課税の対象とならないものもあります。

遺産とはいえない財産が課税対象となることも

　相続税は原則として、相続や遺贈、死因贈与によって被相続人から取得した財産のすべてにかかります。現金、預貯金、有価証券、宝石、土地、家屋などはもちろん、貸付金、特許権、著作権など、金銭に見積もることができる経済的価値のあるものすべてが、課税対象となります。

　また、厳密には相続や遺贈で取得した財産とはいえないにもかかわらず、相続税法上、相続税の課税対象とされている財産があります。これを**みなし相続財産**といいます。

　みなし相続財産の例としては、**死亡退職金**や**被相続人が被保険者・保険料負担者だった生命保険金**などがあげられます。これらのみなし相続財産は、相続人が受け取った場合は相続によって、相続人以外の人が受け取った場合は遺贈によって取得したとみなされます。

金銭的な価値があっても課税されない財産もある

　一方、金銭的な価値があり、財産と評価できるものであっても、さまざまな政策的考慮によって、相続税がかからないとされている財産があります。これを**非課税財産**といいます。

　主な非課税財産としては、①墓地や仏壇など日常的に礼拝しているもの、②宗教・慈善などの公益を目的とする事業を行う者がそのために使うことが確実なもの、③相続人が取得した生命保険金、④相続人が取得した死亡退職金、⑤国や地方公共団体などに寄付した財産、⑥心身障害者扶養共済制度に基づいて支給される給付金を受け取る権利、などがあげられます。

　そのうち、③の生命保険金と④の死亡退職金は、みなし相続財産となる財産のうち、一定額が非課税財産になることを意味します。また、相続人が取得したものに限られますので、注意が必要です。

相続税の課税対象となる財産

❶ 相続・遺贈・死因贈与によって取得した財産（非課税財産を除く）

土地、家屋、借地権、株式、預貯金、現金、貴金属、宝石、書画、骨董品、自動車、電話加入権、立木、金銭債権など

❷ みなし相続財産

- **生命保険金** 被相続人が保険料を負担し、その死亡によって相続人等が取得するもの（金額は下記の計算式参照）
- **死亡退職金** 死亡後3年以内に権利が確定したもの
- **定期金に関する権利** 被相続人が掛金を負担し、被相続人以外が契約者であるもの（相続開始時までに給付事由が発生していないもの）

- 相続財産とみなされる生命保険金の額の計算式

$$\text{取得した保険金額} \times \frac{\text{被相続人が負担した保険料の金額}}{\text{被相続人の死亡時までに払い込まれた保険料の総額}} = \text{相続財産とみなされる金額}$$

相続税がかからない主な非課税財産

❶ 墓所、霊廟、祭具など
❷ 公益事業を行う者が取得した公益事業用財産
❸ 相続人が取得した生命保険金などの一定の金額（500万円×法定相続人の数）
❹ 相続人が取得した退職手当金等のうち一定の金額（500万円×法定相続人の数）
❺ 相続税の申告期限までに国・地方公共団体・特定の公益法人などに寄付した財産
❻ 心身障害者扶養共済制度に基づく給付金の受給権
❼ 個人で経営している幼稚園の事業に使われていた財産で一定の要件を満たすもの

★❸と❹はみなし相続財産で、そのうち一定の金額が非課税とされている。
（例）法定相続人が2人の場合の非課税額→それぞれ500万円×2＝1,000万円

相続税の計算の基本を知っておこう

相続税の額は、そのために用意された特別な計算式によって導き出されます。
計算にあたっては、法定相続人の意味を理解しておくことが大切になります。

ここをチェック！
● **相続税**はまず総額を求めてから各相続人に割り振る
● **相続放棄**した人も相続税の計算上は**法定相続人**に含まれる

相続税は課税される遺産の額をもとに計算する

　相続税の金額は、各自がもらった遺産に税率をかければすぐに出る、というような単純なものではありません。相続税の算出方法をおおまかに説明すると、まず各相続人が相続した遺産のうち、課税される額を計算します。次に、課税される遺産の総額を計算し、そこから相続税の総額を求めます。その額を法定相続分に応じて各相続人に振り分け、さらに一定の額を加算したり、控除したりすると、はじめて実際に納付しなければならない相続税の額が決まるのです。詳しい計算方法や具体的な手順については、158ページ以降で解説します。

　平成27年から相続税の基礎控除額の計算方法が大きく変わりました。税金関係の法令はよく改正されますので、注意しましょう。

法定相続人についてはこう考える

　相続税を計算するときには、**法定相続人**の人数が重要になってきます。具体的には、基礎控除額を算定する場合(120ページ参照)や、生命保険金等の非課税額を算定する場合(123ページ参照)などです。民法と相続税法では、法定相続人の扱いが多少異なりますので、次の点に注意が必要となります。

　第一に、**相続放棄した人**は、民法上は最初から相続人ではなかったとして扱われますが、相続税法上は法定相続人として扱われます。第二に、民法上は養子も法定相続人となり、その数に制限はありません。しかし、相続税の計算上は、被相続人に実子がいる場合は1人、被相続人に実子がいない場合は2人しか、法定相続人として扱われません。

　ただし、養子が配偶者の実子(連れ子)や**特別養子***の場合、実子等の代襲相続人(だいしゅうそうぞくにん)の場合には、養子も実子と同じように、相続税法上の法定相続人に含めることが認められています。

●相続税の計算方法
160〜169ページ参照

もっと詳しく！
特別養子*
特別養子縁組による養子のこと。通常の養子縁組と異なり、養子とその実の親との親族関係が終了してしまう点が、大きな特徴である。

相続税計算の4つのステップ

各相続人が相続した遺産のうち、課税される額を計算する

課税される遺産の総額を計算する

相続税の総額を求める

❹各相続人が実際に納付すべき相続税額を計算する

相続税の計算と法定相続人の数

相続税法では、法定相続人の考え方が民法とは違うので、注意が必要です。

法定相続人…法律で相続人となる資格を認められた人

❶相続放棄した人も法定相続人として扱う

相続放棄

❷相続税を計算するときに、法定相続人として扱う養子の数に制限がある

●被相続人に実子がいない場合

被相続人　　養子

法定相続人に数えられる養子は2人まで

●被相続人に実子がいる場合

実子　被相続人　養子

法定相続人に数えられる養子は1人まで

★ただし、配偶者の実子(連れ子)である場合、特別養子による場合、実子等の代襲相続人である場合には、上記の制限を超えて法定相続人に含めることができる

相続税を支払う場合は期限内に申告・納付する

相続税の納付は、申告手続きを前提に行います。期限内に金銭で納付することが難しければ、延納や物納を検討します。

相続税の申告と納付は10か月以内に行う

相続税の課税対象となる遺産の総額が基礎控除額を超えている場合には、相続や遺贈によって財産を取得した人は、**相続税の申告と納付**を行う必要があります。逆に、取得した財産の総額が基礎控除額を超えていなければ、相続税を申告する必要はありません。

相続税の申告は、被相続人の死亡時の住所地を所轄する税務署に、申告書を提出して行います。この申告に基づいて、相続税を納付します。納付先は所轄税務署か、あるいは銀行等の金融機関で、原則として金銭で納めなければなりません。

申告書の提出期限と相続税納付の期限はともに、相続の開始があったことを知った日（通常は被相続人の死亡日）**の翌日から10か月以内**です。申告後に申告漏れがわかった場合には**修正申告**を、逆に相続税を納めすぎていた場合には**更正の請求**を行います（190ページ参照）。

延納や物納も認められている

期限内に申告を行わなかったり、相続税を納めなかった場合には、延滞税や加算税などが課される不利益を被ります。

また、相続税については**連帯納付の義務**が定められています。これは、相続人や受遺者などの中に相続税を支払わない者がいる場合、ほかの相続人や受遺者が代わりに支払う義務を負うという仕組みです。ただし、申告期限等から原則として5年を経過した場合などは、連帯納付の義務は解除されます。

期限内に全額を納付することや、金銭で納付することが難しい場合には、相続税を分割して支払う**延納**（186ページ参照）や相続した不動産などの現物で支払う**物納**（188ページ参照）も認められています。困ったときには、税務署に相談してみるとよいでしょう。

● 申告の手続き
  170～185ページ参照
● 延納の手続き
  186ページ参照
● 物納の手続き
  188ページ参照
● 修正申告の手続き
  190ページ参照
● 更正の請求の手続き
  190ページ参照

ここに注意！
税額軽減の場合も申告を
配偶者の税額軽減の適用を受けようとする場合（166ページ参照）、それによって相続税がなくなるようなケースでも、申告は行わなければならない。

相続税の申告・納付の期限

相続税は、相続の開始があったことを知った日の翌日から**10か月以内**に申告・納付しなければなりません。

令和○年3月4日
被相続人が死亡する

死亡日の翌日から10か月間

★10か月目にあたる日が土曜・日曜
などの休日になる場合はその翌日

次の年の1月4日までに
相続税の申告・納付を行う

税務署

相続税を納付できない場合の対処方法

一括で支払えない場合 　→　 **延 納**
（分割して支払う）　　★手続き方法は186
ページ参照

金銭では支払えない場合 　→　 **物 納**
（不動産などで支払う）　★手続き方法は188
ページ参照

納付すべき相続税額と申告額にずれがあった場合の対処方法

申告額が少なかった場合 　→　 **修正申告**　　★手続き方法は190
ページ参照

申告額が多かった場合 　→　 **更正の請求**　　★手続き方法は190
ページ参照

相続人全員が合意すれば
遺産分割協議のやり直しが認められる

遺産分割後に事情が変わった場合

　相続人全員の協議によって遺産分割を終えたあとで、「遺産分割協議をもう一度やり直したい」と思うことも、あるかもしれません。ただし、民法には、協議による遺産分割のやり直しについて定めた条文はありません。そのため、この「分割協議の解除」について、裁判で争われることがあります。最高裁まで争われた例としては、次のようなものがあります。

　被相続人Aが死亡し、妻であるBと、子であるC・D・E・F・Gが相続しました。遺産分割協議成立の結果、長男であるCが母親Bと同居して扶養し、母親が安心して老後を送れるように最善の努力をすることを条件に、ほかの相続人よりも多くの相続分を得ることになりました。しかし、Cは上記の約束を守らず、母親を十分に扶養しないばかりか、暴力をふるってケガをさせるなどの、虐待行為を行いました。そこで、子のDや母親Bが遺産分割協議の解除を主張して、訴えを起こしました。

「債務不履行」では認められない

　この訴えのポイントは、協議の際に取り決めた母親を扶養するという約束をCが破った場合に、遺産分割協議に関する「債務不履行」を理由として、ほかの相続人が遺産分割協議を解除できるかどうか、という点です。最高裁は結論として、「債務不履行を理由とする遺産分割協議の解除」を否定しました。もし解除を認めて遺産の再分割が行われた場合に、法的安定性が害されるというのがその理由です。

全員が合意すれば認められる例も

　別の判決では、最高裁が遺産分割協議の解除を認めたケースもあります。相続人全員が解除に合意しているのであれば、遺産分割協議の全部または一部を解除したうえで、改めて遺産分割協議をすることは可能であるという見解を示しました。

　最高裁のこれらの判断によって、相続人全員が合意していれば、遺産分割協議をもう一度やり直すことはできるが、一人でも反対していれば、やり直すことはできないと考えられています。分割をやり直す場合は、贈与税に注意しましょう。

第4章

相続税の手続きガイド

相続税の対象となる財産は、種類によって評価方法が異なります。財産評価の方法や相続税の計算、申告書の作成方法について、手順をきちんと理解しておきましょう。

ステップ❶	ステップ❷	ステップ❸	ステップ❹
財産評価	**相続税の計算**	**相続税の申告**	**その他の手続き**
不動産や生命保険金、株式・書画・骨董品など、相続した財産の種類別に財産評価の方法を解説します。	相続税の計算のしかたについて、課税価格の計算からの 4 段階に分けて、わかりやすく解説します。	第 15 表まである相続税の申告書のうち、主要なものについて、作成順に書き方を解説します。	相続税を期限までに支払えない場合や、相続税をまちがえて申告した場合に、必要な手続きを解説します。

財産評価の方法を知り、財産リストを作る

相続税の対象となる財産は、相続時の時価によって評価されます。評価額を把握するために、まず財産リストを作成しましょう。

相続税は「時価」で財産を評価する

相続税がいくらになるのかを知るためには、まず相続した財産の価額を見積もらなければなりません。財産の評価方法については、一般にふたつの考え方があります。ひとつは時価*主義で、もうひとつは**原価主義**です。

時価主義とは、財産を相続などによって取得したときの時価で評価する方法です。一方の原価主義とは、財産を被相続人が取得したときの価額によって評価する方法です。相続税の課税対象となる財産は、**基本的には時価で評価する**ことになっています。

時価算定の基準となるのは、相続や遺贈、贈与によって財産を取得した時点です。もっと具体的にいうと、相続や遺贈の場合には原則として被相続人が死亡した日、贈与の場合には贈与契約などによって財産を取得した日です。これらの財産を取得した日は**課税時期**とよばれています。

評価が高額になる財産はリストを作っておく

相続財産および相続財産とみなされるものは、すべて評価の対象となるのですが、そのなかでも高額に評価される可能性が高いものについては、事前に評価額をしっかりと把握しておく必要があります。これは、適切かつ効果的な節税対策を行うためにも、重要なことです。

具体的には、①**不動産（宅地・家屋・借地権など）**、②**生命保険金や生命保険契約に関する権利**、③**個人年金などの定期金**、④**株式**、⑤**公社債**、⑥**ゴルフ会員権や書画・骨董品**、⑦**その他の財産（預貯金・自動車・債権など）**、のように分けてリストを作ります。そして、それぞれの評価方法について理解しておきましょう。

以降のページでは、これらの財産の評価方法について解説します。

もっと詳しく！
時価*
その財産を売りに出したときに、だれかが通常買ってくれると思われる価額のこと。

└ 財産評価の方法を知り、財産リストを作る

相続財産評価チェックリスト

下のリストを使って、自分の相続財産と評価額をまとめてみましょう。

財産の種類		所有していれば○をつける	評価額
不動産	宅地（→132・142ページ）		円
	家屋（→134ページ）		円
	農地・山林（→136ページ）		円
	借地権（→138ページ）		円
	貸宅地・貸家建付地（→140ページ）		円
生命保険金・生命保険契約に関する権利（→144ページ）			円
個人年金（→144ページ）			円
株式（→146・148ページ）			円
公社債（→152ページ）			円
ゴルフ会員権（→154ページ）			円
書画・骨董品（→154ページ）			円
その他（預貯金・自動車・債権など）（→156ページ）			円
現金（その額のまま評価）			円

財産評価❶
宅　地

《時　期》
10か月以内

《手続きをする人》
・相続人
・受遺者

ここを
チェック！
● 宅地は **1画地**ごとに評
価する
● **路線価方式**か**倍率方式**
で評価する

宅地の評価方法には、路線価方式と倍率方式があります。市街地の宅地は、通常、路線価方式で評価されます。

宅地かどうかは実際の使われ方で判断する

　宅地とは、住まいや商業活動、工業活動のために利用されている建造物の敷地となっている土地のことです。宅地かどうかは、不動産登記簿の記載からではなく、実際にその土地がどのように使われているかによって、判断されます。

　宅地は、利用しているひとつのまとまり（**1画地**）ごとに評価します。たとえば、土地の一部を自分で使用し、残りを人に貸している場合には、それぞれが1画地となり、別個に評価します。

評価方法には路線価方式と倍率方式がある

　宅地の評価は、次のふたつのうち、どちらかの方法によって行います。

①路線価方式

　土地の面する路線（道路）を区切りとして、国税庁の定めた土地の路線価をもとに評価する方法です。**市街地にある宅地は、ほぼ路線価方式で評価**します。

　路線価は1㎡あたりの価額で示され、**路線価図**（右ページ参照）で確認できます。路線価方式では、路線価に土地の面積をかけて評価額を求めるのが基本ですが、土地の形状などに応じて、さまざまな修正を行います。

②倍率方式

　宅地の**固定資産税評価額**[*]に、国税庁の定める一定の倍率をかけて算出する方法です。倍率は、**評価倍率表**に掲載されています。

　路線価が定められていない地域の宅地は、倍率方式で評価します。

　路線価図と評価倍率表は、どちらも国税庁のホームページ（https://www.nta.go.jp）や全国の国税局、税務署のパソコンで閲覧することができます。

もっと詳しく！
固定資産税評価額[*]
土地や建物にかかる固定資産税の基準となる価格のこと。土地の場合は、公示価格の7割、路線価は8割が目安とされている。市区町村が決定し、3年に一度、評価が見直される。

ここに注意！
宅地の評価額が減額される場合
宅地の評価については、被相続人と生計をともにしていた配偶者や親族が取得すれば、小規模宅地等の特例が適用されて、評価額が大きく減額されることがある（142ページ参照）。

路線価方式と倍率方式による宅地の評価方法

宅地は通常路線価方式で、路線価が定められていない地域は倍率方式で評価します。

❶ 路線価方式による評価方法

$$路線価 \times 宅地面積(㎡) = 評価額$$

路線価…道路に面する標準的な宅地の1㎡あたりの価額（路線価図で確認できる〈下記参照〉）

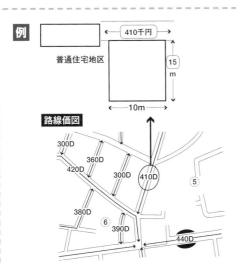

例

普通住宅地区

410千円

15m　10m

路線価図

300D　360D　420D　300D　410D　⑤　380D　⑥　390D　440D

●路線価図の見方

● 「410D」の「410」は路線価が1㎡あたり41万円であることを示している。アルファベットの表記は借地権割合で、Dは60%を意味する。
● 地区区分と適用範囲は記号で示している。○で囲まれている410Dは、全地域が「普通商業・併用住宅地区」であることを意味する。

●左の宅地の評価額

41万円×（15×10）㎡＝6,150万円

★宅地の状況によってこの原則的な計算にさまざまな修正が加えられる

ビル街地区	高度商業地区	繁華街地区	普通商業・併用住宅地区	中小工場地区	大工場地区	普通住宅地区	記号	借地権割合
道路を中心として全地域	全地域	南側道路沿い	全地域	北側道路沿い南側全地域	南側全地域	無印は全地域	A	90%
							B	80%
北側全地域	道路沿い	南側全地域	北側全地域南側道路沿い	北側道路沿い	北側全地域		C	70%
							D	60%
							E	50%
							F	40%
							G	30%

❷ 倍率方式による評価方法

$$宅地の固定資産税評価額 \times 倍率 = 評価額$$

固定資産税評価額…固定資産税の基準となる価格。固定資産評価証明書に掲載されている

例 固定資産税評価額が1,000万円、「固定資産税評価額に乗ずる倍率等（評価倍率表）」欄に記載されている倍率が1.2倍の場合の評価額

1,000万円×1.2＝1,200万円

＊東日本大震災で被害を受けたとして財務大臣に指定された地域内にある土地等（特定土地等）については、震災後を基準とした価額によることができ、調整率によって評価が低く抑えられている。この特例は贈与税についても適用される

財産評価❷
家　屋

建設中の家屋や貸家は、評価額が変わります。また、付属設備などの評価も忘れないようにしましょう。

家屋は1棟ごとに評価する

　家屋は原則として、1棟ごとに価額を評価します。評価額は、**固定資産税評価額**(132ページ参照)と同じです。マンションについても同じで、固定資産税評価額によって評価を行います。

　まだ完成していない、建築中の家屋の場合は、その家屋の**費用現価**[*]に70%をかけた金額によって価額を評価します。

　また、貸家については、家屋の固定資産税評価額から、借家人の持つ借家権の評価額を引いて評価するのが基本です(実際の計算方法は、右ページ参照)。

　なお、文化財建造物については、特別な評価方法が用意されているので、注意が必要です。

付属設備などの評価方法は3つに分けて考える

　家屋に付属する設備などについては、次の3つに分類して評価します。

①家屋と構造上一体となっている設備

　家屋の所有者が所有する電気設備・ガス設備・衛生設備・給排水設備などで、その家屋に取りつけられ、構造上一体となっているものです。これらは、その家屋の価額に含めて評価します。

②門・塀・外井戸・屋外じんかい処理設備などの付属設備

　その付属設備の再建築価額から、建築時から課税時期までの期間に減少した財産価値相当額など(所定の計算により導かれる)を控除した金額に、70%をかけて評価します。

③庭園設備

　庭木・庭石・あずまや・庭池などのことです。その**調達価額**[*]に70%をかけて評価します。

💡 **もっと詳しく！**

費用現価[*]
建築費総額に相続開始時までの工事進捗割合をかけたもの。総額が3,000万円で、全体の5割ができあがっているとしたら、3,000万円×0.5＝1,500万円となる。

🔍 **ここに注意！**

分譲マンションの評価方法
2024(令和6)年1月1日以後に相続、遺贈または贈与により取得した分譲マンションの評価は、以下のとおりになった。

建物の相続税評価額
×
区分所有補正率
＋
土地の相続税評価額
×
区分所有補正率
＝
マンション1室の評価額

💡 **もっと詳しく！**

調達価額[*]
課税時期に現況で取得すると考えた場合の、その財産の価額のこと。

家屋の評価方法

●家屋と付属設備の評価方法

→原則として1棟ごとに、付属設備とは分けて評価する

〈家屋と構造上一体となっている設備〉
家屋本体の価額に含めて評価される
（例）電気設備・ガス設備・衛生設備・給排水設備など

〈家屋本体〉
固定資産税評価額

〈庭園設備〉
調達価額×0.7
＝評価額

〈門・塀などの付属設備〉
（再建築価額－経過年数に応じた減価額）×0.7＝評価額

建築中の家屋の評価額 ＝ 家屋の費用現価 × 0.7

貸家の評価額 ＝ 家屋の固定資産税評価額 × 1－借家権割合[*1]×賃貸割合[*2]

*1　借家権割合　国税庁によってすべて30%と定められている

$$*2 \quad 賃貸割合 = \frac{賃貸されている各独立部分の床面積の合計}{家屋の各独立部分の床面積の合計}$$

財産評価❸
農地・山林

ここを
チェック！

● **市街地農地**には2通り
　の評価方法がある
● **市街地山林**にも2通り
　の評価方法がある

相続税法上、農地は4種類、山林は3種類に分けられ、異なった方法で評価されています。

農地は4種類に分けて評価する

農地は、①**純農地**、②**中間農地**、③**市街地周辺農地**、④**市街地農地**、の4種類に分けて、その区分ごとに評価します。

①の純農地と②の中間農地は、**倍率方式**によって評価します。具体的には、その農地の固定資産税評価額に、評価倍率表に示されている一定の倍率をかけて計算した金額で評価します。

④の市街地農地は、**宅地比準方式または倍率方式**によって評価します。宅地比準方式とは、「その農地が宅地であるとした場合の価額」から、その農地を宅地に転用するために必要となる**宅地造成費**＊の額を控除した金額で評価する方法です。

「その農地が宅地であるとした場合の価額」は、農地が路線価地域内にある場合には、宅地の路線価を基準に計算します。農地が倍率方式が行われている地域にある場合は、その農地に最も近接した宅地の固定資産税評価額に、宅地の倍率をかけて計算します。

③の市街地周辺農地は、**その農地が市街地農地であるとした場合の価額の80%に相当する金額**で評価します。

山林は3種類に分けて評価する

山林は、①**純山林**、②**中間山林**、③**市街地山林**、の3種類に分けて、その区分ごとに評価します。

まず、純山林と中間山林は、倍率方式によって評価します。具体的には、その山林の固定資産税評価額に、一定の倍率をかけて評価します。倍率は、評価倍率表に記載されています。

市街地山林は、宅地比準方式または倍率方式によって評価します。宅地比準方式では、市街地農地と同じように、「その山林が宅地であるとした場合の価額」から宅地造成費を控除した金額で評価します。

💡**もっと詳しく！**
宅地造成費＊
国税局が地域ごとに定めており、国税庁のホームページでも確認できる。

ステップ❶
財産評価
└┤農地・山林

ステップ❷
相続税の計算

ステップ❸
相続税の申告

ステップ❹
その他の手続き

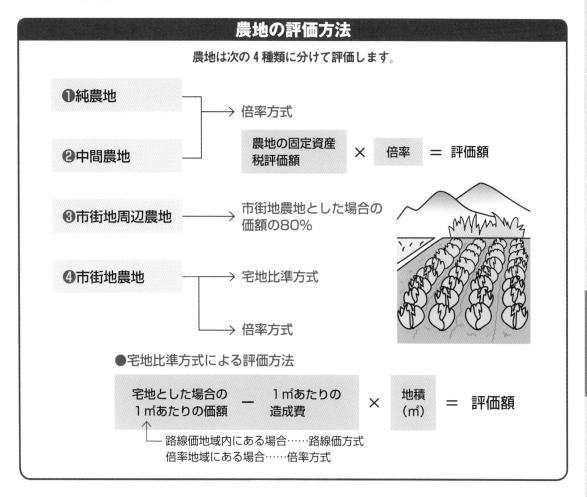

農地の評価方法

農地は次の4種類に分けて評価します。

❶純農地 ─┐
            ├→ 倍率方式
❷中間農地 ─┘

農地の固定資産税評価額 × 倍率 = 評価額

❸市街地周辺農地 ──→ 市街地農地とした場合の価額の80%

❹市街地農地 ─┬→ 宅地比準方式
              └→ 倍率方式

●宅地比準方式による評価方法

宅地とした場合の1㎡あたりの価額 − 1㎡あたりの造成費 × 地積（㎡） = 評価額

└─ 路線価地域内にある場合……路線価方式
    倍率地域にある場合……倍率方式

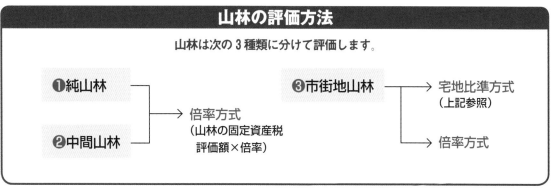

山林の評価方法

山林は次の3種類に分けて評価します。

❶純山林 ─┐
            ├→ 倍率方式
❷中間山林 ─┘   （山林の固定資産税評価額×倍率）

❸市街地山林 ─┬→ 宅地比準方式（上記参照）
              └→ 倍率方式

財産評価④
借地権

📎 **ここをチェック！**

● 借地権の評価は**借地権割合**が重要

● 借地権割合は**路線価図**などでチェック

相続した建物が借りた土地の上にある場合は、借地権が評価の対象になります。
種類によって評価方法が異なりますので、注意しましょう。

借地権は5種類あり、法的規制に違いがある

　相続した建物が、借りた土地の上に建っていることがあります。建物の所有を目的として土地を借りる権利を、借地権といいます。

　借地権には、①**借地権**、②**一般定期借地権***、③**事業用定期借地権等***、④**建物譲渡特約付借地権***、⑤**一時使用目的の借地権**、の5種類があります。①が借地権の原則的な形で、**借地借家法***の適用を全面的に受けます。それに対して、②③④⑤については政策的な考慮から、同法の規制が多少緩和されています。

借地権の評価額は土地の評価額に比例する

　借地権は、種類に応じてそれぞれ異なった評価をされます。ここでは、①の借地権と、②一般定期借地権・③事業用定期借地権等・④建物譲渡特約付借地権を総称した**定期借地権等**の評価方法について、説明しておきましょう。

　まず、①の借地権の価額は、対象となる土地が更地であると仮定した場合の評価額（**自用地***としての価額）に、借地権割合をかけて算出します。借地権割合は、路線価図（132ページ参照）や評価倍率表（132ページ参照）に記載されています。一般的に、土地の評価額が高くなるのに比例して、借地権の評価額も高くなります。

　次に、②③④の定期借地権等は、同じ方法で評価されます。借地権の内容の違いについては、右の解説を参照してください。つまり、相続税の課税時期に借地人に帰属する経済的利益と、その利益の存続期間を基準に算定した価額によって評価するのが原則です。

　ただし、定期借地権等の場合は、定期借地権の設定時と相続税の課税時期とで、借地人に帰属する経済的利益に変化がない場合など、課税上の弊害がなければ、別の方法で評価されます（右ページ参照）。

💡 **もっと詳しく！**

一般定期借地権*
借地期間を50年以上とし、期間が満了すると建物を取り壊して、更地の状態で土地を返還する借地権。

事業用定期借地権等*
事業用建物の所有を目的として、10年以上50年未満の期間で設定する借地権。

建物譲渡特約付借地権*
30年以上経過後に、貸主が建物を買い取ることを約束する借地権。

借地借家法*
借地権や借家権に関する基本的ルールを定めた法律。

💡 **もっと詳しく！**

自用地*
他人に貸さずに、自分で使用している宅地のこと。

ステップ❶
財産評価
└┥借地権

ステップ❷
相続税の計算

ステップ❸
相続税の申告

ステップ❹
その他の手続き

相続の基本知識

相続の手続きガイド

相続税の基本知識

相続税の手続きガイド

生前対策の基本知識

生前対策ガイド

さくいん

借地権の種類と評価方法

借地権の評価方法は、次の2つに分けて考えます。

●借地権の評価方法

更地とした場合の評価額　×　借地権割合　＝　評価額

★借地権割合は、路線価図や評価倍率表に表示されている

●定期借地権等の評価方法

原則　相続時に借地人に帰属する経済的利益と、その利益の存続期間を基準に算定した価額で評価する

実際　定期借地権の設定時と相続時とで借地人に帰属する経済的利益に変化がない場合など、課税上の弊害がなければ、次のように評価する

更地とした場合の評価額　×　$\dfrac{\text{設定時に借地権者に帰属する経済的利益の総額}}{\text{設定時のその宅地の通常の取引価額}}$　×　$\dfrac{\text{相続時の残存期間年数に応じた基準年利率による複利年金現価率}}{\text{設定期間年数に応じた基準年利率による複利年金現価率}}$　＝　評価額

借地権

財産評価❺
貸宅地・貸家建付地

《時 期》
10か月以内

《手続きをする人》
・相続人
・受遺者

相続した土地やそこに建っている建物を他人に貸している場合は、他人によって所有権が制限されているので、自用地よりも評価が低くなります。

ここを
チェック！

● 貸宅地は**自用地**としての評価額から**借地権等**の評価額を引く
● 貸家建付地は**借家権割合**も評価に関係する

貸宅地の評価は自用地よりも低くなる

　相続した宅地について、他人がそこを利用できる権利を持っていることがあります。たとえば、借地権が設定されているような場合です。このような宅地を、**貸宅地**といいます。貸宅地は、第三者の権利によって所有者の権利が制限されているので、自用地（138ページ参照）に比べて評価額が低くなります。

　相続税法が想定している宅地上に存在する権利には、①**借地権**（138ページ参照）、②**定期借地権等**（138ページ参照）、③**地上権***、④**区分地上権***、⑤**区分地上権に準ずる地役権***、の5種類があります。これらの権利の種類に応じて、貸宅地は異なった方法で評価されています。

　そのうち、実際に設定されることが多いのは、借地権と定期借地権等です。この2種類の貸宅地の評価方法を説明しておきましょう。

　借地権のある貸宅地の価額は、自用地としての評価額から借地権の評価額を控除して求めます。

　定期借地権等のある貸宅地についても、原則として、自用地としての評価額から定期借地権等の評価額を控除して求めます。例外については、右ページを参照してください。

貸家建付地についても評価額が下がる

　自分の所有する土地にアパートや一軒家などを建て、他人に貸している場合は、その土地のことを**貸家建付地**といいます。

　貸家建付地も、そこに賃借人が居住していることで、貸宅地と同じように土地の所有者の権利が制限されるため、評価額が低くなります。

　評価額の計算は、貸宅地と同じで、借地権割合を考慮し、さらに**借家権割合***などで調整した一定額を、自用地としての評価額から控除して行います（右ページ参照）。

もっと詳しく！
地上権*
工作物または竹木を所有するために、他人の土地を利用する権利。

区分地上権*
地下にトンネルを所有するなど、土地の上下の一定層だけを目的として設定された地上権。

区分地上権に準ずる地役権*
電線の架設等を目的として、地下または空中について上下の範囲を定めて設定された地役権で、建造物の設置を制限するもの。

もっと詳しく！
借家権割合*
借家権を評価するために、相続税に関する通達で定められている一定の割合（135ページ参照）。

貸宅地の評価方法

貸宅地の評価方法は、次の2つに分けて考えます。

●借地権のある貸宅地の評価方法

自用地としての価額 － 自用地としての価額×借地権割合 ＝ 評価額

★借地権の取引慣行がない地域にある宅地の場合には、「借地権割合」を20%として計算する

●定期借地権等のある貸宅地の評価方法

原則 以下のAとBの計算式で求めた価額のうち、低いほうを評価額とする

A　自用地としての価額 － 定期借地権等の価額

B　自用地としての価額 － 自用地としての価額 × 定期借地権等の残存期間に応じた割合※

※定期借地権等の残存期間に応じた割合

残存期間が5年以下のもの	5%
残存期間が5年を超え、10年以下のもの	10%
残存期間が10年を超え、15年以下のもの	15%
残存期間が15年を超えるもの	20%

例外 一般定期借地権（138ページ参照）の目的となっている場合

自用地としての価額 － 定期借地権に相当する価額 ＝ 評価額

★ただし、課税上弊害がある場合には「原則」の計算方法で評価する

貸家建付地の評価方法

貸家建付地の評価方法は、貸宅地の評価をもとに調整を加えます。

自用地としての価額 － 自用地としての価額 × 借地権割合 × 借家権割合 × 賃貸割合 ＝ 評価額

★借家権割合・賃貸割合については135ページ参照

財産評価❻
小規模宅地等

《時 期》
10か月以内

《手続きをする人》
- 相続人
- 受遺者

小規模宅地等の特例を利用すれば、住宅や事業に使っていた宅地については、土地の評価額を最大で80％減額することができます。

宅地を相続すると評価額が大きく下がることがある

　被相続人の財産のうち、居住や事業に使われていた宅地は、相続人が引き続きそこで暮らしたり、事業を行ったりする場合には、重要な生活拠点となります。**小規模宅地等の特例**は、そのような点に配慮して、一定の条件を満たした居住・事業用の宅地の評価額を減額するものです。

特例を受けるための条件は宅地の種類によって異なる

　特例の対象となるのは、**居住用宅地と事業用宅地**です。これらの宅地は、相続開始直前において、被相続人または被相続人と生計をともにしていた被相続人の親族の、居住用または事業用に実際に使われているだけでなく、そこに建物や構築物が存在していなければなりません。

　特例の対象となる宅地は、**特定居住用宅地・特定事業用宅地・特定同族会社事業用宅地・貸付事業用宅地**の4つに分けることができます。減額の対象となる宅地の面積と減額の割合は、下記の表のとおりです。

　たとえば、被相続人の住宅の敷地を配偶者が取得した場合は、特定居住用宅地に該当し、330㎡までは無条件に80％引きで評価されます。なお、特例の適用を受けるためには、相続税の申告期限までに宅地の遺産分割をすませておく必要があります。

小規模宅地等の種類と減額の割合

宅地等の種類	限度面積	減額の割合
特定居住用宅地	330㎡	80％
特定事業用宅地	400㎡	80％
特定同族会社事業用宅地	400㎡	80％
貸付事業用宅地	200㎡	50％

★居住用宅地と事業用宅地を併用する場合は、最大730㎡まで適用を受けられる

小規模宅地等の特例が適用されるための条件

特例を受けるためには、いくつかの条件を満たしていなければなりません。

●特定居住用宅地（A・Bどちらかに該当するもの）

A 被相続人の居住用だった
★介護が必要なため老人ホームに入所して空家になっていた場合も該当（平成26年より適用）

→ 取得者が、以下の❶～❸のいずれかである
❶ 被相続人の配偶者
❷ 被相続人と同居していた親族で、相続開始時から申告期限まで引き続きそこに居住し、その宅地を所有している
❸ 被相続人に、配偶者や相続開始直前に同居していた法定相続人がいない場合
次の2つに該当する場合は適用除外となる
●相続開始前3年以内に、その者の3親等内の親族またはその者と特別な関係にある法人が所有する家屋に居住したことがある者
●相続開始時に居住している家屋を過去に所有したことがある者

★構造上区分のある1棟の2世帯住宅でも、区分所有登記されていなければ同居親族とみなされる（平成26年より適用）

B 被相続人と生計をともにする親族の居住用だった

→ 取得者が、以下の❶～❷のいずれかである
❶ 被相続人の配偶者
❷ 被相続人と生計をともにしていた親族で、相続開始直前から相続税の申告期限まで引き続きそこに居住し、その宅地を所有している

●特定事業用宅地（A・Bどちらかに該当するもの）

A 被相続人の事業用だった

→ ●取得者が親族であり、被相続人の事業を引き継ぎ、相続税の申告期限までそこで事業を営んでいる
●相続税の申告期限までその宅地を所有している

B 被相続人と生計をともにしていた親族の事業用だった

→ ●取得者が親族であり、相続開始直前から相続税の申告期限までそこで事業を営んでいる
●相続税の申告期限までその宅地を所有している

★不動産貸付業・駐車場業・自転車駐輪場業・準事業は、左記でいう「事業」から除く
★個人事業者の事業承継税制との選択適用となる
★相続開始前3年以内に事業の用に供されたものは、原則として除かれる

●特定同族会社事業用宅地

一定の法人の事業用だった

→ ●取得者が、相続税の申告期限においてその法人の役員である
●相続税の申告期限までその宅地を所有し、引き続きその法人の事業に使用している

★「一定の法人」とは、相続開始直前に被相続人やその親族、その他の被相続人と特別の関係がある者が、発行済株式総数または出資総額の50％超を所有している法人
★不動産貸付業・駐車場業・自転車駐輪場業・準事業は、上記でいう「事業」から除く

財産評価❼
生命保険・定期金

《時期》
⏱ **10か月以内**

《手続きをする人》
・相続人
・受遺者

生命保険金や生命保険契約に関する権利も相続され、契約形態別に評価されます。定期金には3種類あり、評価方法が異なります。

生命保険に関する評価は2つのケースに分けて考える

　生命保険金や、生命保険に関する権利の評価については、2つのケースに分けて考える必要があります。

　まず、契約者と被保険者が被相続人で、受取人が相続人の場合です。この場合は、被相続人の死亡によって、相続人が保険金を受け取ることになり、受け取った保険金が、みなし相続財産として相続税の課税対象となります。また、一定の財産が非課税となることも、すでに説明したとおりです（122ページ参照）。

　次に、被相続人が契約者だが、被保険者ではない場合です。この場合には、相続人に保険金は支払われませんが、「生命保険契約に関する権利」を相続したとみなされ、その権利が相続財産として評価の対象になります。具体的には、相続開始時に契約を解約した場合に支払われる見込みの解約返戻金の額で、評価します。

　なお、解約返戻金とともに、被相続人が生前に納めていた保険料などが支払われる場合には、それらの合計額で評価することになります。

個人年金などの定期金は3つに分けて評価する

　郵便局や生命保険会社の個人年金のように、一定の年齢に達すると支給される性質の給付金は、相続税法上、**定期金**といわれています。定期金は、①給付期間が決まっている**有期定期金**、②給付期間が決まっていない**無期定期金**、③死亡されるまで給付される**終身定期金**、の3つに分けて評価されます。

　具体的には、（A）解約返戻金相当額、（B）一時金の給付を受けることができる場合は当該一時金相当額、（C）1年当たりの平均額に一定の割合などをかけた金額、のうち最も高い金額が評価額になります（右ページ参照）。

ここに注意！

掛け捨ての保険
生命保険契約で財産評価の対象となるのは、満期金や中途解約時の解約返戻金のあるものだけである。いわゆる「掛け捨て」の保険については、評価の対象にならない。

定期金の評価方法の見直し
平成22年に相続税法第24条が改正され、平成23年4月以降に権利が発生する定期金について、評価方法が変更になった（右ページ参照）。

└┐生命保険・定期金

生命保険金などの評価方法

❶ 契約者・被保険者が被相続人で受取人が相続人の場合

非課税額（500万円×法定相続人の数）を超えた額　が課税対象となる

❷ 被相続人が契約者だが被保険者ではない場合

生命保険契約に関する権利の価額　が評価の対象となる

└➡相続開始時に契約を解約した場合に支払われる見込みの解約返戻金の額で評価する

★剰余金や前納保険料などが支払われる場合には、それらを解約返戻金に加えた合計額で評価する

個人年金などの定期金の評価方法

❶ 有期定期金の場合…（A）〜（C）のうち最も高い価額

（A）解約返戻金相当額

（B）一時金相当額（定期金に代えて一時金の給付を受けることができる場合）

（C）1年当たりの平均額×予定利率の複利年金現価率（残存期間に応ずるもの）

❷ 無期定期金の場合…（A）〜（C）のうち最も高い価額

（A）解約返戻金相当額

（B）一時金相当額（定期金に代えて一時金の給付を受けることができる場合）

（C）1年当たりの平均額÷予定利率

❸ 終身定期金の場合…（A）〜（C）のうち最も高い価額

（A）解約返戻金相当額

（B）一時金相当額（定期金に代えて一時金の給付を受けることができる場合）

（C）1年当たりの平均額×予定利率の複利年金現価率（平均余命に応ずるもの）

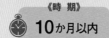
《時 期》
10か月以内

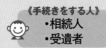
《手続きをする人》
・相続人
・受遺者

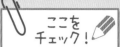
ここをチェック！
●**上場株式**は市場での株価で評価する
●**気配相場等のある株式**は上場株式のように評価する

財産評価❽
上場株式・気配相場等のある株式

株式は、3種類に分けて評価します。そのうち、市場価格をもとに評価される上場株式と気配相場等のある株式について、先に説明しましょう。

株式の種類は3つに分けられる

相続税法上、株式は①**上場株式**、②**気配相場等のある株式**、③**取引相場のない株式**、の3つに分けることができます。

まず、上場株式とは、東京証券取引所（東証）などの金融商品取引所に上場されている株式のことです。それに対して、気配相場等のある株式とは、日本証券業協会の登録銘柄や店頭管理銘柄、または公開途上にある株式のことです。上記の①②以外の株式を、取引相場のない株式といいます。

株式を相続した場合には、この3種類のうちどれにあたるかによって、評価方法が変わります。なお、取引相場のない株式の評価方法は複雑なので、次の項で詳しく解説します。

上場株式は市場での株価をもとに評価する

上場株式は、その株式が上場されている市場での株価をもとにして評価します。

具体的には、（A）課税時期（被相続人の死亡日や贈与を受けた日）の最終価格、（B）課税時期にあたる月の終値の月平均額、（C）課税時期前月の終値の月平均額、（D）課税時期前々月の終値の月平均額、のうち最も低い価額で評価します。

気配相場等のある株式の評価方法

一方、気配相場等のある株式は、登録銘柄や店頭管理銘柄の場合には、日本証券業協会（152ページ参照）の公表する取引価格をもとにして、上場株式と同じような方法で評価します。

また、公開途上にある株式は、公開されたときの価格（公開価格）で評価します。

ここに注意！

登録銘柄・店頭管理銘柄は現在は廃止されている

登録銘柄・店頭管理銘柄の制度は、平成16年12月のジャスダック証券取引所の開設にともなって廃止された。したがって、登録銘柄・店頭管理銘柄で、ここで解説したような評価が必要なのは、平成16年以前に登録銘柄・店頭管理銘柄だったものに限られる。

└─ 上場株式・気配相場等のある株式

株式の評価は3つのケースに分けられる

❶ 上場株式の評価方法→市場での株価をもとに評価する

（A）課税時期の最終価格

（B）課税時期にあたる月の終値の月平均額

（C）課税時期前月の終値の月平均額

（D）課税時期前々月の終値の月平均額

> （A）～（D）の価額のうち最も低い価額が評価額となる

❷ 気配相場等のある株式の評価方法

● **登録銘柄・店頭管理銘柄の場合**→日本証券業協会の公表する取引価格をもとに評価する

（A）課税時期の取引価格

（B）課税時期にあたる月の取引価格の平均額

（C）課税時期前月の取引価格の平均額

（D）課税時期前々月の取引価格の平均額

> （A）～（D）の価額のうち最も低い価額が評価額となる

● **公開途上にある株式の場合** ——

> 公開価格が評価額となる

❸ 取引相場のない株式

→類似業種比準方式・純資産価額方式・併用方式・配当還元方式のどれかで評価する（次ページ参照）

財産評価⑨
取引相場のない株式

ここを
チェック！

● 評価方法は原則が3つ、
例外が**1つ**
● 原則的評価方式の対象
となる**会社の規模は3**
種類

取引相場のない株式の評価方法は4つあります。株主の区分や会社の規模に応じて、評価方法が変わります。

取引相場のない株式の原則的評価方式と例外

取引相場のない株式は、次のどれかの方法で評価します。

①**類似業種比準方式**……その会社と類似する業種の上場会社の株価を基準に評価する方法（1株あたりの配当金額・利益金額・純資産価額の3つの要素を考慮する）

②**純資産価額方式**……会社の総資産や負債を相続税の評価基準によって評価しなおし、その総資産の価額から負債等を差し引いた金額で評価する方法

③**併用方式**……①と②を併用する方法

④**配当還元方式**……株式から得られる1年間の配当金額を基準に、株式の価額を評価する方法

以上の4つのうち、①②③の評価方法が原則とされ、原則的評価方式といわれています。④は例外的に用いられる方法です。

評価方法は株主の区分や会社の規模で変わる

上記の4つのうち、どの評価方法がとられるのかは、株式を取得した人の区分や会社の規模によって変わります。

まず、株式を取得した人がその会社の経営支配力を持っている同族株主*などの場合には、原則として、原則的評価方式がとられます。さらに、大会社であれば、類似業種比準方式、小会社であれば純資産価額方式、中会社であれば併用方式によって評価するのが原則です。

一方、株式を取得した人が経営支配力を持っている同族株主でない場合、ほかに**中心的な同族株主***や**中心的な株主***がいる場合などには、例外的な方法である配当還元方式が用いられます。

これ以外にも、一定の条件を満たした会社については、**特定の評価会社**として、また別の評価方法が決められています（151ページ参照）。

（151ページ参照）

もっと詳しく！

同族株主*
株主のひとりとその同族関係者の議決権（議決権を所有する株式）の合計が30％以上である場合の、株主と同族関係者（過半数の株式を所有するグループがある場合は、そのグループに属する株主）。

中心的な同族株主*
同族株主のひとりとその配偶者・直系血族・兄弟姉妹・1親等の姻族の議決権の合計が25％以上である場合の、その株主。

中心的な株主*
株主のひとりとその同族関係者の議決権の合計が15％以上のグループがあり、そのグループに単独でその会社の議決権総数の10％以上を持つ株主がいる場合の、その株主。

└→取引相場のない株式

取引相場のない株式の評価方法は4つある

❶類似業種比準方式　類似する業種の上場会社の株価を基準に評価する方法

❷純資産価額方式　会社の資産などを相続税の評価基準に基づいて計算後、
　　　　　　　　　　負債等を差し引いて評価する方法

❸併用方式　❶と❷を併用する方法

── 原則的評価
　　方式

❹配当還元方式　株式から得られる1年間の配当金額を基準に評価する方法 ── 例外的な
　　評価方法

株主の区分や会社の規模によって評価方法は変わる

同族株主がいる会社の株式の評価方法は次のようになります。

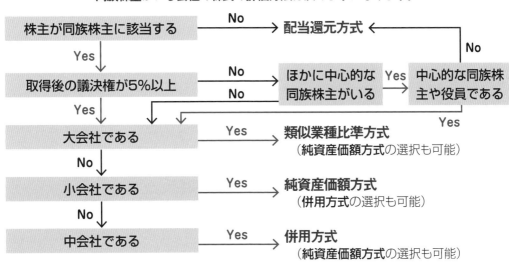

★大会社・中会社・小会社の区別については150ページ参照
★特定の評価会社に該当する場合は、さらに評価方法が変わる（151ページ参照）

同族株主のいない会社の場合

A 議決権の合計が15％未満のグループ（同族関係者）に属する株主である→**配当還元方式**

B 取得後の議決権が5％未満でほかに中心的な株主がおり、役員を務めていない→**配当還元方式**

C それ以外→**原則的評価方式**（会社の規模に応じて上の❶～❸のいずれかになる）

次ページへ続く

＊東日本大震災で被害を受けた地域内に保有資産合計額の30％以上がある法人の株式等（特定株式等）は、震災
後を基準とした価額で評価することができる（上場株式等を除く）。この特例は贈与税についても適用される

大会社・中会社・小会社を区別する基準

規模区分	区分の内容		総資産価額（帳簿価額によって計算した金額）および従業員数	直前期末以前1年間における取引金額
大会社	従業員数が70人以上の会社または右のいずれかに該当する会社	卸売業	20億円以上（従業員数が35人以下の会社を除く）	30億円以上
		小売・サービス業	15億円以上（従業員数が35人以下の会社を除く）	20億円以上
		上記以外	15億円以上（従業員数が35人以下の会社を除く）	15億円以上
中会社	従業員数が70人未満の会社で右のいずれかに該当する会社（大会社に該当する場合を除く）	卸売業	7,000万円以上（従業員数が5人以下の会社を除く）	2億円以上30億円未満
		小売・サービス業	4,000万円以上（従業員数が5人以下の会社を除く）	6,000万円以上20億円未満
		上記以外	5,000万円以上（従業員数が5人以下の会社を除く）	8,000万円以上15億円未満
小会社	従業員数が70人未満の会社で右のいずれにも該当する会社	卸売業	7,000万円未満または従業員数が5人以下	2億円未満
		小売・サービス業	4,000万円未満または従業員数が5人以下	6,000万円未満
		上記以外	5,000万円未満または従業員数が5人以下	8,000万円未満

＊平成29年1月1日以降の相続等により取得した財産の評価から適用

特定の評価会社の株式の評価方法

次のいずれかの条件を満たす会社を「特定の評価会社」といいます。

❶比準要素数1の会社
類似業種比準方式の3つの比準要素（配当金額・利益金額・純資産価額）のうち、直前期末にどれか2つがゼロであり、かつ直前々期末も2つ以上がゼロである会社

❷株式保有特定会社
総資産価額中に占める株式や出資の価額の合計額が50％（大会社は25％）以上の会社

❸土地保有特定会社
総資産価額中に占める土地などの価額の合計額が90％（大会社は70％）以上の会社

①～⑤のどれかに該当する場合は、原則として純資産価額方式で評価する

❹開業後の経過年数が3年未満の会社や、直前期末の比準要素数ゼロの会社

❺開業前または休業中の会社

❻清算中の会社

原則として、清算の結果分配される見込額によって評価する

★清算……会社が解散となり、事業を終了する手続きを進めること

★❶～❹の会社の株式を取得した同族株主など以外の株主は、配当還元方式によって評価することもできる

財産評価⑩
公社債

ここをチェック！
- 市場価格のあるものは**市場価格**をもとに評価する
- 市場価格のないものは**発行価額**をもとに評価する

おもな公社債には、利付公社債、割引発行の公社債、転換社債型新株予約権付社債の3種類があります。それぞれの種類に応じて、評価方法が異なります。

公社債には3つの種類がある

国や地方自治体、一般企業などが資金調達のために発行する有価証券で、債権としての性質を持つものを**公社債**といいます。

おもな公社債としては、次にあげる3種類があります。

公社債の評価方法

①利付公社債

券面に**利札**（クーポン）の付いている債券（国債や地方債など）で、通常毎年定期的に利息が支払われます。利付公社債は、（A）東京証券取引所などの金融商品取引所に上場されている場合、（B）日本証券業協会*において売買参考統計値が公表される銘柄として選定されている場合、（C）それら以外の場合、でそれぞれ評価方法が異なっています。

②割引発行の公社債

券面額より割り引いた価額で発行される債券です。利付公社債と同じように、（A）金融商品取引所に上場されている場合、（B）日本証券業協会において売買参考統計値が公表される銘柄として選定されている場合、（C）それら以外の場合、に分けられ、それぞれ評価方法が異なります。

③転換社債型新株予約権付社債

決められた期間が過ぎると、社債を発行した会社の株式に変換することができる社債です。一般に、**転換社債**といわれています。

転換社債型新株予約権付社債は、（A）金融商品取引所に上場されている場合と、（B）日本証券業協会において店頭転換社債として登録されている場合は、同じように評価します。（C）それら以外の場合は、発行会社の株価が転換価格を超える場合と、そうでない場合とで、評価の方法が違ってきます。

もっと詳しく！
日本証券業協会*
日本国内の証券会社と登録金融機関によって構成されている業界団体で、公社債に関しては、公社債市場の整備・拡充などを図る業務を行っている。

ここに注意！
公社債の評価方法の例外
利付公社債・割引発行の公社債で、日本証券業協会において売買参考統計値が公表される銘柄として選定されている場合は、上場されているものを除く。また、割引発行の公社債については、割引金融債も除く。

3種類の公社債の評価方法

❶利付公社債

（A）上場されている銘柄の場合（市場価格をもとに評価）

$$\text{課税時期の最終価格+既経過利息から源泉所得税額を引いた額} \times \frac{\text{券面額}}{100円} = \text{評価額}$$

（B）売買参考統計値が公表される銘柄の場合（市場価格をもとに評価）

$$\text{課税時期の平均値+既経過利息から源泉所得税額を引いた額} \times \frac{\text{券面額}}{100円} = \text{評価額}$$

（C）それ以外の場合（発行価額をもとに評価）

$$\text{発行価額+既経過利息から源泉所得税額を引いた額} \times \frac{\text{券面額}}{100円} = \text{評価額}$$

❷割引発行の公社債

（A）上場されている銘柄の場合（市場価格をもとに評価）

$$\text{課税時期の最終価格} \times \frac{\text{券面額}}{100円} = \text{評価額}$$

（B）売買参考統計値が公表される銘柄の場合（市場価格をもとに評価）

$$\text{課税時期の平均値} \times \frac{\text{券面額}}{100円} = \text{評価額}$$

（C）それ以外の場合（発行価額をもとに評価）

$$\text{発行価額+（券面額－発行価額）} \times \frac{\text{発行日から課税時期までの日数}}{\text{発行日から償還期限までの日数}} \times \frac{\text{券面額}}{100円} = \text{評価額}$$

❸転換社債型新株予約権付社債

（A）上場されている銘柄の場合（市場価格をもとに評価）──┐
（B）店頭転換社債として登録されている場合（市場価格をもとに評価）──┘─利付公社債（A）に同じ

★課税時期に最終価格がない場合は、課税時期に最も近い日の最終価格とする

（C）（A）（B）以外で、以下の（D）に該当しない場合（発行価額をもとに評価）

$$\text{発行価額+（既経過利息の額－源泉所得税額）} \times \frac{\text{券面額}}{100円} = \text{評価額}$$

（D）発行会社の株価が転換社債の転換価格を超える場合（市場価格をもとに評価）

$$\text{発行会社の株価} \times \frac{100円}{\text{転換社債の転換価格}} \times \frac{\text{券面額}}{100円} = \text{評価額}$$

財産評価⑪
ゴルフ会員権・書画・骨董品

《時 期》
⏱ **10か月以内**

《手続きをする人》
・相続人
・受遺者

ゴルフ会員権や書画・骨董品は、評価が高額になる可能性があります。取引価格や市場価格が評価の基準となります。

ゴルフ会員権は種類によって評価が異なる

ゴルフ会員権は、会員になるためにゴルフ場の株式の所有が必要か、第三者への譲渡が可能か、**預託金**[*]があるか、などの条件によって、評価の方法が異なります。

まず、ゴルフ場の株式の所有が不要であり、しかも譲渡できず、返還を受けられる預託金などがないものは、評価の対象となりません。それ以外のものについては、取引相場のある会員権と、取引相場のない会員権で評価方法が異なります。

①取引相場のある会員権

課税時期の取引価格の70%で評価します。さらに、取引価格に含まれない預託金などがあるときは、一定の額を加えます。加算される一定の額は、預託金がいつ返還されるかによって異なってきます。

②取引相場のない会員権

（A）株式を持たなければ会員になれない会員権、（B）株式を持ち、さらに預託金などを預託しなければ会員となれない会員権、（C）株式を持つ必要はないが、預託金などを預託しなければ会員となれない会員権、の３種類があり、それぞれ評価方法が異なります（右ページ参照）。

書画・骨董品は客観的な評価が難しい

書画・骨董品は、他の財産に比べると客観的な評価をしにくいものです。実際にその対象物が売買されるときの価格や、類似品の市場価格（**売買実例価額**[*]）、美術鑑定人など専門家の評価額（**精通者意見価格**[*]）などをふまえて、評価します。

実際の評価では、その作品が有名なものであっても、箱書や奥書、鑑定書などがある場合のほうがない場合よりも高額になり、評価額に開きが生じるといわれています。

💡**もっと詳しく！**
預託金[*]
ゴルフクラブの会員となるときに、一定額の金銭を預けることがある。これを預託金という。

💡**もっと詳しく！**
売買実例価額[*]
実際に市場などで売買される場合の価格のこと。

精通者意見価格[*]
専門家の鑑定結果などによって得られた価格のこと。

ゴルフ会員権の評価方法

● **次の4つの条件をすべて満たす場合は、評価の対象とならない**

- ● ゴルフ場の株式の所有を必要としない
- ● 会員権を譲渡できない
- ● 返還を受けられる預託金などがない
- ● ゴルフ場施設を利用してプレーができるだけ

❶ 取引相場のある会員権

課税時期の取引価格	×	0.7	＝	評価額

★取引価格に含まれない預託金などがある場合は、
　その額も加算する

❷ 取引相場のない会員権

株主でなければ会員となれない会員権	⟶	株式の評価額
株主であり、さらに預託金などを預託しなければ会員となれない会員権	⟶	株式の評価額 ＋ 預託金などの金額
預託金などを預託しなければ会員となれない会員権	⟶	預託金などの金額

書画・骨董品の評価方法

- ● 対象となった物が市場で売買される場合の価格や類似品が市場で売買される場合の価格（売買実例価額）
- ● 専門家の意見（精通者意見価格）

⟶ これらを参考に評価する

財産評価⑫
その他の財産

《時 期》
10か月以内

《手続きをする人》
・相続人
・受遺者

ここを
チェック！

● **普通預金**と**定期預金**では評価が異なる
● **家財・自動車**は売買実例価額などをもとに評価する

預貯金や、家財・自動車などの動産、売掛金などの債権も、忘れずに評価するようにしましょう。

預貯金の評価方法

　預貯金は原則として、課税時期の預入高に、その時点で解約した場合に支払われる利息(**既経過利息**[*])から源泉徴収額を引いたものを加えて、評価します。

　ただし、定期預金・定期郵便貯金・定額郵便貯金以外の預貯金、たとえば普通預金などについては、既経過利息が少額であれば、預入高で評価します。

家財・自動車などの動産の評価方法

　エアコンや冷蔵庫などの家財、自動車、宝石や貴金属などの一般的な動産は、原則として、**売買実例価額**(154ページ参照)や、**精通者意見価格**(154ページ参照)などをもとに評価します。

　ただし、市場で売買される価格をもとに評価することができない場合には、同種・同規格の新品の相続時における小売価額から、その動産の製造時から課税時期までの間に減少した価値に相当する額などを控除し、その金額で評価します。

　なお、従来は**調達価額**(134ページ参照)で動産を評価していました。しかし、インターネットなどの発達によって、納税者が市場での取引価額を容易に把握できるようになったことから、平成20年にこのように改正されました。

貸付金・売掛金などの債権の評価方法

　一般的な債権には、貸付金や売掛金、預貯金以外の預け金などがあります。これらは、元本と既経過利息の合計額で評価します。

　ただし、債務者が破産開始決定を受けていたり、倒産の状態に陥っていたりして、債権の回収が不可能またはかなり困難な場合には、その債務者に対する債権の元本部分については、評価の対象となりません。

もっと詳しく！
既経過利息[*]
課税時期に元本に対してすでに発生している利息のこと。

ここに注意！
東日本大震災による特例
相続によって取得した建物・家財・自動車等が、申告期限前に震災の被害を受けた場合、一定の要件を満たせば、その価額から被害を受けた分の価額を差し引いて評価することができる。申告期限後に被害を受けた場合、一定の要件を満たせば、被害を受けた部分の価額に対応する税額が免除される。この特例は、贈与税についても適用される。

預貯金の評価方法

$$課税時期の預入高 \ + \ 既経過利息 - 源泉徴収額 \ = \ 評価額$$

★定期預金・定期郵便貯金・定額郵便貯金以外の預貯金 （普通預金など）は、既経過利息が少額なら、課税時 期の預入高が評価額となる

家財や自動車など動産の評価方法

●実際に市場などで売買されている場合の価格 （売買実例価額）

●専門家の評価額（精通者意見価格）

→ これらを参考に 評価する

売買実例価額や精通者意見価格が不明の場合は……

$$同種・同規格の新品の小売価額 \ - \ 製造時から課税時期までの償却費の合計または減価の額 \ = \ 評価額$$

貸付金・売掛金などの債権の評価方法

$$元本の額 \ + \ 既経過利息 \ = \ 評価額$$

★債権の回収が不可能であったり、かなり困難な場合 には、その債務者に対する債権の元本部分について は評価の対象とならない

相続税の計算は4段階に分けて考える

相続税の具体的な計算方法を理解する前に、まず計算の流れ全体を把握しておきましょう。

ここをチェック!

● 「各人の課税価格」の計算が第1段階
● 最終的には「各人の納付すべき相続税額」を導き出す

相続や遺贈があったら相続税を算出する

相続や遺贈によって財産を取得した際に、支払うべき相続税の額（各人の納付すべき相続税額）を算出する作業は、大きく4段階に分けることができます。

まず、第1段階として、**各人の課税価格**[*]を計算します。次に、第2段階として、**課税遺産総額**を計算し、そこから第3段階として、**相続税総額**を求めます。これを配分するのが第4段階で、**各人の納付すべき相続税額**が決まります。

相続税の計算は各人の課税価格の計算から始まる

太郎の死亡によって、その財産を配偶者の花子と子の一郎・二郎が相続した場合を例に、上記の流れを説明しましょう。

第1段階では、花子・一郎・二郎、それぞれの課税価格を計算します。次の項で詳しく解説しますが、みなし相続財産も含めてそれぞれが相続した財産の価額から、債務や葬式にかかった費用などを差し引いて、算出します。

第2段階では、花子・一郎・二郎、それぞれの課税価格の合計額を求めます。そこから基礎控除額を引くと、課税遺産総額がわかります。

第3段階では、課税遺産総額から、花子・一郎・二郎の法定相続分に応じた取得金額を求め、そこに相続税の税率をかけて、各法定相続人の税額を出します。さらに、この各法定相続人の税額を合計し、相続税総額を計算します。

第4段階では、相続税総額を花子・一郎・二郎に一定の割合で按分して、それぞれの相続税額を算出します。この「各人の相続税額」に、必要に応じて2割加算したり、各種の税額控除を行ったりすると、最終的に花子・一郎・二郎それぞれの納付すべき相続税額が導き出されます。

もっと詳しく!

課税価格[*]
相続や遺贈などによって取得した財産の価額から、非課税財産の価額や、債務、葬式費用を差し引いたもの。

└→相続税の計算は4段階に分けて考える

各相続人が納付すべき相続税額を求める計算の流れ

第1段階　各人の課税価格を計算する（詳細は160ページ参照）

計算上必要な要素

- 相続・遺贈によって取得した財産の価額
- みなし相続財産の価額
- 非課税財産の価額
- 債務および葬式費用の金額
- 被相続人からの3年以内の贈与財産の価額

＊2024年1月1日以後の贈与から改正あり（P4）

第2段階　課税遺産総額を計算する（詳細は162ページ参照）

計算上必要な要素

- 課税価格の合計額
- 遺産に関する基礎控除額
- 法定相続人の数

第3段階　相続税総額を計算する（詳細は162ページ参照）

計算上必要な要素

- 課税遺産総額
- 各法定相続人の法定相続分
- 各法定相続人の法定相続分に応じた取得金額
- 相続税の税率（162ページ参照）

第4段階　各人の納付すべき相続税額を計算する（詳細は164ページ参照）

計算上必要な要素

- 相続税総額
- 課税価格の合計額
- 各人の課税価格

★最終的には、各相続人の置かれている状況に応じて、相続税が加算されたり、控除されたりする

相続の基本知識　相続の手続きガイド　相続税の基本知識　相続税の手続きガイド　生前対策の基本知識　生前対策ガイド　さくいん

相続税の計算❶
各人の課税価格

ここを
チェック！
● 控除できる**債務は確実**
なものに限られる
● **相続開始前3年以内の**
贈与も加える（2024年
1月1日以後の贈与か
ら7年間に延長）

相続税の計算の第1段階は、各人の課税価格の計算です。相続した財産から非課税財産や債務等を引き、3年以内の贈与を足します。

本来の財産に「みなし相続財産」を足す

　相続税計算の第1段階は、各人の課税価格の計算です。財産をもらった相続人はもちろん、遺贈を受けた受遺者など、それぞれの課税価格を計算していきます。出発点となるのは**相続または遺贈によって取得した本来の財産**（122ページ参照）の価額です。これにまず、**みなし相続財産**（122ページ参照）の価額を加えます。

　なお、**相続時精算課税**（208ページ参照）**に係る贈与**によって財産を取得していた場合には、その価額もこの段階で加えます。

非課税財産と債務および葬式費用を引く

　次に、上記の合計額から、**非課税財産**（122ページ参照）**の価額**と**債務および葬式費用の金額**を引きます。

　債務は相続人または**包括受遺者**（42ページ参照）が負担したもので、確実なものでなければなりません。たとえば、被相続人の借金や、未払いの税金などです。**葬式費用**も、控除されるのは、相続人または包括受遺者が負担したものに限られます。

相続開始前3年以内（2024年に改正あり）の贈与を足す

　ここまでの計算で導かれた金額に、相続開始前3年以内に生前贈与を受けていたら、その額（**2023年までは3年以内**）を足します。たとえば、令和○年12月1日に被相続人が死亡し、相続が開始していたら、その3年前の12月1日以降の贈与財産の額を加えます。法改正により延長された令和6年から9年までの4年間の贈与財産の合計額から100万円控除した額を加算します。

　なお、「非課税財産」と「債務および葬式費用の金額」を引いた結果、マイナスの場合には、「ゼロ」とみなして上記の額を加えます。この足し算によって最終的に導き出された額が、「各人の課税価格」になります。

🔍 **ここに注意！**

贈与財産の加算について

贈与税の配偶者控除の特例（208ページ参照）を受けているか、または受けようとする財産があるときは、その額に相当する金額は加算する必要はない。暦年課税の贈与財産の加算は、2024年1月1日以後の分から7年となる。

各人の課税価格の計算方法

第1段階では、「各人の課税価格」を計算します。

| 相続・遺贈によって取得した財産の価額 | ＋ | みなし相続財産の価額 | － | 非課税財産の価額 | － | 債務・葬式費用の金額 |

「相続時精算課税に係る贈与」によって取得した財産があれば、その価額を加算する（110万円の基礎控除あり）

ここまでの結果がマイナスの場合にはゼロとする

＋ 被相続人からの3年以内の贈与財産の価額 ＝ 各人の課税価格

（2024年に改正あり）

控除が認められる債務と葬式費用の範囲

課税価格を計算するときに控除できるのは、相続人や包括受遺者が負担したものに限られます。

●認められる債務の例

●被相続人の借金（銀行や信販会社からの借入金、ローンなど）
●被相続人の未払いの税金（所得税、住民税、固定資産税、自動車税など）
●被相続人の未払いの医療費

●葬式費用に含まれるもの

●火葬、埋葬、納骨など、葬式や葬送にかかった費用
●通夜の費用など、葬式にともなって生じた出費
●葬式のお布施などとして納めた金品のうち、被相続人の職業や財産にふさわしいと認められるもの
●遺体・遺骨の捜索や運搬にかかった費用

★香典返し・墓地や墓石などの購入費・初七日や法事の費用などは、葬式費用に含まれない

相続税の計算❷
課税遺産総額と相続税総額

《時 期》
⏱ **10か月以内**

《手続きをする人》
😊 ・相続人
・受遺者

ここを
チェック！

●**法定相続人**の範囲に注
意する

●実際に行った**遺産分割**
は考慮しない

相続税計算の第2段階は、課税遺産総額の計算です。続けて、第3段階の相続税総額の計算についても解説します。

各人の課税価格の合計額から課税遺産総額を計算する

相続税計算の第2段階は、課税遺産総額の計算です。

まず前項で計算した**各人の課税価格の合計額**を出し、次に「**3,000万円＋（600万円×法定相続人の数）**」によって、**遺産に係る基礎控除額**を求めます。なお、法定相続人の範囲については、注意が必要です（124ページ参照）。

最後に、「課税価格の合計額」から「遺産に係る基礎控除額」を引けば、「課税遺産総額」が導き出されます。

課税遺産総額から相続税総額を計算する

相続税計算の第3段階では、相続税総額を導き出しましょう。

最初に、法定相続人が「課税遺産総額」を法定相続分に応じて取得したものと仮定し、「**課税遺産総額**」×「**各法定相続人の法定相続分**」によって、**各法定相続人の法定相続分に応じた取得金額**を求めます。

それから、この「各法定相続人の法定相続分に応じた取得金額」に相続税の税率*をかけ、控除額を引いて、**各法定相続人の税額**を出します。「各法定相続人の税額」を合計すれば、「相続税総額」が導き出されます。

💡**もっと詳しく！**
相続税の税率＊
この金額の算出にあたって、実務では「相続税の速算表（左下参照）」が使われている。

相続税の速算表

法定相続分に応じた取得金額	税率(%)	控除額
1,000万円以下	10	0万円
1,000万円超　3,000万円以下	15	50万円
3,000万円超　5,000万円以下	20	200万円
5,000万円超　1億円以下	30	700万円
1億円超　2億円以下	40	1,700万円
2億円超　3億円以下	45	2,700万円
3億円超　6億円以下	50	4,200万円
6億円超	55	7,200万円

課税遺産総額の計算方法

第2段階では、「課税遺産総額」を計算します。

❶ 課税価格の合計額を計算する

$$各人の課税価格 \ + \ 各人の課税価格 \ + \ 各人の課税価格 \ = \ 課税価格の合計額$$

❷ 遺産に係る基礎控除額を計算する

$$3,000万円 \ + \ 600万円×法定相続人の数 \ = \ 遺産に係る基礎控除額$$

↑ 相続放棄した人も含める

❸ 課税遺産総額を計算する

$$課税価格の合計額 \ - \ 遺産に係る基礎控除額 \ = \ 課税遺産総額$$

相続税総額の計算方法

第3段階では、「相続税総額」を計算します。

❶ 各法定相続人の法定相続分に応じた取得金額を計算する

$$課税遺産総額 \ × \ 各法定相続人の法定相続分 \ = \ 各法定相続人の法定相続分に応じた取得金額$$

❷ 各法定相続人の税額を計算する

$$各法定相続人の法定相続分に応じた取得金額 \ × \ 相続税の税率 \ - \ 控除額 \ = \ 各法定相続人の税額$$

❸ 相続税総額を計算する

$$各法定相続人の税額 \ + \ 各法定相続人の税額 \ + \ 各法定相続人の税額 \ = \ 相続税総額$$

相続税の計算❸
各人の納付すべき相続税額

ここをチェック！

● **兄弟姉妹が相続人や受遺者の場合は2割加算**される

● **配偶者には税額軽減がある**

第4段階では、各人の納付すべき相続税額を計算します。最終的に導き出されたこの額が、支払わなければならない相続税額です。

相続税の総額から各人の相続税額を求める

　第4段階では、まず第3段階で求めた「相続税総額」を、「課税価格の合計額」（162ページ参照）に占める「各人の課税価格」（160ページ参照）の割合で按分して、**各人の相続税額**を求めます。

　具体的な計算式は、「各人の相続税額＝相続税総額×（各人の課税価格÷課税価格の合計額）」となります。

被相続人との関係によって相続税の2割加算を行う

　次に、相続人や受遺者などの中に、被相続人の**1親等の血族***（代襲相続した孫などの**直系卑属***を含む）または配偶者以外の人がいるかどうか、確認します。もしいれば、その人の相続税額に、その2割に相当する金額を加算します。

　なお、被相続人の養子となっている直系卑属は、代襲相続している場合を除いて、この1親等の血族には含まれません。したがって、被相続人の養子となっている孫などは、相続税を2割加算されることになるのです。

必要に応じて税額控除を行う

　相続税の納付については、政策的な配慮から、さまざまな税額控除が認められています。最後に、上記の「各人の相続税額」（2割加算を行った場合には、それを加算した額）から、各自が条件を満たす税額控除があれば、その決められた額を引きます。

　税額控除の種類には**暦年課税分の贈与税額控除・配偶者の税額軽減・未成年者控除・障害者控除**などがあります（166〜167ページ参照）。なお、複数の控除が当てはまる場合は、控除する順番が決められています。

　これらの控除を行った結果、最終的に導き出された額が、各人が実際に納める相続税、つまり**各人の納付すべき相続税額**となります。

もっと詳しく！

1親等の血族*
自分と1世代離れた血のつながりのある親族。親と子が該当する。

直系卑属*
自分より下の世代の子、孫、曾孫などのこと。自分より上の世代の親や祖父母などは「直系尊属」という。

ここに注意！

配偶者の税額軽減を受ける場合
配偶者の税額軽減は、遺産分割が行われていない状況では、適用を受けることができないので、要注意。

ここに注意！

成年年齢の見直し
民法の改正により、令和4年4月1日より成年年齢は20歳から18歳に引き下げられた。

各人の納付すべき相続税額の計算方法

第4段階では、「各人の納付すべき相続税額」を計算します。

❶ 各人の相続税額を計算する

→「相続税総額」(162ページ参照)を「課税価格の合計額」(162ページ参照)に占める「各人の課税価格」(160ページ参照)の割合で按分したのが「各人の相続税額」

$$\boxed{\text{相続税総額}} \times \boxed{\text{各人の課税価格} \div \text{課税価格の合計額}} = \text{各人の 相続税額}$$

❷ 必要があれば2割加算を行う

$$\boxed{\text{各人の相続税額}} + \boxed{\text{各人の相続税額} \times 0.2} = \text{2割加算が必要な相続人の 相続税額}$$

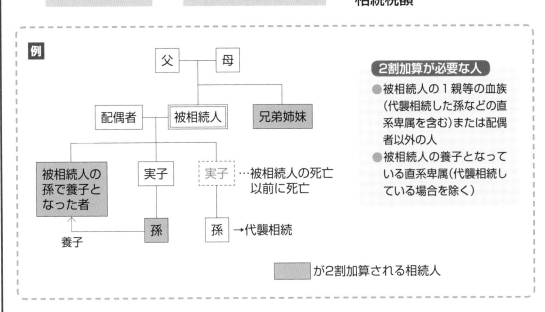

例

2割加算が必要な人

● 被相続人の1親等の血族(代襲相続した孫などの直系卑属を含む)または配偶者以外の人
● 被相続人の養子となっている直系卑属(代襲相続している場合を除く)

実子 … 被相続人の死亡以前に死亡

孫 → 代襲相続

被相続人の孫で養子となった者

養子

▨ が2割加算される相続人

❸ 必要があれば税額控除を行い、「各人の納付すべき相続税額」を求める

$$\boxed{\begin{array}{c}\text{各人の相続税額}\\ \text{(2割加算があればその額を加えた額)}\end{array}} - \boxed{\text{税額控除額}} = \text{各人の納付すべき 相続税額}$$

次ページへ続く

相続の基本知識　相続の手続きガイド　相続税の基本知識　相続税の手続きガイド　生前対策の基本知識　生前対策ガイド　さくいん

税額控除の種類

❶ 暦年課税分の贈与税額控除（暦年課税……208ページ参照）

→相続開始前3年以内（2024年に改正あり）の贈与財産に贈与税が課されている場合は、その人の相続税額から贈与税額（外国税額控除前の税額）を控除する

$$
\text{その贈与を受けた} \atop \text{年分の贈与税額} \quad \times \quad \frac{\text{相続税の課税価格に加算した}\atop\text{贈与財産の価額}}{\text{その年分の贈与税の課税価格に算入された}\atop\text{財産の価額の合計額}} \quad = \quad \text{控除額}
$$

❷ 配偶者の税額軽減

→配偶者の税額軽減の対象になるものは、遺産分割や単独相続などによって配偶者が実際に取得した財産に限られる

以下のAまたはBのうち
いずれか少ないほうの金額

$$
\text{相続税総額} \quad \times \quad \frac{\phantom{\text{以下のA}}}{\text{課税価格の合計額}} \quad = \quad \text{軽減額}
$$

A 課税価格の合計額×配偶者の法定相続分、または1億6,000万円のどちらか多いほうの金額
B 配偶者の課税価格（相続税の申告期限までに分割されていない財産の価額は除かれる）

★169ページの花子の場合は、 $630万円 \times \dfrac{4,000万円}{1億円} = 252万円$ となる

❸ 未成年者控除

→日本国内に住んでいる（または日本国籍を持っていて、相続開始前10年以内に日本国内に住んでいたことがある）18歳未満の相続人（相続放棄した者を含む）が対象。また、未成年者控除額が相続税額を超える場合には、超えた金額を扶養義務者の相続税額から控除することができる

$$
10万円 \quad \times \quad {\text{満18歳－相続発生時の未成年者の年齢}\atop\text{（1年未満の端数は切り捨て）}} \quad = \quad \text{控除額}
$$

★過去に未成年者控除の適用を受けたことがある者は、控除額が少なくなることがある
★令和4年4月1日以降に開始した相続から、相続開始時点の年齢が18歳未満になった

❹障害者控除

→日本国内に住んでいる障害を持つ相続人(相続放棄した者を含む)が対象。障害者控除額が相続税額を超える場合には、超えた金額を扶養義務者の相続税額から控除することができる

障害者　10万円　×　満85歳になるまでの年数(1年未満の端数は切り上げ)　＝　控除額

特別障害者　20万円　×　満85歳になるまでの年数(1年未満の端数は切り上げ)　＝　控除額

★過去に障害者控除の適用を受けたことがある者は、控除額が少なくなることがある

❺相次相続控除

→今回の相続開始前10年以内に、被相続人が相続や遺贈などによって財産を取得していた場合が対象

$$A \times \frac{C}{B-A} \times \frac{D}{C} \times \frac{10-E}{10} = 控除額$$

★ $\frac{C}{B-A}$ が $\frac{100}{100}$ を超えるときは $\frac{100}{100}$ で計算

A 被相続人が前の相続によって取得した財産に課された相続税額
B 被相続人が前の相続によって取得した財産の価額(債務控除後)
C 相続人や受遺者の全員が今回の相続によって取得した財産の価額(債務控除後)
D 当該相続人が今回の相続によって取得した財産の価額(債務控除後)
E 前の相続から今回の相続までの経過年数(1年未満の端数は切り捨て)

❻外国税額控除

→相続や遺贈などによって外国にある財産を取得し、外国で相続税にあたる税金が課された場合には、相続税額からその金額を控除する

❼相続時精算課税分の贈与税額控除(相続時精算課税……208ページ参照)

→相続時精算課税適用財産に贈与税が課された場合には、相続税額からその贈与税額(外国税額控除前の税額)にあたる金額を控除する

税額控除利用上の注意	●複数の控除がある場合は、❶から順番に控除していく ●❼については、その結果マイナス分(外国税額控除の適用を受けた場合には、控除しきれない金額から外国税額控除額を控除した残額)が出れば、マイナス分は還付される。ただし、還付を受けるためには申告書の提出が必要になる

次ページへ続く

相続の基本知識　相続の手続きガイド　相続税の基本知識　相続税の手続きガイド　生前対策の基本知識　生前対策ガイド　さくいん

相続税の計算例

太郎が死亡し、妻の花子、子の一郎、二郎が法定相続人として相続した場合

- ●相続により取得した本来の財産……花子 6,000万円　一郎 3,000万円　二郎 3,000万円
- ●みなし相続財産……花子 1,000万円　一郎 500万円　二郎 500万円
- ●非課税財産の価額……花子 2,000万円　一郎 500万円　二郎 500万円
- ●債務および葬式費用……花子 1,000万円　一郎・二郎 0円
- ●相続時精算課税に係る贈与……なし

第1段階 各人の課税価格の計算

花子　本来の財産 6,000万円 ＋ みなし相続財産 1,000万円 － 非課税財産 2,000万円 － 債務・葬式費用 1,000万円 ＝ 4,000万円

一郎　本来の財産 3,000万円 ＋ みなし相続財産 500万円 － 非課税財産 500万円 － 債務・葬式費用 0円 ＝ 3,000万円

二郎　本来の財産 3,000万円 ＋ みなし相続財産 500万円 － 非課税財産 500万円 － 債務・葬式費用 0円 ＝ 3,000万円

第2段階 課税遺産総額の計算

❶課税価格の合計額

花子の課税価格 4,000万円 ＋ 一郎の課税価格 3,000万円 ＋ 二郎の課税価格 3,000万円 ＝ 1億円

❷遺産に係る基礎控除額

3,000万円 ＋ 600万円 × 法定相続人の数 3人 ＝ 4,800万円

❸課税遺産総額

課税価格の合計 1億円 － 基礎控除額 4,800万円 ＝ 5,200万円

└→相続税の計算例

第3段階 相続税総額の計算

❶各法定相続人の法定相続分に応じた取得金額

花子　課税遺産総額 $\boxed{5{,}200万円}$ × 法定相続分 $\boxed{\dfrac{1}{2}}$ ＝ 2,600万円

一郎　課税遺産総額 $\boxed{5{,}200万円}$ × 法定相続分 $\boxed{\dfrac{1}{4}}$ ＝ 1,300万円　　二郎……一郎に同じ

❷各法定相続人の税額（相続税率は162ページの速算表参照。各自15%、控除額は50万円）

花子　法定相続分に応じた取得金額 $\boxed{2{,}600万円}$ × 相続税率 $\boxed{0.15}$ − 控除額 $\boxed{50万円}$ ＝ 340万円

一郎　法定相続分に応じた取得金額 $\boxed{1{,}300万円}$ × 相続税率 $\boxed{0.15}$ − 控除額 $\boxed{50万円}$ ＝ 145万円　　二郎……一郎に同じ

❸相続税総額

花子の税額 $\boxed{340万円}$ ＋ 一郎の税額 $\boxed{145万円}$ ＋ 二郎の税額 $\boxed{145万円}$ ＝ 630万円

第4段階 各人の納付すべき相続税額の計算

❶各人の相続税額

花子　相続税総額 $\boxed{630万円}$ × 花子の課税価格 課税価格の合計額 $\boxed{0.4}$ ＝ 252万円

一郎　相続税総額 $\boxed{630万円}$ × 一郎の課税価格 課税価格の合計額 $\boxed{0.3}$ ＝ 189万円

二郎　相続税総額 $\boxed{630万円}$ × 二郎の課税価格 課税価格の合計額 $\boxed{0.3}$ ＝ 189万円

❷税額控除など

花子　相続税額 $\boxed{252万円}$ − 配偶者の税額軽減 $\boxed{252万円}$ ＝ 0円　　★「配偶者の税額軽減」の計算式は166ページ参照

納付すべき相続税額　花子 0円　　一郎 189万円　　二郎 189万円

《時期》
⏱ **10か月以内**

《手続きをする人》
・相続人
・受遺者

相続税の申告
相続税の申告書を作成する

相続税の申告書は記載事項が多いので、記入もれがないように注意しましょう。
申告書のほかに、添付書類が必要になります。

申告書は複数の相続人や受遺者が共同で提出してもよい

126ページで解説したように、**相続税の申告は、遺産の総額が基礎控除額を超えた場合に行い、期限は相続の開始があったことを知った日の翌日から10か月以内です**。相続人や、遺贈によって財産を取得した人が複数いる場合には、共同でひとつの申告書を作成し、提出すればよいことになっています。いっしょに作成することが難しいのであれば、もちろん各自が別々に提出してもかまいません。

相続税の申告書は、記載事項が多く、計算にも手間がかかるので、作成には少なからぬ時間と労力が必要となるでしょう。しかし、わからない点は税務署に尋ねれば教えてもらえますし、決められた手順にしたがって作成していけば、独力で仕上げることも十分可能です。

申告書は第1表～第15表に分かれている

申告書は、第1表から第15表まであります。第1表には課税価格(158ページ参照)や相続税額、第2表には相続税の総額(162ページ参照)、というように、表ごとに記載すべき事項が分かれています。第1表から作成すればよいのでは、と考えるかもしれませんが、一般的には第9表から第15表を先に作成し、第1表と第2表への記載は、最後の段階になります(右ページ参照)。

枚数が多くてうんざりするかもしれませんが、**すべての表に記載しなければならないわけではありません**。配偶者の税額軽減がなければ、第5表を作成する必要はありませんし、未成年者控除や障害者控除がなければ、第6表を作成する必要はありません。相続人の置かれた状況によって、作成すべき表の数は異なるのです。

また、申告書とは別に、遺産分割の状況や、適用を受ける特例に応じて、提出を求められる**添付書類***があります。

●相続税の申告・納付の解説
126ページ参照

🔍 **ここに注意！**

マイナンバー制が導入された

平成28年1月1日以降の相続や、平成28年分以降の贈与から、相続税・贈与税申告書に相続人、贈与を受ける人のマイナンバーを記載する必要がある。マイナンバーを記載した申告書を提出する際は、税務署で本人確認を行うため、申告書に記載されている各相続人の本人確認書類の提示、または写しの添付が必要となる。

💡 **もっと詳しく！**

添付書類*

たとえば、協議分割の場合には、戸籍謄本(相続関係説明図を使うこともある)と遺産分割協議書の写し、相続人全員の印鑑証明書の提出が必要。

相続税の申告書の記載内容

第1表	相続税の申告書	P182
第1表の付表	納税義務等の承継に係る明細書（兼相続人の代表者指定届出書）ほか	—
第2表	相続税の総額の計算書	P183
第3表	財産を取得した人のうちに農業相続人がいる場合の各人の算出税額の計算書	—
第4表	相続税額の加算金額の計算書	P184
第4表の2	暦年課税分の贈与税額控除額の計算書	P184
第5表	配偶者の税額軽減額の計算書	P185
第6表	未成年者控除額・障害者控除額の計算書	—
第7表	相次相続控除額の計算書	—
第8表	外国税額控除額・農地等納税猶予税額の計算書	—
第8の2表	株式等納税猶予税額の計算書	—
第8の2表の付表	非上場株式等についての納税猶予の特例の適用を受ける特例非上場株式等の明細書ほか	—
第8の3表	山林納税猶予税額の計算書	—
第8の3表の付表	山林についての納税猶予の特例の適用を受ける特例山林及び特例施業対象山林の明細書	—
第8の4表	医療法人持分納税猶予税額・税額控除額の計算書	—
第8の5表	美術品納税猶予税額の計算書	—
第9表	生命保険金などの明細書	P173
第10表	退職手当金などの明細書	P174
第11表	相続税がかかる財産の明細書（相続時精算課税適用財産を除きます。）	P175
第11の2表	相続時精算課税適用財産の明細書・相続時精算課税分の贈与税額控除額の計算書	P176
第11・11の2表の付表	小規模宅地等、特定計画山林又は事業用資産についての課税価格の計算明細書ほか	P177〜179
第12表	農地等についての納税猶予の適用を受ける特例農地等の明細書	—
第13表	債務及び葬式費用の明細書	P180
第14表	純資産価額に加算される暦年課税分の贈与財産価額及び特定贈与財産価額・出資持分の定めのない法人などに遺贈した財産・特定の公益法人などに寄附した相続財産・特定公益信託のために支出した相続財産の明細書	P181
第15表	相続財産の種類別価額表	—

★参照ページのあるものは、作成例を掲載している

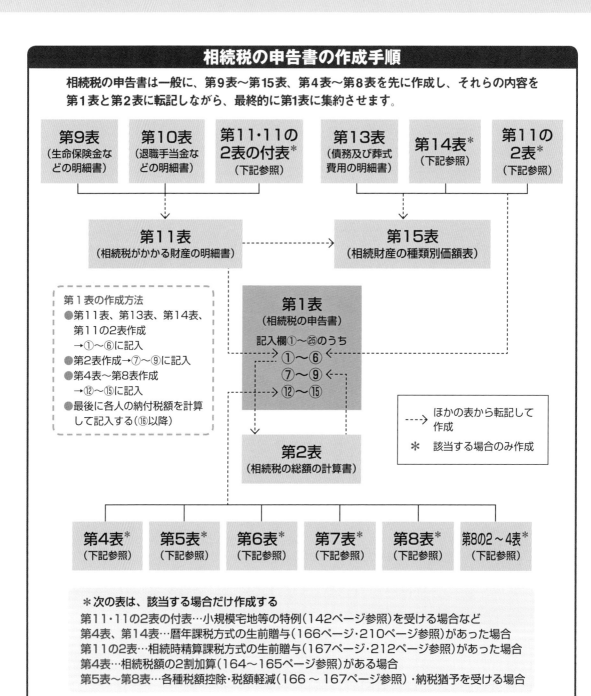

相続税の申告書の作成手順

相続税の申告書は一般に、第9表〜第15表、第4表〜第8表を先に作成し、それらの内容を
第1表と第2表に転記しながら、最終的に第1表に集約させます。

第9表
（生命保険金などの明細書）

第10表
（退職手当金などの明細書）

第11・11の2表の付表 *
（下記参照）

第13表
（債務及び葬式費用の明細書）

第14表 *
（下記参照）

第11の2表 *
（下記参照）

第11表
（相続税がかかる財産の明細書）

第15表
（相続財産の種類別価額表）

第1表の作成方法
●第11表、13表、第14表、第11の2表作成
　→①〜⑥に記入
●第2表作成→⑦〜⑨に記入
●第4表〜第8表作成
　→⑫〜⑮に記入
●最後に各人の納付税額を計算して記入する（⑯以降）

第1表
（相続税の申告書）
記入欄①〜㉕のうち
①〜⑥
⑦〜⑨
⑫〜⑮

- - - → ほかの表から転記して作成
* 該当する場合のみ作成

第2表
（相続税の総額の計算書）

第4表 *
（下記参照）

第5表 *
（下記参照）

第6表 *
（下記参照）

第7表 *
（下記参照）

第8表 *
（下記参照）

第8の2〜4表 *
（下記参照）

＊次の表は、該当する場合だけ作成する
第11・11の2表の付表…小規模宅地等の特例（142ページ参照）を受ける場合など
第4表、第14表…暦年課税方式の生前贈与（166ページ・210ページ参照）があった場合
第11の2表…相続時精算課税方式の生前贈与（167ページ・212ページ参照）があった場合
第4表…相続税額の2割加算（164〜165ページ参照）がある場合
第5表〜第8表…各種税額控除・税額軽減（166 〜 167ページ参照）・納税猶予を受ける場合

第9表の作成方法

被相続人の死亡によって生命保険金などを受け取った人がいる場合は作成する

生命保険金などの明細書

被相続人 山川 太郎

第9表（平成21年4月分以降用）

1 相続や遺贈によって取得したものとみなされる保険金など

この表は、相続人やその他の人が被相続人から相続や遺贈によって取得したものとみなされる生命保険金、損害保険契約の死亡保険金及び特定の生命共済金などを受け取った場合に、その受取金額などを記入します。

生命保険金の支給を受けた保険会社の所在地・名称等はすべて記入する

保険会社等の所在地	保険会社等の名称	受取年月日	受取金額	受取人の氏名
○○区○○4丁目3番5号	A生命保険（株）	○・○・○	35,437,600 円	山川 花子
○○区○○3丁目4番6号	B生命保険（相）	○・○・○	15,000,000	〃
○○区○○1丁目10番4号	C生命保険（株）	○・○・○	12,206,000	山川 一郎
○○区○○2丁目5番5号	D生命保険（相）	○・○・○	20,000,000	山川 二郎
		・・		

（注） 1 相続人（相続の放棄をした人を除きます。以下同じです。）が受け取った保険金などのうち一定の金額は非課税となりますので、その人は、次の2の該当欄に非課税となる金額と課税される金額とを記入します。
2 相続人以外の人が受け取った保険金などについては、非課税となる金額はありませんので、その人は、その受け取った金額そのままを第11表の「財産の明細」の「価額」の欄に転記します。
3 相続時精算課税適用財産は含まれません。

2 課税される金額の計算

この表は、被相続人の死亡によって相続人が生命保険金などを受け取った場合に、記入します。

法定相続人の数と保険金の非課税限度額を記入する

保険金の非課税限度額	［第2表のⒶの法定相続人の数］ （ 500万円× 5人 ）により計算した金額を右のⒶに記入します。		Ⓐ 25,000,000 円

保険金などを受け取った相続人の氏名等をすべて記入する。ただし、相続放棄をした人や、相続権を失った人は除く

保険金などを受け取った相続人の氏名	① 受け取った保険金などの金額	② 非課税金額 （ Ⓐ × 各人の①／Ⓑ ）	③ 課税金額 （①－②）
山川 花子	50,437,600 円	15,257,564 円	35,180,036 円
山川 一郎	12,206,000	3,692,361	8,513,639
山川 二郎	20,000,000	6,050,075	13,949,925
合 計	Ⓑ 82,643,600	25,000,000	57,643,600

（注） 1 Ⓑの金額がⒶの金額より少ないときは、各相続人の①欄の金額がそのまま②欄の非課税金額となりますので、③欄の課税金額は0となります。
2 ③欄の金額を第11表の「財産の明細」の「価額」欄に転記します。

第9表 (令5.7)　　　　　　　　　　　　　　　　　　　　　　（資4-20-10-A4統一）

★用紙は税務署で入手するか、国税庁のホームページからダウンロードする

相続の基本知識　相続の手続きガイド　相続税の基本知識　相続税の手続きガイド　生前対策の基本知識　生前対策ガイド　さくいん

第10表の作成方法

被相続人の退職手当金などを相続した人・遺贈された人がいる場合は作成する

退職手当金などを受け取った勤務先会社等の所在地・名称をすべて記入する

法定相続人の数と退職手当金などの非課税限度額を記入する

退職手当金などを受け取った相続人の氏名や金額などをすべて記入する。ただし、相続放棄した人や、相続権を失った人は除く

退職手当金などの明細書

被相続人　山川太郎

第10表（平成21年4月分以降用）

1　相続や遺贈によって取得したものとみなされる退職手当金など

この表は、相続人やその他の人が被相続人から相続や遺贈によって取得したものとみなされる退職手当金、功労金、退職給付金などを受け取った場合に、その受取金額などを記入します。

勤務先会社等の所在地	勤務先会社等の名称	受取年月日	退職手当金などの名称	受取金額	受取人の氏名
○○区○○7丁目2番3号	○○食品（株）	○・○・○	退職金	35,000,000 円	山川花子
〃	〃	○・○・○	功労金	2,000,000	山川花子
		・・			
		・・			
		・・			

（注）　1　相続人（相続の放棄をした人を除きます。以下同じです。）が受け取った退職手当金などのうち一定の金額は非課税となりますので、その人は、次の2の該当欄に非課税となる金額と課税される金額とを記入します。
　　　　2　相続人以外の人が受け取った退職手当金などについては、非課税となる金額はありませんので、その人は、その受け取った金額そのままを第11表の「財産の明細」の「価額」の欄に転記します。

2　課税される金額の計算

この表は、被相続人の死亡によって相続人が退職手当金などを受け取った場合に、記入します。

退職手当金などの非課税限度額	〔第2表の④の法定相続人の数〕 （500万円× 5 人 により計算した金額を右の④に記入します。）			④ 25,000,000 円

退職手当金などを受け取った相続人の氏名	① 受け取った退職手当金などの金額	② 非課税金額 $\left(④ × \dfrac{各人の①}{⑧} \right)$	③ 課税金額 （①－②）
山川花子	37,000,000 円	25,000,000 円	12,000,000 円
合　計	⑧ 37,000,000	25,000,000	12,000,000

（注）　1　⑧の金額が④の金額より少ないときは、各相続人の①欄の金額がそのまま②欄の非課税金額となりますので、③欄の課税金額は0となります。
　　　　2　③欄の金額を第11表の「財産の明細」の「価額」欄に転記します。

第10表（令5.7）　　　　　　　　　　　　　　　　　　　　　　　　　　　　（資4−20−11−A4統一）

174

第11表の作成方法

相続時精算課税以外の課税対象となる財産がある人がいる場合は作成する

遺産を全部分割している場合は1に、一部分割している場合は2に、全部未分割の場合には3に○をつける。1と2を選んだ場合は、「分割の日」を記入する

それぞれの財産について、財産の明細・取得した人の氏名・取得財産の価額を記入する

未分割の財産があれば、各相続人が相続分（寄与分を除く）に応じて、その財産の価額の合計額を取得すると仮定して、計算した金額を記入する

相続税がかかる財産の明細書
（相続時精算課税適用財産を除きます。）

被相続人　山川　太郎

第11表（令和2年4月分以降用）

○相続時精算課税適用財産の明細については、この表によらず第11の2表に記載します。

この表は、相続や遺贈によって取得した財産及び相続や遺贈によって取得したものとみなされる財産のうち、相続税のかかるものについての明細を記入します。

遺産の分割状況	区　分	① 全 部 分 割	2 一 部 分 割	3 全 部 未 分 割
	分 割 の 日	○ ・ ○ ・ ○	・ ・	・

財 産 の 明 細							分割が確定した財産	
種　類	細　目	利用区分、銘柄等	所在場所等	数量 固定資産税評価額	単価 倍数	価　額	取得した人の氏名	取得財産の価額
土地	宅地	自用地 （居住用）	新宿区新小川町 ○丁目○番○号	160.00㎡	（11・11の2表の様）のとおり	11,600,000 円	山川花子	（持分½） 5,800,000 円
							山川三郎	（持分½） 5,800,000
〃	宅地	自用地 （未利用）	練馬区石神井台 ○丁目○番○号	230.00㎡	255,600	58,788,000	山川春子	（持分½） 29,394,000
							山川一郎	（持分¼） 14,697,000
							山川二郎	（持分¼） 14,697,000
	（小計）					（70,388,000）		
〃	生命保険金					8,513,639	山川一郎	8,513,639
〃	〃					13,949,925	山川二郎	13,949,925
	（小計）					（57,643,600）		
	退職手当金等					12,000,000	山川花子	12,000,000
	（小計）					（12,000,000）		
	その他	彫刻 （00作口口 他）	新宿区新小川町 ○丁目○番○号	4点	（別紙のとおり）	3,063,400	山川春子	3,063,400
	（小計）					（3,063,400）		
	《計》					《72,707,002》		
	［合計］					［489,165,330］		

合計表	財産を取得した人の氏名	（各人の合計）	山川花子	山川一郎	山川二郎	山川三郎	山川春子
	分割財産の価額 ①	489,165,330 円	280,431,205 円	80,654,567 円	21,740,500 円	68,750,058 円	37,589,000 円
	未分割財産の価額 ②						
	各人の取得財産の価額（①＋②）③	489,165,330	280,431,205	80,654,567	21,740,500	68,750,058	37,589,000

（注）　1　「合計表」の各人の③欄の金額を第1表のその人の「取得財産の価額①」欄に転記します。
　　　　2　「財産の明細」の「価額」欄は、財産の細目、種類ごとに小計及び計を付し、最後に合計を付して、それらの金額を第15表の①から⑳までの該当欄に転記します。

第11表（令5.7）

（資4－20－12－1－A4統一）

★財産の種類が多い場合は、この用紙を複数枚使って作成する

相続時精算課税（167ページ参照）の適用を受ける人がいる場合は作成する

相続時精算課税適用財産の贈与を受けたすべての人の氏名・贈与を受けた年分などを記入する

相続時精算課税適用財産の贈与を受けた人すべての氏名・贈与年月日・財産の明細を記入する

相続時精算課税適用財産の明細書
相続時精算課税分の贈与税額控除額の計算書

被相続人　山川　太郎

第11の2表（令和5年1月分以降用）

この表は、被相続人から相続時精算課税に係る贈与によって取得した財産（相続時精算課税適用財産）がある場合に記入します。

1　相続税の課税価格に加算する相続時精算課税適用財産の課税価格及び納付すべき相続税額から控除すべき贈与税額の明細

番号	① 贈与を受けた人の氏名	② 贈与を受けた年分	③ 贈与税の申告書を提出した税務署の名称	④ ②の年分に被相続人から相続時精算課税に係る贈与を受けた財産の価額の合計額（課税価格）	⑤ ④の財産に係る贈与税額（贈与税の外国税額控除前の金額）	⑥ ⑤のうち贈与税額に係る外国税額控除額
1	山川　一郎	平成〇年分	〇〇税務署	17,600,000 円	円	円
2						
3						
4						
5						
6						

贈与を受けた人ごとの相続時精算課税適用財産の課税価格及び贈与税額の合計額	氏名	（各人の合計）				
	⑦ 課税価格の合計額（④の合計額）	17,600,000 円	17,600,000 円	円	円	円
	⑧ 贈与税額の合計額（⑤の合計額）					
	⑨ ⑧のうち贈与税額に係る外国税額控除額の合計額（⑥の合計額）					

（注）　1　相続時精算課税に係る贈与をした被相続人がその贈与をした年の中途に死亡した場合の③欄は「相続時精算課税選択届出書を提出した税務署の名称」を記入してください。
　　　　2　④欄の金額は、下記2の③の「価額」欄の金額に基づき記入します。
　　　　3　各人の⑦欄の金額を第1表のその人の「相続時精算課税適用財産の価額②」欄及び第15表のその人の「㉛欄にそれぞれ転記します。
　　　　4　各人の⑧欄の金額を第1表のその人の「相続時精算課税分の贈与税額控除額⑰」欄に転記します。

2　相続時精算課税適用財産（1の④）の明細

（上記1の「番号」欄の番号に合わせて記入します。）

番号	① 贈与を受けた人の氏名	贈与年月日	相続時精算課税適用財産の明細				
			種類	細目	利用区分、銘柄等	所在場所等	数量	価額
1	山川　一郎	〇.〇.〇	現金預貯金等		現金	新宿区新小川町〇丁目〇番〇号		17,600,000 円

（注）　1　この明細は、被相続人である特定贈与者に係る贈与税の申告書第2表に基づき記入します。
　　　　2　③の「価額」には、被相続人である特定贈与者に係る贈与税の申告書第2表の「財産の価額」欄の金額を記入します。ただし、特定事業用資産の特例の適用を受ける場合には、第11・11の2表の付表3の⑦欄の金額と⑦欄の金額に係る第11・11の2表の付表3の2の⑮欄の金額の合計額を、特定計画山林の特例の適用を受ける場合には、第11・11の2表の付表4の「2　特定受贈森林経営計画対象山林である選択特定計画山林の明細」の④欄の金額を記入します。

第11の2表（令5.7）　　　　　　　　　　　　　　　　　　　　（資4-20-12-2-A4統一）

第11・11の2表の付表の作成方法❶

小規模宅地等の特例の適用を受ける人がいる場合は作成する

特例の適用を受ける人の氏名と、宅地等の所在地番・面積などを記入する

居住用宅地と事業用宅地を併用する場合の限度面積は、平成27年から730㎡に拡大された（142ページ参照）

小規模宅地等についての課税価格の計算明細書

FD3549

被相続人　山川太郎

この表は、小規模宅地等の特例（租税特別措置法第69条の4第1項）の適用を受ける場合に記入します。
なお、被相続人から、相続、遺贈又は相続時精算課税に係る贈与により取得した財産のうちに、「特定計画山林の特例」の対象となり得る財産又は「個人の事業用資産についての相続時精算課税に係る贈与により取得した財産のうちに、「特定計画山林の特例」の対象となり得る財産又は「個人の事業用資産についての相続税の納税猶予及び免除」の対象となり得る宅地等の一定の財産がある場合には、第11・11の2表の付表2を、「特定事業用資産の特例」の対象となり得る財産がある場合には、第11・11の2表の付表2又は付表2の2を作成する場合には、この表の「1 特例の適用にあたっての同意」欄の記入を要しません。）。
(注) この表の1又は2の各欄に記入しきれない場合には、第11・11の2表の付表1（続）を使用します。

1　特例の適用にあたっての同意

この欄は、小規模宅地等の特例の対象となり得る宅地等を取得した全ての人が次の内容に同意する場合に、その宅地等を取得した全ての人の氏名を記入します。
私(私たち)は、「2 小規模宅地等の明細」の①欄の取得者が、小規模宅地等の特例の適用を受けるものとして選択した宅地等又はその一部（「2 小規模宅地等の明細」の⑤欄で選択した宅地等）の全てが限度面積要件を満たすものであることを確認の上、その取得者が小規模宅地等の特例の適用を受けることに同意します。

氏名	山川花子	山川三郎

(注) 小規模宅地等の特例の対象となり得る宅地等を取得した全ての人の同意がなければ、この特例の適用を受けることはできません。

2　小規模宅地等の明細

この欄は、小規模宅地等の特例の対象となり得る宅地等を取得した人のうち、その特例の適用を受ける人が選択した小規模宅地等の明細等を記載し、相続税の課税価格に算入する価額を計算します。
「小規模宅地等の種類」欄は、選択した小規模宅地等の種類に応じて次の1～4の番号を記入します。

小規模宅地等の種類：1 特定居住用宅地等、2 特定事業用宅地等、3 特定同族会社事業用宅地等、4 貸付事業用宅地等

小規模宅地等の種類 1～4の番号を記入します。	選択した小規模宅地等	① 特例の適用を受ける取得者の氏名 〔事業内容〕 ② 所在地番 ③ 取得者の持分に応ずる宅地等の面積 ④ 取得者の持分に応ずる宅地等の価額	⑤ ③のうち小規模宅地等（「限度面積要件」を満たす宅地等）の面積 ⑥ ⑤のうち小規模宅地等（④×⑤/③）の価額 ⑦ 課税価格の計算に当たって減額される金額（⑥×⑨） ⑧ 課税価格に算入する価額（④－⑦）
1		① 山川花子　② 新宿区新小川町〇丁目〇番〇号　③ 80.　④ 29000000	⑤ 80.　⑥ 29000000　⑦ 23200000　⑧ 5800000
1		① 山川三郎　② 新宿区新小川町〇丁目〇番〇号　③ 80.　④ 29000000	⑤ 80.　⑥ 29000000　⑦ 23200000　⑧ 5800000
		① ② ③ ④	⑤ ⑥ ⑦ ⑧

(注) 1　①欄の「〔　〕」は、選択した小規模宅地等が被相続人等の事業用宅地等（2、3又は4）である場合に、相続開始の直前にその宅地等の上で行われていた被相続人等の事業について、例えば、飲食サービス業、法律事務所、貸家などのように具体的に記入します。
2　小規模宅地等を選択する一の宅地等が共有である場合又は一の宅地等が貸家建付地である場合において、その評価額の計算上「賃貸割合」が1でないときには、第11・11の2表の付表1（別表1）を作成します。
3　小規模宅地等を選択する宅地等が、配偶者居住権に基づく敷地利用権又は配偶者居住権の目的となっている建物の敷地の用に供される宅地等である場合には、第11・11の2表の付表1（別表1の2）を作成します。
4　⑧欄の金額を第11表の「財産の明細」の「価額」欄に転記します。

○「限度面積要件」の判定

上記「2 小規模宅地等の明細」の⑤欄で選択した宅地等の全てが限度面積要件を満たすものであることを、この表の各欄を記入することにより判定します。

小規模宅地等の区分	被相続人等の居住用宅地等	被相続人等の事業用宅地等		
小規模宅地等の種類	1 特定居住用宅地等	2 特定事業用宅地等	3 特定同族会社事業用宅地等	4 貸付事業用宅地等
⑨ 減額割合	80/100	80/100	80/100	50/100
⑩ ⑤の小規模宅地等の面積の合計	160			
⑪ 限度面積 〔1 の⑩の面積〕〔4 貸付事業用宅地等がない場合〕	160 ≦ 330㎡	〔2 の⑩及び 3 の⑩の面積の合計〕 ≦ 400㎡		
〔1 の⑩の面積〕〔4 貸付事業用宅地等がある場合〕	㎡×200/330 ＋	〔2 の⑩及び 3 の⑩の面積の合計〕 ㎡×200/400 ＋		〔4 の⑩の面積〕 ㎡ ≦ 200㎡

(注) 限度面積は、小規模宅地等の種類（「4 貸付事業用宅地等」の選択の有無）に応じて、（イ又はロ）により判定を行います。「限度面積要件」を満たす場合に限り、この特例の適用を受けることができます。

※ この項目は記入する必要がありません。

※ 税務署整理欄	年分	名簿番号	申告年月日	連番号	グループ番号	補完

第11・11の2表の付表1（令5.7）

（資4-20-12-3-1-A4統一）

第11・11の2表の付表1（令和2年4月分以降用）

○この申告書は機械で読み取りますので、黒ボールペンで記入してください。

次ページへ続く

小規模宅地等の特例の適用を受ける人がいる場合は作成する

宅地等の所在地番・面積などを記入する

特例の適用を受ける人の氏名と持分などを記入する

小規模宅地等についての課税価格の計算明細書（別表）

被相続人　山川太郎

この計算明細は、特例の対象として小規模宅地等を選択する一の宅地等（注）が、次のいずれかに該当する場合に一の宅地等ごとに作成します。
1　相続又は遺贈により一の宅地等を2人以上の相続人又は受遺者が取得している場合
2　一の宅地等の全部又は一部が、貸家建付地である場合において、貸家建付地の評価額の計算上「賃貸割合」が「1」でない場合
（注）　一の宅地等とは、一棟の建物又は構築物の敷地をいいます。ただし、マンションなどの区分所有建物の場合には、区分所有された建物の部分に係る敷地をいいます。

1　一の宅地等の所在地、面積及び評価額

一の宅地等について、宅地等の「所在地」、「面積」及び相続開始の直前における宅地等の利用区分に応じて「面積」及び「評価額」を記入します。
(1)　「①宅地等の面積」欄は、一の宅地等が持分である場合には、持分に応ずる面積を記入してください。
(2)　上記2に該当する場合には、⑤欄については、⑥欄の面積を基に自用地として評価した金額を記入してください。

宅地等の所在地	新宿区新小川町〇丁目〇番〇号	①宅地等の面積	160 ㎡

	相続開始の直前における宅地等の利用区分	面積（㎡）	評価額（円）
A	①のうち被相続人等の事業の用に供されていた宅地等（B、C及びDに該当するものを除きます。）	②	⑧
B	①のうち特定同族会社の事業（貸付事業を除きます。）の用に供されていた宅地等	③	⑨
C	①のうち被相続人等の貸付事業に供されていた宅地等（相続開始の時において継続的に貸付事業の用に供されていると認められる部分の敷地）	④	⑩
D	①のうち被相続人等の貸付事業の用に供されていた宅地等（Cに該当する部分以外の部分の敷地）	⑤	⑪
E	①のうち被相続人等の居住の用に供されていた宅地等	⑥ 160	⑫ 58,000,000
F	①のうちAからEの宅地等に該当しない宅地等	⑦	⑬

2　一の宅地等の取得者ごとの面積及び評価額

上記のAからFまでの宅地等の「面積」及び「評価額」を、宅地等の取得者ごとに記入します。
(1)　「持分割合」欄は、宅地等の取得者が相続又は遺贈により取得した持分割合を記入します。一の宅地等を1人で取得した場合には、「1/1」と記入します。
(2)　「1　持分に応じた宅地等」は、上記のAからFまでに記入した一の宅地等の「面積」及び「評価額」を「持分割合」を用いてあん分して計算した「面積」及び「評価額」を記入します。
(3)　「2　左記の宅地等のうち選択特例対象宅地等」は、「1　持分に応じた宅地等」に記入した「面積」及び「評価額」のうち、特例の対象として選択する部分を記入します。なお上の各欄の場合には、上段に「特定同族会社事業用宅地等」として選択する部分の、下段に「貸付事業用宅地等」として選択する部分の「面積」及び「評価額」をそれぞれ記入します。
「2　左記の宅地等のうち選択特例対象宅地等」に記入した宅地等の「面積」及び「評価額」は、「申告書第11・11の2表の付表1」の「2小規模宅地等の明細」の⑬取得者の持分に応ずる宅地等の面積・⑭取得者の持分に応ずる宅地等の価額」欄に転記します。
(4)　「3　特例の対象とならない宅地等（1−2）」には、「1　持分に応じた宅地等」のうち「2　左記の宅地等のうち選択特例対象宅地等」欄に記入した以外の宅地等について記入します。この欄に記入した「面積」及び「評価額」は、申告書第11表に転記します。

宅地等の取得者氏名	山川花子		⑭持分割合	1/2			
	1　持分に応じた宅地等		2　左記の宅地等のうち選択特例対象宅地等		3　特例の対象とならない宅地等（1−2）		
	面積（㎡）	評価額（円）	面積（㎡）	評価額（円）	面積（㎡）	評価額（円）	
A	②×⑭	⑧×⑭					
B	③×⑭	⑨×⑭					
C	④×⑭	⑩×⑭					
D	⑤×⑭	⑪×⑭					
E	⑥×⑭ 80	⑫×⑭ 29,000,000	80	29,000,000	0	0	
F	⑦×⑭	⑬×⑭					

宅地等の取得者氏名	山川三郎		⑭持分割合	1/2			
	1　持分に応じた宅地等		2　左記の宅地等のうち選択特例対象宅地等		3　特例の対象とならない宅地等（1−2）		
	面積（㎡）	評価額（円）	面積（㎡）	評価額（円）	面積（㎡）	評価額（円）	
A	②×⑭	⑧×⑭					
B	③×⑭	⑨×⑭					
C	④×⑭	⑩×⑭					
D	⑤×⑭	⑪×⑭					
E	⑥×⑭ 80	⑫×⑭ 29,000,000	80	29,000,000	0	0	
F	⑦×⑭	⑬×⑭					

第11・11の2表の付表1（別表1）（令5.7）　　　　　　　　　　（資4−20−12−3−5−A4統一）

第11・11の2表の付表の作成方法❸

この明細は、被相続人から相続、遺贈または相続時精算課税に係る贈与により取得した財産のうちに、「特定計画山林の特例」または「特定事業用資産の特例」の対象となり得る財産がある場合に作成する

小規模宅地等の特例、特定計画山林の特例又は個人の事業用資産の納税猶予の適用にあたっての同意及び特定計画山林についての課税価格の計算明細書

被相続人 _____

第11・11の2表の付表2（令和2年4月分以降用）

1 特例の適用にあたっての同意

　この表は、被相続人から相続、遺贈又は相続時精算課税に係る贈与により取得した財産のうちに、①「小規模宅地等の特例」の対象となり得る宅地等及び「個人の事業用資産の納税猶予」の対象となり得る宅地等その他一定の財産がある場合、又は②「特定計画山林の特例」の対象となり得る山林がある場合に記入します。

　なお、「特定事業用資産の特例」の対象となり得る財産がある場合（「個人の事業用資産の納税猶予」の対象となり得る宅地等その他一定の財産がある場合を除きます。）には、第11・11の2表の付表2の2を作成します（この場合には、この表の記入をする必要はありません。）。

(1) 特例の適用にあたっての同意

　(注)「小規模宅地等の特例」若しくは「特定計画山林の特例」の対象となり得る財産又は「個人の事業用資産の納税猶予」の対象となり得る宅地等その他一定の財産を取得した全ての人の同意が必要です。

	特例の対象となり得る財産を取得した全ての人の氏名
私（私たち）は下記の「(2) 特例の適用を受ける財産の明細」の①から③までの明細において選択した財産の全てが、租税特別措置法第69条の4第1項に規定する小規模宅地等、同法第69条の5第1項に規定する選択特定計画山林又は同法第70条の6の10第1項に規定する特例事業用資産のうち同条第2項第1号イに掲げるものに該当することを確認の上、その財産の取得者が租税特別措置法第69条の4第1項、第69条の5第1項又は第70条の6の10第1項に規定する特例の適用を受けることに同意します。	

(2) 特例の適用を受ける財産の明細

　(注) 特例の適用を受ける財産の明細の番号を○で囲んでください。

① 小規模宅地等の明細
　第11・11の2表の付表1の「2 小規模宅地等の明細」のとおり。
② 特定（受贈）森林経営計画対象山林である選択特定計画山林の明細
　第11・11の2表の付表4の「1 特定森林経営計画対象山林である選択特定計画山林の明細」又は「2 特定受贈森林経営計画対象山林である選択特定計画山林の明細」のとおり。
③ 特例事業用資産のうち租税特別措置法第70条の6の10第2項第1号イに掲げるものの明細
　第8の6表の付表3の「2 この特例の適用を受ける宅地等に係る限度面積の判定」の(2)及び(3)のとおり。

2 特定計画山林の特例の対象となる特定計画山林等の調整限度額の計算

　この表は、「特定計画山林の特例」を適用し、かつ、「小規模宅地等の特例」又は「個人の事業用資産の納税猶予」を適用する場合に記入します。

　なお、「特定事業用資産の特例」を適用する場合の「特定計画山林の特例の対象となる特定（受贈）森林経営計画対象山林の調整限度額等の計算」については、第11・11の2表の付表2の2で計算します。

(1) 小規模宅地等の特例及び個人の事業用資産の納税猶予の適用を受ける面積

① 限度面積	② 小規模宅地等の特例等の適用を受ける面積（裏面2参照）	③ 特例適用残面積（①－②）
200㎡	㎡	㎡

(2) 特定計画山林の特例の対象となる特定（受贈）森林経営計画対象山林の調整限度額等の計算

④ 特定計画山林の特例の対象として選択することのできる特定（受贈）森林経営計画対象山林である立木又は土地等の価額の合計額	⑤ 特例の対象となる特定（受贈）森林経営計画対象山林の調整限度額（④×③／①）	⑥ ⑤のうち特例の適用を受ける価額（第11・11の2表の付表4の「3 特定（受贈）森林経営計画対象山林である選択特定計画山林の価額の合計額」の「A＋B」欄の金額）	
円	円	円	

(注) ③欄が0となる場合には、特定（受贈）森林経営計画対象山林について特定計画山林の特例の適用を受けることはできません。

第11・11の2表の付表2（令5.7）　　　　　　　　　　　　　　（資4−20−12−3−6−A4統一）

相続財産に債務がある場合や、葬式費用を支払った人がいる場合は作成する

債務の種類は、「公租公課」「銀行借入金」「未払金」「買掛金」「その他」に分けて記入する

債務及び葬式費用の明細書

被相続人　山川　太郎

第13表（令和2年4月分以降用）

1　債務の明細
（この表は、被相続人の債務について、その明細と負担する人の氏名及び金額を記入します。）

種類	細目	債権者 氏名又は名称	住所又は所在地	発生年月日 弁済期限	金額	負担する人の氏名	負担する金額
公租公課	○年分 固定資産税	○○区役所		○・○・○ ・・	円 327,600	山川花子	円 327,600
〃		○○都税事務所		○・○・○ ・・	243,700	山川三郎	243,700
〃	○年分所得税 (準確定申告)	○○税務署		○・○・○ ・・	221,600	〃	221,600
〃	○年分 住民税	○○区役所		○・○・○ ・・	409,300	〃	409,300
銀行借入金	証書 借入れ	○○銀行 ○○支店		○・○・○ ・・	18,754,260	〃	18,754,260
				・・			
合計					19,956,460		

2　葬式費用の明細
この表は、被相続人の葬式に要した費用について、その明細と負担する人の氏名及び金額を記入します。

支払先 氏名又は名称	住所又は所在地	支払年月日	金額	負担する人の氏名	負担する金額
○○寺	○○区○○3丁目4番2号	○・○・○	円 2,500,000	山川一郎	円 2,500,000
○○タクシー	○○区○○1丁目5番2号	○・○・○	182,000	〃	182,000
○○商店	○○区○○2丁目7番6号	○・○・○	110,850	〃	110,850
○○酒店	○○区○○2丁目8番3号	○・○・○	31,600	〃	31,600
○○葬儀所	○○区○○5丁目6番8号	○・○・○	2,125,000	〃	2,125,000
その他	（別紙のとおり）	・・	98,900	〃	98,900
合計			5,048,350		

だれが負担するか確定していない債務については、相続分に応じて各自が負担すると仮定して計算した、各相続人の金額を記入する

3　債務及び葬式費用の合計額

	債務などを承継した人の氏名		各人の合計	山川花子	山川一郎	山川三郎	
債務	負担することが確定した債務	①	円 19,956,460	円 327,600	円	円 19,628,860	円
	負担することが確定していない債務	②					
	計（①＋②）	③	19,956,460	327,600		19,628,860	
葬式費用	負担することが確定した葬式費用	④	5,048,350		5,048,350		
	負担することが確定していない葬式費用	⑤					
	計（④＋⑤）	⑥	5,048,350		5,048,350		
合計（③＋⑥）		⑦	25,004,810	327,600	5,048,350	19,628,860	

（注）1　各人の⑦欄の金額を第1表のその人の「債務及び葬式費用の金額③」欄に転記します。
　　　2　③、⑥及び⑦欄の金額を第15表の②、㉞及び㉟欄にそれぞれ転記します。

第13表（令5.7）

（資4-20-14-A4統一）

180

第14表の作成方法

相続開始前7年以内に、被相続人から暦年課税に係る贈与を受けていた人がいる場合は作成する

相続開始前7年以内に、被相続人から暦年課税に係る贈与によって取得した財産のある相続人や受遺者など、全員について記入する

配偶者が特定財産の贈与を受けているときには、氏名と上記の欄の番号を記入する。また、該当する配偶者は、贈与税の申告が必要になる

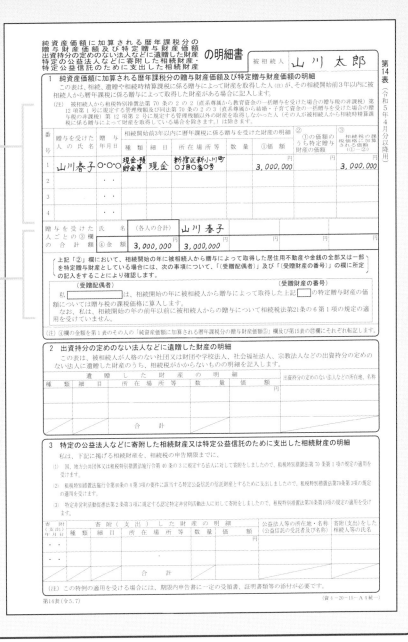

第1表の作成方法

相続人や受遺者全員が作成する

被相続人の氏名・生年月日・住所・職業を記入する。職業については、相続開始の日における職業・役職を書く

財産を取得した人のマイナンバーを記載する

財産の取得原因を、「相続」「遺贈」「相続時精算課税に係る贈与」の中から選ぶ

財産を取得した人の氏名・生年月日・住所・被相続人との続柄・職業を記入する。年齢については、相続開始の日における年齢を書く

マイナンバーを記載

按分割合は、合計が1になるようにする。そのために小数点2位未満の端数を調整することも、認められている

実際に相続人等が納付しなければならない相続税の額になる

第2表の作成方法

相続人や受遺者全員が作成する

平成27年以降、5,000万円→3,000万円、1,000万円→600万円に変更

相 続 税 の 総 額 の 計 算 書 被相続人 山川太郎 第2表 （令和5年1月分以降用）

この表は、第1表及び第3表の「相続税の総額」の計算のために使用します。
なお、被相続人から相続、遺贈や相続時精算課税に係る贈与によって財産を取得した人のうちに農業相続人がいない場合は、この表の④欄及び⑥欄並びに⑨欄から⑪欄までは記入する必要がありません。

① 課税価格の合計額	② 遺産に係る基礎控除額	③ 課税遺産総額
㋑（第1表⑥A）484,760,000 円	3,000万円 + （600万円 × 相続人の数 ㋺ 5 人） = ㋩ 6,000 万円	㋥（㋑-㋩）424,760,000 円
㋺（第3表⑥A） ,000 円	㋭の人数及び㋩の金額を第1表⑧へ転記します。	㋬（㋺-㋩） ,000 円

④ 法定相続人 （注）1参照	⑤ 左の法定相続人に応じた法定相続分	第1表の「相続税の総額⑦」の計算		第3表の「相続税の総額⑦」の計算	
氏 名 ／ 被相続人との続柄		⑥ 法定相続分に応ずる取得金額（㋥×⑤）（1,000円未満切捨て）	⑦ 相続税の総額の基となる税額 下の「速算表」で計算します。	⑧ 法定相続分に応ずる取得金額（㋬×⑤）（1,000円未満切捨て）	⑨ 相続税の総額の基となる税額 下の「速算表」で計算します。
山川花子 妻	1/2	212,380,000 円	68,571,000 円	,000 円	,000 円
山川一郎 長男	1/2 × 1/4 = 1/8	53,095,000	8,928,500	,000	,000
山川二郎 次男	1/2 × 1/4 = 1/8	53,095,000	8,928,500	,000	,000
山川三郎 三男	1/2 × 1/4 = 1/8	53,095,000	8,928,500	,000	,000
山川春子 長女	1/2 × 1/4 = 1/8	53,095,000	8,928,500	,000	,000
		,000	,000	,000	,000
		,000	,000	,000	,000
		,000	,000	,000	,000
		,000	,000	,000	,000
法定相続人の数 A 5 人	合計 1	⑦ 相続税の総額（⑦の合計額）（100円未満切捨て）104,285,0	00	⑪ 相続税の総額（⑩の合計額）（100円未満切捨て）	00

（注）1 ④欄の記入に当たっては、被相続人に養子がある場合や相続の放棄があった場合には、「相続税の申告のしかた」をご覧ください。
　　　2 ⑧欄の金額を第1表⑦欄へ転記します。財産を取得した人のうちに農業相続人がいる場合は、⑧欄の金額を第1表⑦欄へ転記するとともに、⑪欄の金額を第3表⑦欄へ転記します。

> 「相続税の総額の基となる税額」は、下の「相続税の速算表」で計算して記入する

> この法定相続分の合計は、必ず1になる。1にならない場合は、各自の法定相続分がまちがっていると思ったほうがよい

相続税の速算表

相続税の速算表（162ページ参照）

法定相続分に応ずる取得金額	10,000千円以下	30,000千円以下	50,000千円以下	100,000千円以下	200,000千円以下	300,000千円以下	600,000千円以下	600,000千円超
税率	10%	15%	20%	30%	40%	45%	50%	55%
控除額	―	500千円	2,000千円	7,000千円	17,000千円	27,000千円	42,000千円	72,000千円

この速算表の使用方法は、次のとおりです。
⑥欄の金額×税率－控除額＝⑦欄の税額　　　⑨欄の金額×税率－控除額＝⑩欄の税額
例えば、⑥欄の金額30,000千円に対する税額（⑦欄）は、30,000千円×15%－500千円＝4,000千円です。

〇連帯納付義務について
　　相続税の納付については、各相続人等が相続、遺贈や相続時精算課税に係る贈与により受けた利益の価額を限度として、お互いに連帯して納付しなければならない義務があります。

第2表（令5.7）　　　　　　　　　　　　　　　　　　　　　　　　　　　　（資4－20－3－A4統一）

相続税の加算がある人（164ページ参照）が作成する

相続税額の加算金額の計算書

被相続人 ⬚

第4表
（令和5年4月分以降用）

　この表は、相続、遺贈や相続時精算課税に係る贈与によって財産を取得した人のうちに、被相続人の一親等の血族（代襲して相続人となった直系卑属を含みます。）及び配偶者以外の人がいる場合に記入します。
　なお、相続や遺贈によって財産を取得した人で、次の管理残額がある場合には、第4表の付表を作成します。
　イ　相続税法第21条の9第3項（措法70条の2の2（直系尊属から教育資金の一括贈与を受けた場合の贈与税の非課税）第12項第1号に規定する管理残額及び措法70条の2の3（直系尊属から結婚・子育て資金の一括贈与を受けた場合の贈与税の非課税）第12項第2号に規定する管理残額

加算の対象となる人の氏名

各人の税額控除前の相続税額 （第1表⑨又は第1表⑩の金額）	①	円	円	円	円
	②	円	円	円	円
	③	円	円	円	円
加算の対象とならない相続税額 （②＋③－①×③／②＋③）	④				
措置法第70条の2の2第12項第1号に規定する管理残額がある場合の加算の対象とならない相続税額（第4表の付表①）	⑤	円	円	円	円
措置法第70条の2の3第12項第2号に規定する管理残額がある場合の加算の対象とならない相続税額（第4表の付表②）	⑥	円	円	円	円
相続税額の加算金額 （①×0.2） ただし、上記⑤～⑥の金額がある場合には、 （①－④－⑤－⑥）×0.2とします。	⑦				

（注）1　相続時精算課税適用者である孫が相続開始の時までに被相続人の養子となった場合には、「相続時精算課税...
　　　2　各人の⑦欄の金額を第1表のその人の「相続税額の2割加算が行われる場合の加算金額⑪」欄に転記します。

第4表（令5.7）

相続や遺贈、相続時精算課税に係る贈与によって財産を取得した人のうちに、被相続人の一親等の血族（代襲して相続人となった直系卑属〈孫〉を含む）および配偶者以外の人がいる場合には、ここに記入する

暦年課税分の贈与税額控除（166ページ参照）を受ける人がいる場合は作成する

暦年課税分の贈与税額控除額の計算書

被相続人 山川太郎

第4表の2（平成31年1月分以降用）

この表は、第14表の「1 純資産価額に加算される暦年課税分の贈与財産価額及び特定贈与財産価額の明細」欄に記入した財産のうち相続税の課税価格に加算されるものについて、贈与税が課税されている場合に記入します。

控除を受ける人の氏名　山川春子

贈与税の申告書の提出先　四谷　税務署

		税務署	税務署

相続開始の年の前年中に暦年課税に係る贈与によって取得した特例贈与財産の価額の合計額　　3,000,000

そのうち被相続人に係る贈与によって取得した特例贈与財産の価額の合計額（贈与税額の計算の基礎となった価額）　　3,000,000

その年分の暦年課税分の贈与税額（特例贈与財産分）　190,000

控除を受ける贈与税額（特例贈与財産分）　190,000

...

暦年課税分の贈与税額控除額計　190,000

（注）各人の㉒欄の金額を第1表のその人の「暦年課税分の贈与税額控除額㉓」欄に転記します。

第4表の2（令5.7）

（資4-20-8-3-A4統一）

暦年課税分の贈与税額控除を受ける人の氏名を記入する

該当する財産の中に特定贈与財産にあたるものが含まれている場合は、被相続人から贈与を受けた財産の総額から、特定贈与財産の価額を引いて記入する

第5表の作成方法

税額軽減を受ける配偶者がいる場合は作成する

未分割の財産がなければ記入する必要はない

配偶者が農業相続人の場合には、第1表の⑨または⑩欄に記載された金額を書く

配偶者の税額軽減額の計算書

被相続人 山川太郎

第5表（平成21年4月分以降用）

私は、相続税法第19条の2第1項の規定による配偶者の税額軽減の適用を受けます。

1 一般の場合 （この表は、①被相続人から相続、遺贈や相続時精算課税に係る贈与によって財産を取得した人のうちに農業相続人がいない場合又は②配偶者が農業相続人である場合に記入します。）

課税価格の合計額のうち配偶者の法定相続分相当額

（第1表のⒶの金額）〔配偶者の法定相続分〕

484,760,000円 × 1/2 ＝ 242,380,000円

上記の金額が16,000万円に満たない場合には、16,000万円

⑦※ } → 242,380,000 円

配偶者の税額軽減額を計算する場合の課税価格

① 分割財産の価額（第11表の配偶者の①の金額）	分割財産の価額から控除する債務及び葬式費用の金額		④ （②－③）の金額（③の金額が②の金額より大きいときは0）	⑤ 純資産価額に加算される暦年課税分の贈与財産価額（第1表の配偶者の⑤の金額）	⑥ （①－④＋⑤）の金額（⑤の金額より小さいときは⑤の金額）（1,000円未満切捨て）
	② 債務及び葬式費用の金額（第1表の配偶者の③の金額）	③ 未分割財産の価額（第11表の配偶者の②の金額）			
280,431,205 円	327,600 円	円	327,600 円	0 円	280,103,000 円

⑦ 相続税の総額（第1表の⑦の金額）	⑧ ⑦の金額と⑥の金額のうちいずれか少ない方の金額	⑨ 課税価格の合計額（第1表のⒶの金額）	⑩ 配偶者の税額軽減の基となる金額（⑦×⑧÷⑨）
104,285,0 00 円	242,380,000 円	484,760,000 円	52,142,500 円

配偶者の税額軽減の限度額	（第1表の配偶者の⑨又は⑩の金額）（第1表の配偶者の⑫の金額）	⑪
	60,485,300 円 － 0 円	60,485,300

配偶者の税額軽減額	（⑩の金額と⑪の金額のうちいずれか少ない方の金額）	Ⓐ
		52,142,500

（注） Ⓐの金額を第1表の配偶者の「配偶者の税額軽減額⑬」欄に転記します。

2 配偶者以外の人が農業相続人である場合 （この表は、被相続人から相続、遺贈や相続時精算課税に係る贈与によって財産を取得した人のうちに農業相続人がいる場合で、かつ、その農業相続人が配偶者以外の場合に記入します。）

課税価格の合計額のうち配偶者の法定相続分相当額

（第3表のⒶの金額）〔配偶者の法定相続分〕

,000円 × ＝ 円

上記の金額が16,000万円に満たない場合には、16,000万円

㋺※ } ▶

配偶者の税額軽減額を計算する場合の課税価格

⑪ 分割財産の価額（第11表の配偶者の①の金額）	分割財産の価額から控除する債務及び葬式費用の金額		⑭ （⑫－⑬）の金額（⑬の金額が⑫の金額より大きいときは0）	⑮ 純資産価額に加算される暦年課税分の贈与財産価額（第1表の配偶者の⑤の金額）	⑯ （⑪－⑭＋⑮）の金額（⑮の金額より小さいときは⑮の金額）（1,000円未満切捨て）
	⑫ 債務及び葬式費用の金額（第1表の配偶者の③の金額）	⑬ 未分割財産の価額（第11表の配偶者の②の金額）			
円	円	円	円	円 ※	,000 円

⑰ 相続税の総額（第3表の⑦の金額）	⑱ ㋺の金額と⑯の金額のうちいずれか少ない方の金額	⑲ 課税価格の合計額（第3表のⒶの金額）	⑳ 配偶者の税額軽減の基となる金額（⑰×⑱÷⑲）
円 00	円	,000 円	円

配偶者の税額軽減の限度額	（第1表の配偶者の⑩の金額）（第1表の配偶者の⑫の金額）	Ⓑ
	（ 円 － 円）	

配偶者の税額軽減額	（⑳の金額とⒷの金額のうちいずれか少ない方の金額）	Ⓒ

（注） Ⓒの金額を第1表の配偶者の「配偶者の税額軽減額⑬」欄に転記します。

※ 相続税法第19条の2第5項（隠蔽又は仮装があった場合の配偶者の相続税額の軽減の不適用）の規定の適用があるときには、「課税価格の合計額のうち配偶者の法定相続分相当額」（第1表のⒶの金額）、⑥、⑦、⑨、「課税価格の合計額のうち配偶者の法定相続分相当額」（第3表のⒶの金額）、⑯、⑰及び⑲の各欄は、第5表の付表で計算した金額を転記します。

第5表（令5.7）

（資4−20−6−1−A4統一）

その他の手続き❶
相続税の延納を申請する

《時 期》
⏱ **10か月以内**

《手続きをする人》
😊 ・相続人
・受遺者

📎 ここを
チェック！

● 延納額に相当する**担保**
　の提供が必要
● **相続税の納期限等**まで
　に申告する

相続税が多すぎて支払えない場合には、分割払いにして延納することもできます。ただし、いくつかの条件があること、利子を支払うことに注意しましょう。

分割払いにする延納が認められるには条件がある

延納は、相続税を一括して支払えない場合に、年賦で分割払いにすることを認めてくれる制度です。

ただし、延納期間は**利子税**という形で、利子の支払いが必要になります。利子税の割合は、相続税額計算の基礎となる財産の価額のうち、不動産等の割合がどのくらいあるかによって異なります。現状の利子税は、最大で年6％となっています。

延納を許可されるためには、条件があります。まず、相続税額が10万円を超えていなければなりません。

次に、金銭での納付が困難な事情があることです。延納は、何らかの事情があることを前提に、支払うことが困難な金額だけが認められることになっているのです。たとえば、納付が困難な金額が100万円であれば、延納が認められるのは100万円だけです。

さらに、延納する税の額に相当する担保を提供しなければなりません。ただし、延納税額が100万円以下で、かつ延納期間が3年以下の場合には、担保を提供しなくてもよいことになっています。

延納の申請手続きは原則として相続税の納期限までに

延納を申請するには、延納しようとする相続税の納期限、または納付すべき日（延納申請期限）までに、**延納申請書に担保提供関係書類を添付**して、税務署長に提出します。

ただし、担保提供関係書類を延納申請期限までに提出することができない場合には、**担保提供関係書類提出期限延長届出書**を提出すれば、1回につき3か月を限度として、最長6か月まで、担保提供関係書類の提出期限を延長してもらえます。

🔍**ここに注意！**

物納に変更できる場合

延納を許可されたあとに、延納条件を履行することが困難となった場合には、申告期限から10年以内であれば、分納期限がきていない税額部分について、延納から物納へ変更することができる。

災害などがあった場合

災害などのやむを得ない事情が生じて相続税の納期限が延長になった場合は、それにともなって延納申請期限も延長される。

相続税の延納を申請する

延納が認められるための条件

延納が認められるには、❶～❹の条件をすべて満たしていなければなりません。

❶相続税の額が10万円を超えている

❷金銭で納付することが困難な事情がある

❸納期限までに申請書と担保提供関係書類を提出する

❹延納税額に相当する担保を提供する

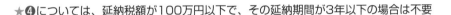

★❹については、延納税額が100万円以下で、その延納期間が3年以下の場合は不要

担保として提供できるもの
- 国債、地方債、社債、その他の有価証券で税務署長が確実と認めるもの
- 土地や建物
- 税務署長等が確実と認める保証人の保証　など

延納申請後の流れ

相続税の納期限までに、延納申請書と担保提供関係書類を納税地の所轄税務署長に提出する

- 期限までに担保提供関係書類を提出できない場合は、担保提供関係書類提出期限延長届出書を提出する
（1回につき3か月を限度として、最長6か月まで提出期限を延長できる）

延納申請期限の翌日から3か月以内

税務署長は延納の要件に該当しているかどうかを調査する

延納を許可する　または　申請を却下する

★延納担保などの状況によっては、許可・却下までの期間を最長で6か月まで延長する場合がある

その他の手続き❷
相続税の物納を申請する

《時 期》
⏱ **10か月以内**

《手続きをする人》
😊 ・相続人
・受遺者

ここを
チェック！

●**物納する財産は自由に**
決められない

●**相続税の納期限等**まで
に申請する

延納でも相続税が支払えないような場合には、物納も認められています。物納の条件を満たしていれば、手続きをしましょう。

物納できる財産の種類は決められている

相続税を金銭で支払えない場合に、相続した財産による現物での支払いを認める制度が**物納**です。ただし、物納を申請した場合は、延納と同じく、納付までの期間に応じた**利子税**の支払いが必要となります。

物納の許可を受けるためには、いくつか条件があります。まず、延納でも納付することが困難な事情があることです。物納は、納付が困難である金額を限度として、認められることになります。

また、物納できる財産は、自由に選べるわけではありません。対象財産の種類と、物納の優先順位が決められています（右ページ参照）。

さらに、物納の対象となる財産が、**管理処分不適格財産**に該当しないものであること、また、**物納劣後財産**に該当する場合には、ほかに物納するべき適当な財産がないこと、が条件です。

管理処分不適格財産とは、担保権が設定されている不動産など、物納には不適格とされている財産です。また、物納劣後財産とは、ほかに物納するべき適当な財産がない場合に限って、物納することが認められている財産です。地上権・永小作権・耕作を目的とする賃借権・地役権・入会権が設定されている土地などが該当します。

物納の申請手続きも原則として相続税の納期限までに

物納を申請するには、物納しようとする相続税の納期限、または納付すべき日（物納申請期限）までに、**物納申請書に物納手続関係書類を添付**して提出します。

ただし、物納申請期限までに物納手続関係書類を提出することができない場合には、**物納手続関係書類提出期限延長届出書**を提出すれば、1回につき3か月を限度として、最長1年まで、物納手続関係書類の提出期限を延長することが認められています。

🔍 **ここに注意！**

**物納が却下された
場合の再申請**

物納を申請した財産が管理処分不適格財産と判断された場合などに、申請は却下される。ただし、その場合は1回に限り、ほかの財産によって物納を再申請することが認められている。

相続税の物納を申請する

物納が認められるための条件

物納が認められるには、❶～❹の条件をすべて満たしていなければなりません。

❶延納しても、金銭で納付することが困難な事情がある

❷物納する財産が日本国内にあり、以下の条件に当てはまる

第1順位　不動産、船舶、国債証券、地方債証券、上場株式等
第2順位　非上場株式等
第3順位　動産
★優先順位が後ろの財産は、特別の事情があると認められた場合や、優先順位が先の財産に適当な価額のものがない場合に、物納できる
★法律で認められた特定登録美術品（相続開始時にすでに登録を受けているもの）は、上記の順位と無関係に物納できる

❸その財産が管理処分不適格財産に該当しない
（物納劣後財産に該当する場合には、ほかに物納すべき適当な財産がない）

❹納期限までに申請書と物納手続関係書類を提出する

物納申請後の流れ

相続税の納期限までに、物納申請書と物納手続関係書類を納税地の所轄税務署長に提出する

●期限までに物納手続関係書類を提出することができない場合は、物納手続関係書類提出期限延長届出書を提出する
（1回につき3か月を限度として、最長1年まで提出期限を延長できる）

物納申請期限の翌日から3か月以内

税務署長が物納の要件に該当しているかどうかを調査する

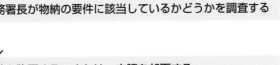

物納を許可する　または　申請を却下する

★申請財産の状況によっては、許可・却下までの期間を最長で9か月まで延長する場合がある

その他の手続き❸
修正申告や更正の請求を行う

《時　期》
相続税の申告期限
から5年以内など

《手続きをする人》
・相続人
・受遺者

ここを
チェック！

● 少なく申告するとペナ
ルティが科される
● 修正申告は原則として
いつでもできる
● 更正の請求には2つの
期限がある

相続税の額を、まちがえて少なく申告した場合には修正申告を、多く申告した
場合には更正の請求の手続きをしましょう。

修正申告は修正申告書を提出して行う

　相続税を算定する過程で計算に入れるのを忘れていた財産に、あとで気づくこともあるでしょう。申告した相続税の額が実際よりも少ないことがわかった場合は、そのままにしておくと**延滞税**などのペナルティを科されます。したがって、できるだけ早く修正申告の手続きをとらなければなりません。

　修正申告は、相続税を申告した税務署に、**修正申告書**を提出して行います。申告の期限はとくに決められていません。つまり、修正申告の手続きは、いつでも行うことができます。

　ただし、**特別縁故者**（52ページ参照）に相続財産の全部または一部が与えられた結果、すでに確定した相続税額に不足が生じた場合には、そのことを知った日の翌日から10か月以内に、申告書を提出しなければなりません。

更正の請求は請求書を提出して行う

　逆に、相続税を多く申告してしまい、支払いすぎていたことがわかった場合には、**更正の請求**を行えば、余分に支払った金額を取り戻すことができます。

　更正の請求は、**相続税の更正の請求書**を提出することによって行います。提出先は、相続税を申告した税務署です。

　提出期限は、原則として相続税の申告期限から5年以内です。ただし、申告後に右ページにあげたような事情が起こった結果、税金を払いすぎる状態になった場合には、その事情が生じたことを知った日の翌日から2か月または4か月以内に請求します。

　なお、提出の際には請求書だけでなく、請求について参考となる書類を添付することも認められています。

ここに注意！

加算税や延滞税
修正申告書を提出すると、加算税や延滞税がかかる。

修正申告（少なく申告した場合）の期限

原則	いつでも申告できる

例外	特別縁故者に相続財産の全部または一部が与えられた結果、すでに確定した相続税額に不足が生じた場合には、そのことを知った日の翌日から10か月以内

更正の請求（多く申告した場合）の期限

原則	相続税の申告期限から5年以内

例外	以下の事情によって申告額が多すぎる状態になった場合には、その事情が生じたことを知った日の翌日から2か月または4か月以内

❶未分割だった遺産について遺産分割が行われた

❷認知や相続放棄の取り消しなどによって相続人に異動が生じた

❸遺留分侵害額請求権に基づいて返還すべき額、または弁償すべき額が確定した

❹遺贈にかかわる遺言書の発見や、遺贈の放棄があった

❺一定の条件付きで物納が許可されたが（当該許可が取り消されるか、取り消される見込みの場合に限る）、物納する財産について相続税法施行令8条1項の事情が生じた

❻相続・遺贈・死因贈与によって取得した財産の権利の帰属に関する訴えについて、判決があった

❼民法910条（相続の開始後に認知された者の価額の支払請求権）の規定による請求によって、弁済すべき額が確定した

❽条件付きの遺贈について条件が成就した

❾特別縁故者に対する相続財産の分与が行われた

❿相続税の申告期限後に遺産分割が行われ、次の特例等の適用を受けられることになった

　A 配偶者の税額軽減

　B 小規模宅地等の特例

　C 計画山林の特例

会社を経営している場合は株式の相続に注意する

株式の譲渡は定款で制限できる

同族会社を経営しているような場合には、株式と相続の問題にも、十分に注意する必要があります。

たとえば、S社の株式をAさんが所有していて、B氏に譲渡したいと思った場合は、いつでも譲渡できます。しかし、もしB氏が暴力団員などで、会社経営にとって好ましくない場合は、S社としては譲渡を防ぎたいと考えるはずです。そこで、株式会社は、株主となってほしくない人物への株式譲渡を防止するために、定款で株式の譲渡を制限することができます。

そうすると、株式を譲渡するには、その会社の株主総会や取締役会などで、譲渡を承認してもらわなければなりません。承認されない場合は、原則として、株式を譲渡することはできません。つまり、AさんはS社の株式をB氏に譲渡できなくなるのです。

株式の相続についても定めておく

定款で株式の譲渡を制限するだけでは、十分に対応できないケースもあります。それが、相続の場合です。たとえば、S社の社長であるCさんの息子のDが暴力団員だったとします。Cさんが死亡すると、DがS社の株式を相続することになります。

これはS社にとって望ましくないことですが、上で説明したような「定款による株式譲渡の制限」では、これに対処することはできません。このような場合には、さらに定款で、株式を相続した相続人に対して、会社がその株式を売り渡すように請求できる旨を、定めておく必要があります。

定款でそのように定められていれば、たとえDがS社の株式を相続したとしても、S社はDから株式を強制的に譲り受けることができるので、Dが株主となることを防げます。なお、会社が相続人に株式を売り渡すように請求できるのは、相続があったことを知った日から1年以内（株主総会の特別決議が必要）です。

また、中小企業の経営承継を円滑にするために、民法の特例が定められています。たとえば、後継者が相続で取得した株式等や財産の価額を遺留分算定のための財産の価額から除外することや、非上場株式等について相続税の納税を猶予することが、一定の要件や手続きのもとで、認められています。これは平成30年の税制改正により、10年間に限り、適用要件が大幅に緩和されました。

第 **5** 章
生前対策の基本知識

残された家族を、遺産をめぐる争いに巻き込まないためには、生前の準備が大切です。遺言の基本を知り、必要な場合は相続税対策についても、考えておきたいものです。

遺留分の放棄によって特定の人に財産を相続させる

特定の相続人に財産などを相続させたいときは、家庭裁判所の許可を得て、ほかの相続人に遺留分を放棄してもらうという方法もあります。

ここを
チェック！
● 被相続人の生前に遺留分を放棄させることができる
● 家庭裁判所の許可がなければ放棄できない
● 遺言書も必ず書く

生前に遺留分を放棄させることができる

家業を子のひとりに継がせる場合や、妻だけにすべての財産を相続させたい場合などに、ほかの相続人に**相続放棄**（40ページ参照）をしてもらうことがあります。しかし、相続放棄ができるのは相続開始後だけで、被相続人の生前には、相続放棄をすることはできません。

そこで、生前に相続させる人を決めておきたい場合は、**遺留分放棄**の制度を利用するとよいでしょう。遺留分のある**推定相続人**（30ページ参照）に遺留分を放棄してもらえば、特定の相続人に財産などを相続させることができます。

● 遺留分放棄の手続き
220ページ参照

遺留分を放棄するには家庭裁判所の許可が必要

相続開始前に遺留分を放棄する場合には、家庭裁判所の許可が必要です。家庭裁判所が遺留分の放棄を許可する基準は、次のとおりです。

①**遺留分を放棄する本人の自由意思に基づくものであること**

②**遺留分を放棄する理由に合理性（必要性・妥当性）があること**

③**代償性があること（遺留分の放棄と引き換えに贈与などがあること）**

③については、贈与がすでに行われているか、または贈与を遺留分放棄と同時に行う場合に、家庭裁判所に認められることになるでしょう。

最後に遺言書で相続人を指定する

ただし、推定相続人に遺留分を放棄してもらうだけでは、特定の相続人に相続させることはできません。遺留分を放棄しても、相続を放棄したわけではないので、相続が開始すると、遺留分を放棄した人も、**法定相続人**（30ページ参照）になるからです。

それを防ぐためには、遺言書で、財産を相続させる人を指定する必要があります。遺留分を放棄してもらったあとで、さらに遺言書を書くことを忘れないようにしましょう。

ここに注意！
家庭裁判所の許可がない遺留分放棄
家庭裁判所の許可がないと、遺留分放棄は無効になる。ただし例外的に、遺留分の請求を権利の濫用とみなして、認めなかった判例もある。

相続開始前の遺留分放棄

特定の人に相続させるためには、遺留分のある相続人に遺留分を放棄してもらいましょう。

息子には、すでに住宅資金をあげたので、私の亡きあとは妻に全財産を残してやりたい。今のうちに妻を安心させたい

遺留分を放棄してくれないか？

お母さんのためなら協力します

太郎

一郎

父

子

相続開始前に遺留分を放棄する場合には、次のようにします。

| 第1段階 | 家庭裁判所に申し立てて許可してもらう |

遺留分放棄が認められるには……
❶放棄をする相続人の自由意思であること（だれかに強制されていないこと）
❷放棄に妥当性があること（正当な理由があること）
❸代償性があること（代わりに遺留分に相当する利益を得ていること）

| 第2段階 | 遺言によって相続人を指定する |

相続人を指定しないと……
遺言分を放棄した人も、相続人になってしまう
（遺留分放棄＝相続放棄ではないことに注意！）

問題のある相続人の 相続権を奪う

相続人としてふさわしくない者がいる場合には、家庭裁判所に対してその相続人の相続権の剥奪を請求することができます。

ここをチェック！
● **被相続人自身**が相続人の相続権を奪うことができる
● 生前だけでなく、**遺言書**によっても相続権を奪うことができる

欠格事由があれば推定相続人は相続権を剥奪される

相続人にはふさわしくない**相続欠格事由**のある者は、相続開始時に相続権を失います。たとえば、被相続人である親を殺したり、遺言書を偽造したりした場合は欠格事由（民法891条）にあたります。

相続欠格になった推定相続人が、もし勝手に不動産登記や預金の相続手続きをしても、ほかの正当な相続人は、その相続を無効であると主張できます。

被相続人は生前に廃除を請求できる

さらに、相続開始前でも、一定の事由があれば、遺留分のある相続人の相続権を剥奪する請求を行うことができます。たとえば、被相続人が推定相続人から虐待を受けていたような場合は、その推定相続人の相続権を奪う制度があります。これを、**相続廃除**といいます。

廃除事由は、「被相続人に対して虐待をし、若しくはこれに重大な侮辱を加えたとき、又は推定相続人にその他の著しい非行があったとき」とされています（民法892条）が、実際にはなかなか認められません。

廃除の請求は家庭裁判所に行う

廃除の手続きには２つの方法があります。１つは、被相続人が生前に家庭裁判所に請求をすることです。もう１つは遺言によって廃除することで、遺言の効力が生じてから、**遺言執行者**＊が請求します。

廃除が認められると、廃除された相続人は相続権を失い、遺留分を主張することも許されません。ただし、代襲相続は認められるので、廃除された推定相続人の子は代襲相続できます。

なお、被相続人は、生前の請求または遺言によって、廃除の取り消しを請求することができます。廃除を取り消す場合も、廃除を請求する場合と同じように、家庭裁判所に対して申し立てます。

● 相続廃除の手続き **224**ページ参照

ここに注意！

相続欠格と代襲相続
相続欠格となった場合も、代襲相続は認められる。つまり、相続人の子が代襲相続する。

もっと詳しく！

遺言執行者＊
遺言の内容を確実に実現させる人。相続に利害関係のない第三者や法律の専門家から選ぶことが望ましい（78ページ参照）。

相続権を失う相続欠格と相続廃除

相続人にふさわしくない者は、相続権を失います。

相続欠格 …何も手続きをしなくても相続権を失う

欠格事由とは……
- 被相続人または先順位か同順位にあるほかの相続人を殺そうとしたりして、刑に処せられた
- 被相続人が殺害されたことを知っているのに、告発または告訴しなかった（ただし、その人に判断能力がないとき、または殺害者が自分の配偶者か直系血族である場合を除く）
- 詐欺または強迫によって、遺言することや、遺言の撤回・取消し、または変更することを妨げた
- 詐欺または強迫によって遺言させ、遺言の撤回・取消し・変更をさせた
- 遺言書を偽造・変造・破棄・隠匿した

相続廃除 … ①被相続人が家庭裁判所に請求して相続権を剥奪する
②被相続人が遺言で廃除し、遺言執行者が家庭裁判所に請求する

被相続人　遺言執行者
被相続人や遺言執行者が家庭裁判所に廃除を請求する

推定相続人
廃除された推定相続人は相続権や遺留分を失う

子
ただし、廃除された推定相続人の子が代襲相続することは可能

具体的な廃除事由とは……
- 被相続人に対する虐待
- 被相続人に対して日常的に暴行をくり返した場合（夫が妻に暴行を加え、妻が危篤状態で廃除する旨の遺言をした場合など）
- 被相続人に対して重大な侮辱を加えた場合
- 自治体や裁判所に対して、「統合失調症などの精神障害があり、人格異常である」などと、被相続人について虚偽内容の書面を提出した場合
- 著しい非行
- 浪費をし、配偶者や子どもを捨てて失踪した場合

遺言によって相続についての意思表示をする

遺言とは、被相続人の財産や身分などについて、死後の法律関係を定めるための意思表示のことです。

遺言書の主な目的は相続を巡る争いの防止

「うちは財産が少ないから遺言なんて必要ない」などと思っている人もいるのではないでしょうか。しかし現実には、遺言書がないために、相続を巡って争いが起こることは、珍しくありません。

とくに、親が亡くなっていて子がいない夫婦は、遺言書がないと、被相続人の兄弟姉妹が4分の1を**法定相続**してしまいます（34ページ参照）。「自分の配偶者に全財産を残したい」という人にとっては、不本意なことでしょう。また、事業を営んでいる人が特定の子どもに事業を継がせたいと考えている場合も、遺言書がないと、後継者争いが起こります。

遺言の主な目的は、被相続人自身が自分の残す財産の帰属や身分関係を決め、相続を巡る争いを防ぐことだといえます。右ページのチェックリストに思いあたる項目がある人は、遺言書の作成を検討しましょう。

遺言できる事項は大きく分けて4つある

遺言書が、法律上の遺言としての効力を生じるためには、民法で定めた方式に従って作成されていなければなりません（民法960条）。遺言できる事項は次のとおりで、それ以外の内容は法的に無効です。

①相続および財産の処分

相続人や相続分の指定、財産の処分に関すること、そして、遺贈・寄付・生命保険金の受取人の指定などです。

②身分に関すること

実子であると認める認知や、未成年の子の後見人などの指定です。

③祭祀

祖先の墓や仏壇などを守る祭祀承継者の指定です。

④その他

遺言執行者の指定です。

ここに注意！
法律用語としての「遺言」
法律用語としては、「いごん」と読むのが正式だが、日常的には、「ゆいごん」と呼ばれている。また、法律上は15歳から遺言できることになっている（民法961条）。

こんな人は遺言が必要になる

以下の項目に当てはまるものがある人は、**遺言書の作成を検討する必要があります。**

- ☐ マイホームを持っている
- ☐ 財産の多くが不動産である
- ☐ 賃貸アパートなどを持っている
- ☐ 結婚しているが、子はいない
- ☐ 結婚しており、ふたり以上の子がいる
- ☐ 親と同居している子と、別居している子がいる
- ☐ 子によって経済状況に差がある
- ☐ 自分の子たちの兄弟仲が悪い
- ☐ 2回以上結婚していて、違う相手との間に子がいる
- ☐ 入籍せずに同居している相手がいる
- ☐ すでに配偶者と死別している
- ☐ 会社を経営している

法的に有効な遺言事項

遺言できる事項は、法律で決められています。

❶ 相続および財産の処分

- ● 相続分に関すること
- ● 遺産分割に関すること
- ● 特別受益の持ち戻し免除
- ● 相続人相互間の担保責任の定め
- ● 相続人の廃除、廃除の取り消し
- ● 遺贈
- ● 遺贈侵害額割合の指定
- ● 財団法人に対する財産の拠出
- ● 信託設定
- ● 生命保険金の受取人の指定や変更

❷ 身分に関すること

- ● 子の認知
- ● 未成年後見人、後見監督人の指定

❸ 祭祀

- ● 祭祀承継者の指定

❹ その他

- ● 遺言執行者の指定

一般的な遺言書の作成方法は主に2種類ある

一般的な普通方式の遺言でよく使われるのは、自筆証書遺言と公正証書遺言の2種類です。有効にするためには、それぞれの方式に従って作成します。

普通方式の遺言には3種類ある

遺言には、**普通方式の遺言**と**特別方式の遺言**[*]があります。普通方式の遺言でよく使われるのは、次の2種類です。必要に応じて、遺言の種類を決めて作成しましょう。

①自筆証書遺言

全文を自分で書く遺言書です。簡単で費用もかかりませんが、財産目録（ワープロ可、不動産登記事項証明書、預貯金通帳の写し可、署名・押印は必要）以外は**すべて自筆にすること**と、**日付・署名・押印が必要**です。ワープロや代筆によるもの、日付の記入がないもの、「令和○年○月吉日」のように日付が特定できないものも、無効になります。

②公正証書遺言
こうせいしょうしょ

公証役場[*]で公証人に遺言の趣旨を口頭で述べ、それに基づいて公証人が作成する遺言書です。病気などで**字が書けない人も作成でき**、遺言書の原本が公証役場で保管されるため、偽造や変造の心配がありません。ただし、公正証書遺言の作成には、**2名以上の証人が必要**です。また、公証人に手数料を支払わなければなりません。

①と②の中間にあたるものに、**秘密証書遺言**があります。遺言書の本文はワープロや代筆によるものでもかまいませんが、自分でその証書に署名・捺印し、封筒に入れて、その印と同じ印章を使って封印をする必要があります。それを持って2名以上の証人とともに公証役場へ行き、公証人に提出し、封書に遺言者本人・証人・公証人が署名・捺印して完成します。遺言の内容を秘密にできるのがメリットですが、公証人に遺言の存在を証明してもらったら、自分で保管しなければなりません。

したがって、遺言書を紛失したり、死後に発見されなかったりするおそれがあり、公証人への手数料もかかります。実際にはほとんどの人が、自筆証書遺言か公正証書遺言を選んでいます。

● **自筆証書遺言**の解説 **76ページ**参照
● **自筆証書遺言**の作成 **228ページ**参照
● **公正証書遺言**の作成 **232ページ**参照
● **秘密証書遺言**の作成 **236ページ**参照

もっと詳しく！

特別方式の遺言[*]
死期が迫っている場合など、特殊な状況下の例外的な方式。危急時遺言と隔絶地遺言がある。危急時遺言には、一般危急時遺言と難船危急時遺言があり、隔絶地遺言には一般隔絶地遺言と船舶隔絶地遺言がある。

公証役場[*]
公正証書の作成や私文書の認証を行う官公庁。公証人が執務を行う。全国に約300か所ある。

遺言の種類と特徴

一般的によく使われるのは、自筆証書遺言と公正証書遺言です。

自筆証書遺言

- 自分が手書きで作成する
- 証人が不要
- だれでも保管できる
- 裁判所の検認が必要（法務局保管制度を利用した場合は手続き不要）（74ページ参照）

メリット

- 手軽にできる
- 費用がかからない
- 遺言書の存在や内容を秘密にできる

デメリット

- 書き方によっては、法的に無効になるおそれがある
- 保管中に偽造・変造・隠匿・破棄のおそれがある
- 検認に時間がかかり、すぐに執行できない

公正証書遺言

- 遺言者が口述して、公証人が作成する
- 証人が2名以上必要
- 公証人が原本を保管する
- 裁判所の検認は不要

メリット

- 公証人が作成するので、法律面でのチェックができる
- 病気などで字の書けない人でも作成できる

デメリット

- 公証役場に行く必要がある
- 費用がかかる
- 証人から内容が漏れるおそれがある

秘密証書遺言……遺言の内容を秘密にできるが、紛失したり、発見されないおそれがあるので、実際にはあまり使われていない

- 本文はワープロや代筆でもよい
- 自分で署名・押印する
- 証人が2名以上必要
- 公証人に遺言の存在を証明してもらう
- 自分で保管する

相続税はちょっとした工夫で節税できる

相続税は、対象となる財産を評価額の低いものに換えたり、贈与税の制度を上手に利用したりすることによって、効率的に節税することができます。

ここをチェック！
- 複数の**節税方法**を組み合わせることもできる
- **税法の改正**によって従来の節税対策が無効になることもある

節税対策は大きく2つに分けられる

　相続税の節税対策は、大きく2つに分けることができます。以下にあげる方法のいくつかを、組み合わせて節税することも可能です。

①相続税を少なくする方法

　相続税の対象となる財産を評価額の低いものに換えたり、非課税の財産を増やしたりすることで、相続税の軽減を図る方法です。具体的には、**現金や預貯金を不動産に換える**（204ページ参照）、**宅地を貸宅地にする**（204ページ参照）、**被相続人が生命保険に加入する**（206ページ参照）、**墓地などを生前に購入する**（206ページ参照）という形で行います。

②生前贈与を利用する方法

　贈与税の**暦年課税**における基礎控除（209ページ参照）や配偶者控除の特例（209ページ参照）、**相続時精算課税**（212ページ参照）を利用した節税方法です。

節税対策はここに注意する

　節税対策を進める際には、次の点に注意しましょう。

　まず、節税対策は、相続税の納税資金を確保したうえで行わなければなりません。たとえば、現金や預貯金を土地に換えておくことは、有効な節税対策の1つです（204ページ参照）。しかし、相続税を支払う段階になって手元に金銭がないと、相続税を支払うために、地価の高いときに買った土地を安値で売らなければならなくなる、という事態が起こる可能性もあります。

　また、税法はたびたび改正されるので、それまで有効だった相続税対策が無意味になることもあります。このようなリスクを緩和するためには、1つの方法に頼らず、できるだけさまざまな方法で節税することを意識したほうがよいでしょう。

●生前贈与の契約書 **241ページ**参照

ここに注意！

相続時に相続税を減額する方法
「小規模宅地等の特例」（142ページ参照）を利用すると、宅地の評価額を下げることができる。被相続人の死後もその宅地が相続人の生活の拠点になるように、遺言で遺産分割の方法を指定するのも、ひとつの方法。

ここに注意！

組み合わせられない節税方法もある
贈与税に関しては、暦年課税方式と相続時精算課税方式のどちらかを選択することになっているので、両者を組み合わせることはできない。

相続税を節税する方法

❶ 相続税を少なくする方法

課税の対象となる財産の評価額を下げる

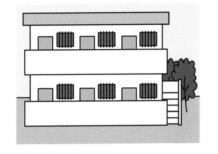

→ 現金や預貯金を土地に換える（204ページ参照）

→ 宅地を人に貸したり、賃貸アパート・賃貸マンションを建てる（204ページ参照）

→ 小規模宅地等の特例を利用できるように工夫する（142ページ参照）

基礎控除額を増やす

→ 養子縁組で法定相続人の数を増やす（216ページ参照）

非課税額を増やす

→ 被相続人が生命保険に加入する（206ページ参照）

→ 墓石・墓地などは被相続人の生前に購入する（206ページ参照）

❷ 生前贈与を利用する方法

暦年課税における基礎控除や配偶者控除を利用する（209ページ参照）

相続時精算課税を利用する（212ページ参照）

現金や預金を不動産に換えて評価額を下げる

同じ額の財産であれば、現金よりも不動産のほうが低く評価されます。人に貸している不動産は、さらに評価額が下がります。

現金を不動産に換えると評価額が低くなる

手もとにまとまった現金や預貯金があるが、すぐに使う予定はないという人は、現金や預貯金を不動産に換える方法を、節税方法として検討してみるとよいでしょう。

宅地（自用地）の評価額は公示価格*の80%、家屋の評価額は新築価格の50%から70%といわれています。たとえば、土地を2,000万円の公示価格で買い、そこに1,000万円で家屋を建てたとします。家屋の評価額を新築価格の60%とした場合は、右ページに示すように、3,000万円を現金で手もとに置く場合よりも、800万円も評価額が低くなるわけです。

また、家屋を建てると、小規模宅地等の特例（142ページ参照）も適用できることがあり、いっそうの節税効果が期待できます。

なお、銀行からのローン借り入れなどによって不動産を購入した場合には、債務額の分だけ財産全体の評価額が下がり、節税に役立つことになります。

貸宅地にすると通常の宅地よりも評価額が低くなる

すでに不動産を持っている場合には、それを他人に貸すことが節税対策になります。節税対策として家屋を建てる際に、思いきって賃貸アパートや賃貸マンションにしてしまうことも、相続税を減らす効果的な方法です。**貸宅地や貸家建付地（140ページ参照）は、通常の宅地よりも評価額が低くなる**からです。

さらに、賃貸アパートなどは家賃収入も得られるので、納税資金の確保も同時に行うことができます。ただし、アパート・マンション経営は、予想していたほど賃借人が入居しない場合など、リスクも少なくありません。他人に宅地などを貸すと、返還が難しくなることもあります。慎重に検討したうえで決めることをおすすめします。

もっと詳しく！

公示価格*
土地取引の指針を目的として、国土交通省が毎年3月に公表する土地の価格。実際の土地の売買価格が公示価格と一致するとは限らないが、ここでは便宜上公示価格で購入したと仮定する。

現金や預貯金を不動産に換えて節税する

●現金3,000万円を家屋と宅地に換えた場合

家屋
（新築価格1,000万円）　→　評価額は600万円
（新築価格の60%と
した場合）

宅地
（公示価格2,000万円）　→　評価額は1,600万円
（公示価格の80%と
した場合）

評価額は2,200万円となり、現金3,000
万円よりも800万円低くなる

宅地に賃貸マンションを建てて節税する

●評価額2億円の宅地（更地）に1億円の賃貸マンションを建設した場合
（1億円は自己資金）

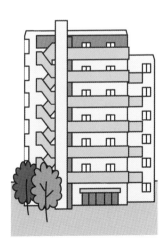

貸家
（評価額は自分が使
用する家屋の70%）　→　賃貸マンションの評価額
は4,200万円（新築価格の
60%とした場合）

貸家建付地
（評価方法は141
ページ参照）　→　宅地の評価額は1億5,800
万円（借地権割合70%・借
家権割合30%・賃貸割合
100%とした場合）

評価額は2億円となり、1億円
も低くなる

生命保険や非課税財産を有効に利用する

生命保険金の一定額や、墓地・墓石などは非課税です。これらの非課税財産を活用すれば、確実に相続税を減らせます。

ここを
チェック！

●生命保険に加入すれば納税資金も用意できる
●非課税財産の墓地などは生前に購入する

生命保険金の非課税枠を利用する

すでに何度も説明してきたように、**生命保険金は一定額まで非課税**となります。そこで、被相続人が生命保険に加入しておけば、それだけで有効な節税対策となります。

たとえば、3人の子どもが総額9,500万円の財産を相続した場合、基礎控除額は「3,000万円＋（600万円×3）＝4,800万円」なので、「9,500万円－4,800万円＝4,700万円」となり、4,700万円について相続税がかかることになります。

しかし、その財産に生命保険金が1,500万円含まれているとしたら、上記の基礎控除額に加えて「500万円×3＝1,500万円」を非課税分とすることができます。そうすると、「1,500万円＋4,800万円＝6,300万円」については、相続税がかからないことになるのです。

生命保険金は、相続税対策としてだけでなく、被相続人の死亡によってまとまった金銭が得られる点で、納税資金対策としても有効です。

なお、生命保険金に非課税枠が適用されるのは、**被相続人を契約者および被保険者、相続人を受取人とする場合**に限られるので、その点には注意が必要です。

墓地・墓石は生前に買っておく

被相続人を葬るための墓地や墓石は、可能であれば生前に購入しておくようにしましょう。墓地や墓石、仏壇、仏具類は非課税財産になります（122ページ参照）。しかし、死後に購入した場合は、非課税財産にはなりません。

被相続人から相続した現金や預貯金で購入すると、これらの現金や預貯金は課税対象となり、相続税をその分支払わなければなりません。しかし、生前に購入しておけば、それが節約できるのです。

ここに注意！

生命保険金は遺産分割にも役立つ

たとえば、子が複数いて、不動産を長男に継がせたいような場合には、長男に不動産を与える代わりに、次男以下の子どもたちを生命保険の受取人としておくとよい。そうすれば、遺産分割を巡る争いを防ぐことができる。

生命保険を利用して節税する

相続財産に生命保険金があると、非課税額が増えます。

●相続財産に生命保険金が含まれていない場合

法定相続人は3人

相続額9,500万円

基礎控除額4,800万円
3,000万円＋（600万円×3）＝4,800万円

→

相続税の課税対象は4,700万円
9,500万円－4,800万円＝4,700万円

●相続財産に生命保険金が含まれている場合

法定相続人は3人

相続額9,500万円で1,500万円が生命保険金

基礎控除額4,800万円
3,000万円＋（600万円×3）＝4,800万円
生命保険金の非課税額1,500万円
500万円×3＝1,500万円

→

相続税の課税対象は3,200万円
9,500万円－4,800万円－1,500万円＝3,200万円

> 現金よりも生命保険金で相続したほうが節税できる！

墓地や墓石を生前に買って節税する

●被相続人の生前に墓地を購入した場合

被相続人が200万円で
購入

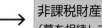

非課税財産
（墓を相続しても相続税はかからない）

●被相続人の死後に墓地を購入した場合

相続人が相続した200
万円で購入

200万円に相続税がかかる
（その分相続税を支払うことになる）

贈与税には2通りの課税方法がある

贈与税の課税方法には、暦年課税と相続時精算課税があります。上手に生前贈与するために、贈与税の基本的な仕組みについて理解しましょう。

個人から財産をもらったときに支払うのが贈与税

贈与税は、個人から財産を受け取ったときにかかる国税です。お金や不動産などを無償で譲り受けた場合だけでなく、自分が保険料を負担していない保険金を受け取った場合（72ページ参照）や、債務の免除などによって利益を受けた場合なども、贈与税の対象になります。贈与税の課税方法には、**暦年課税**と**相続時精算課税**の2通りがあります。

暦年課税の仕組み

暦年課税では、贈与を受けた財産から、110万円を基礎控除として引くことが認められています。したがって、**1年間にもらった財産の合計額が110万円以下なら、贈与税はかかりません。**

2024（令和6）年1月1日以降の贈与から、**生前贈与加算（持戻し）が3年から7年に延長**されました。贈与のうち、相続開始3年以内はすべて加算対象、延長された4年間はその期間の生前贈与の合計額から100万円を控除した額が持戻しの対象になります。

さらに、配偶者間で居住用不動産または居住用不動産を取得するための金銭の贈与が行われた場合には、**最高2,000万円まで控除できるという配偶者控除の特例**が認められています（条件は右ページを参照）。

相続時精算課税の仕組み（2024年に法改正あり）

相続時精算課税とは、簡単にいえば、**生前贈与された財産について2,500万円まではとりあえず非課税**としておき、その非課税とした分を、相続時に相続財産に加算して、相続税で精算するという制度です。

また、2,500万円を超える贈与をした場合には贈与税がかかりますが、**贈与税の税率は一律20％に軽減**されています。2024（令和6）年1月1日以降の贈与については、毎年、基礎控除として110万円の非課税枠ができました。

贈与税の課税方式は2通りある

❶**暦年課税**（2024年1月1日以後の贈与から持戻し期間が7年に）

→1月1日から12月31日までの1年間に贈与された財産の合計額から、110万円（基礎控除額）を
差し引いた残りの額に課税される

暦年課税方式贈与税の速算表

基礎控除後の課税価格	一般		直系卑属	
	税率(%)	控除額	税率(%)	控除額
200万円以下	10	0万円	10	0万円
200万円超 300万円以下	15	10万円	15	10万円
300万円超 400万円以下	20	25万円		
400万円超 600万円以下	30	65万円	20	30万円
600万円超 1,000万円以下	40	125万円	30	90万円
1,000万円超 1,500万円以下	45	175万円	40	190万円
1,500万円超 3,000万円以下	50	250万円	45	265万円
3,000万円超 4,500万円以下	55	400万円	50	415万円
4,500万円超			55	640万円

❷**相続時精算課税**（2024年1月1日以後の贈与から毎年の基礎控除額は非課税として課税されない）

→1月1日から12月31日までの1年間に贈与された財産の合計額から、基礎控除額（110万円）を
差し引いた残りの額に課税されるが、残りの累計額が2,500万円までは課税されない（2,500
万円を超える部分は20%の税率で贈与税が課される）

暦年課税の配偶者控除の特例

配偶者控除 居住用不動産または居住用不動産を取得するための金銭の贈与が行われた場合は、基礎控除110万円とは別に、最高2,000万円まで控除できる

配偶者控除の条件
❶贈与時に夫婦の婚姻期間が20年以上
❷贈与された財産が、自分が住むための居住用不動産か、または居住用不動産を取得するための金銭である
❸贈与を受けた年の翌年3月15日までに、贈与された国内の居住用不動産または贈与された金銭で取得した国内の居住用不動産に、贈与された配偶者が実際に住んでいて、その後も引き続き住む見込みである

暦年課税方式の控除を利用して節税する

暦年課税方式で認められている基礎控除や配偶者控除を上手に利用すると、生前贈与によって相続税を節税することができます。

ここをチェック！
● 1年に**110万円**までの贈与は**贈与税**がかからない
● **配偶者**には**特別な控除**が認められている

110万円の基礎控除を利用して節税する

　暦年課税方式では、贈与された財産の額が1年に110万円以下であれば贈与税はかからないため、**価値が110万円以下の財産を長期間かけて毎年贈与するという方法で、税金を節約する**ことができます。

　たとえば、手もとに2,000万円の現金があったとします。不動産などのほかの財産とともに、この現金を将来的にふたりの子どもが相続する場合は、その金額に対応する相続税が発生する可能性があります。しかし、毎年110万円以下の範囲内で分割して贈与していき、**死亡する8年前までに2,000万円全額を贈与し終えれば**、この2,000万円の現金については相続税がかかりませんし、贈与税もかからないことになります。

　ただし、**毎年決まった額を同じ日に、定期的に贈与することは避けた**ほうがよいでしょう。定期金の贈与とみなされて一括して課税され、基礎控除の対象にならないおそれがあるからです。さらに、贈与の証拠として、契約書をしっかり作成しておきましょう（241ページ参照）。

配偶者控除の特例を利用して節税する

　さらに、**配偶者控除の特例**を利用して、**控除適用の範囲内で、配偶者に不動産や不動産購入の資金を贈与**すれば、相続税はもちろん贈与税も支払わずにすむことになります（209ページ参照）。

　そのほか、住宅取得等資金の贈与、教育資金の贈与税の非課税制度、結婚、子育て資金の贈与税の非課税制度を合わせて用いましょう。

暦年課税の計算方法

　暦年課税の贈与税額を計算するには、まず1月1日から12月31日までの1年間にもらった財産の合計額を出します。次に、そこから基礎控除額の110万円、さらに配偶者控除があれば、その額も差し引きます。その結果、残った額に税率をかければ、贈与税額が算出されます。

●暦年課税方式の申告書　**243ページ参照**

ここに注意！

住宅取得等資金贈与の特例

令和8年12月31日までの間に父母や祖父母などの直系尊属から住宅取得等資金の贈与を受け土地購入をして建物を新築し（家屋の床面積の2分の1以上を居住用に使用）そこに居住した場合は、一定の額が非課税となる（適用対象となる住宅の床面積は原則50㎡以上240㎡以下）。ただし、贈与を受けた年の1月1日に18歳以上で、所得が2,000万円以下であることが条件。

2024年1月1日以後の贈与について

暦年課税の贈与財産の加算については、2024年1月1日以後の贈与から、相続開始前3年間から7年間に延長された。

暦年課税の基礎控除を利用した節税方法

暦年課税方式では、贈与された額が１年間に110万円以下であれば、贈与税はかかりません。

●ふたりの相続人に現金2,000万円を生前贈与した場合

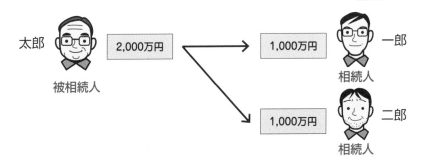

令和○年まで毎年110万円以下に分割して贈与を行う → 令和○年から8年後に太郎が死亡 → 一郎・二郎に贈与した計2,000万円については、贈与税も相続税もかからない

太郎　被相続人　2,000万円 → 1,000万円　一郎　相続人

1,000万円　二郎　相続人

★なお、上記の贈与が太郎の死亡前7年以内に行われていた場合は、
　その部分については相続税の対象になる（160ページ参照）

暦年課税の贈与税額計算方法

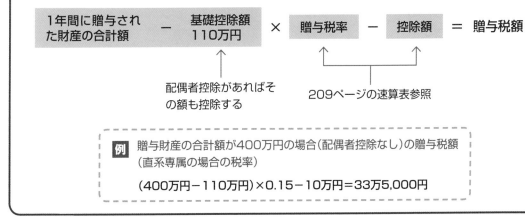

1年間に贈与された財産の合計額 － 基礎控除額110万円 × 贈与税率 － 控除額 ＝ 贈与税額

配偶者控除があればその額も控除する

209ページの速算表参照

例　贈与財産の合計額が400万円の場合（配偶者控除なし）の贈与税額
（直系専属の場合の税率）

（400万円－110万円）×0.15－10万円＝33万5,000円

相続時精算課税方式を利用して節税する

相続時精算課税をうまく利用すれば、収益性の高い財産を贈与することなどによって、効率的に節税を行うことができます。

ここを
チェック！

● **2,500万円までの贈与**は贈与税がかからない

● **贈与者・受贈者の年齢**などに条件がある

● **暦年課税方式に途中で変更はできない**

2,500万円の特別控除を利用して節税する

相続時精算課税方式を利用すれば、たとえば2,500万円以内の現金やそれに相当する額の不動産を父親から贈与された場合に、贈与税を支払わずにすみます。

相続時精算課税で認められている特別控除額の2,500万円は、複数年に繰り越すことができます。つまり、1年目に2,000万円を贈与して、2年目に500万円を贈与するということも可能です。

相続時精算課税は、その仕組み全体を見れば、相続税の前払いとしての性質を持っています。収益性のある財産の生前贈与や、将来値上がりする可能性の高い財産の生前贈与を、相続時精算課税方式によって行うと、この「相続税の前払いとしての性質」を生かした効果的な節税が可能となります。

たとえば、収益性の高い賃貸アパートや賃貸マンションを生前贈与しておけば、将来的に被相続人の財産として相続する場合の相続税よりも、節税になることがあります。また、将来値上がりすることが予想される土地などは、現時点の時価で贈与税を払うほうが、結果的に得になる可能性がある（相続時ではなく贈与時点の時価になることもある）のです。

また、相続時精算課税は節税のみならず、たとえば相続財産が自宅しかなく相続人が多数いる場合は、1人に先に贈与することによって後の争いを防ぐことにも利用できます。

なお、相続財産と合算する際は贈与時の価額になります。

相続時精算課税を利用できる条件

相続時精算課税を利用するためには、**贈与者は60歳以上の親または祖父母で、受贈者は贈与者の推定相続人である18歳以上の子、または18歳以上の孫**でなければなりません。

● **相続時精算課税の申告書**
246・247ページ参照

ここに注意！

相続時精算課税選択の特例

210ページで紹介した「住宅取得等資金贈与の特例」と、相続時精算課税を、あわせて選択することもできる。その場合は、特別控除額2,500万円と合わせた額が非課税となる。この特例は、令和8年12月31日まで適用される。

ここに注意！

2024年1月1日以後の贈与について

相続時精算課税で受けた財産については、2024年1月1日以後の贈与から新たに「基礎控除」が設けられ、毎年110万円が非課税となる。

相続時精算課税の特別控除の仕組み

● 被相続人から1年目に2,000万円、2年目に1,300万円を贈与された場合

相続人の支払う贈与税

[1年目の贈与財産] 2,000万円 － [基礎控除額] 110万円 ＝ 1,890万円　[繰越額] 610万円　贈与財産が特別控除額の範囲内なので、贈与税はかからない

令和6年以後の贈与　　　繰り越し

[2年目の贈与財産] 1,300万円 － [基礎控除額] 110万円 － 610万円 ＝ [課税価格] 580万円　特別控除額を超えた580万円が課税価格となる（税率20%）

[贈与税額] 580万円×0.2＝116万円
↑
相続時精算課税の贈与税率は一律20%
（208ページ参照）

★相続税の課税価格に加算される金額は
(2,000－110)＋(1,300－110)＝3,080万円

相続人の支払う相続税

各人の相続税額（164ページ参照） － 相続時精算課税に関する贈与税額116万円 ＝ 納付すべき相続税額（控除しきれない金額は還付申告）

★暦年課税とは別途110万円基礎控除が設定された（毎年110万円が非課税）
★相続時の課税価格に加算されるのは基礎控除後の合計額
★受贈した土地建物が相続税の申告書の提出期限までに災害により被害を受けた場合、贈与財産の価額から被害相当額を控除する

相続時精算課税を利用した節税方法

❶ 収益性のある財産を贈与する

賃貸アパート、賃貸マンションを生前贈与しておけば、そこから得られる賃料は、受贈者のものとなる。生前贈与しない場合には賃料は被相続人の財産の一部となり、相続税の課税対象となる

❷ 値上がりが可能な財産を贈与する

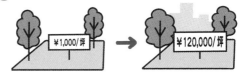

所有する土地の時価が将来大きく上がることが予想される場合には、将来値上がりしたときの地価で相続税を課されるよりも、現時点での地価で贈与税を課されるほうが、結果的に得になることがある

贈与税は期限を守って申告・納付する

基礎控除額以上の贈与を受けた場合には、贈与税の申告と納付が必要になります。手続きは、相続税の場合とほぼ同じです。

申告と納付は贈与を受けた個人が行う

贈与税の申告は、原則として贈与を受けた個人が行います。申告方法は、相続税と同じように、申告書などの書類を作成・提出して行います。**申告先は、贈与を受けた人の住所地を管轄する税務署**です。

贈与税の納付は、この申告に基づいて行われます。申告および納付の期限は、**贈与を受けた年の翌年の2月1日から3月15日まで**です（2月1日や3月15日が休日の場合にはそれぞれ後ろにずれる）。

納付先は所轄の税務署か、銀行などの金融機関で、原則として金銭で納めなければなりません。

申告後に申告もれがわかった場合には、相続税と同じく、**修正申告**をしなければなりません。逆に、贈与税を納めすぎていた場合には、**更正の請求**を行うことができます。

贈与税は延納が認められている

期限内に申告を行わなかったり、贈与税を納めなかったりした場合には、延滞税や加算税が課されるなど、さまざまな不利益を被るのも、相続税と同じです。

期限内に全額を納付することが難しい場合には、**延納**が認められています。延納を許可されるには、相続税の場合と同じように、①**申告による納付税額などが10万円を超えていること**、②**金銭で一度に納めることが難しい事情があること**、③**担保を提供すること（延納税額が100万円以下で延納期間が3年以下の場合は不要）**、という条件が必要です。

延納を申し出る場合には、延期しようとする贈与税の納期限、または納付すべき日までに、延納申請書と担保提供関係書類を提出しなければなりません。

なお、相続税と違って、物納は認められていません。

ここに注意！
贈与税がかからなくても申告する場合
配偶者控除や相続時精算課税、住宅取得等資金贈与の特例の適用を受ける場合には、贈与税がかからなくても、申告しなければならない。

贈与税の申告・納付の期限

贈与を受けた人は、翌年の2月1日から3月15日までの間に、贈与税の申告と納付をしなければなりません。

○年○月○日　　　　　　　　　　　→　　　翌年の2月1日〜3月15日

父親から贈与を受ける

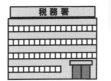

贈与税の申告・納付を行う

贈与税を納付できない場合の対処方法

一括して支払えない場合　　　→　　　**延納**

★手続き方法は相続税の場合と同じ（186ページ参照）
★相続税と違って物納は認められていない

納付すべき贈与税額と申告額にずれがあった場合の対処方法

申告額が少なかった場合　　　→　　　**修正申告**

申告額が多かった場合　　　→　　　**更正の請求**

★手続き方法は相続税の場合と同じ（190ページ参照）

養子を迎えて基礎控除額を増やす

相続税の基礎控除額は、法定相続人の数が増えれば、それにともなって大きくなります。そこで、養子縁組で法定相続人を増やすと、節税効果があります。

ここをチェック！

● 養子を迎えると、**相続税**が安くなることがある

● **死亡退職金**などの非課税額も増える

● **法定相続人**に数える養子の数には**制限**がある

嫡出子以外と親子関係を結ぶ養子縁組

124ページで説明したように、相続税の基礎控除額は、法定相続人の数が多ければ多いほど増えます。

そこで、節税対策として、**養子縁組によって法定相続人を増やすことで基礎控除額を増やす**という方法が考えられます。

養子縁組とは、実子ではない者との間に、実子と同じような親子関係を結ぶ手続きのことです。養子縁組によって子となった者を**養子**、親となった者を**養親**といいます。

なお、養子や養親になるためには、いくつかの条件があります。詳しいことは、248ページを参照してください。

● 養子縁組の手続き 248ページ参照

子が増えれば基礎控除額も増える

養子縁組を行った場合の節税効果を、具体的に説明しましょう。たとえば、太郎が死亡して、その配偶者である花子と、実子の一郎・二郎が相続人になったとします。この場合の基礎控除額は、「3,000万円＋（600万円×3）＝4,800万円」です。

では、太郎が生前に三郎と養子縁組していたとしたら、どうなるでしょうか。この場合の基礎控除額は「3,000万円＋（600万円×4）＝5,400万円」となり、基礎控除額が600万円増えることになります。

また、生命保険金や死亡退職金の非課税額も、法定相続分の人数に比例して増えるので、養子がいればその分非課税額も増えることになり、その点でも節税効果が期待できます。

ただし、相続税を計算するときに法定相続人に数えることのできる養子の人数は、原則として**実子がいるときは1名まで、実子がいないときは2名まで**と制限されています。

ここに注意！

養子の権利・義務

養子は法律上、実子と同じ権利や義務を持つ。つまり、養親の財産を法定相続分にしたがって相続できる一方で、養親を扶養する義務も負う。

養子縁組をした場合の節税効果

法定相続人の人数が増えるので、基礎控除額や非課税額が増えます。

❶ 基礎控除額が増える

例 相続額5,000万円の場合

相続税の基礎控除額 ＝ 3,000万円 ＋ 600万円 × 法定相続人の数

法定相続人が3人の場合

基礎控除額4,800万円
3,000万円＋（600万円×3）＝4,800万円

→ **相続税が発生する**
基礎控除額＜相続財産額

養子縁組で法定相続人が4人になった場合

基礎控除額5,400万円
3,000万円＋（600万円×4）＝5,400万円

→ **相続税は発生しない**
基礎控除額≧相続財産額

> 養子を迎えた結果、相続税を支払わずにすむ！

❷ 非課税額が増える

例 生命保険金と死亡退職金を相続した場合

生命保険金・死亡退職金の非課税額 ＝ 500万円 × 法定相続人の数

法定相続人が2人の場合

非課税額2,000万円
[生命保険金] 500万円×2＝1,000万円
[死亡退職金] 500万円×2＝1,000万円

養子縁組で法定相続人が3人になった場合

非課税額3,000万円
[生命保険金] 500万円×3＝1,500万円
[死亡退職金] 500万円×3＝1,500万円

養子

> 合計で1,000万円も
> 非課税額が増える！

★法定相続人に数えられる養子
の人数は、原則として実子が
いるときは1名まで、実子が
いないときは2名まで（例外
については124ページ参照）

相続についての悩みは公的機関に相談できる

無料で相談できる公的機関

相続に関する法律上の疑問や悩みがあれば、公的機関に相談してみるのもよいでしょう。

まず、各地の家庭裁判所では、「無料調停相談会」のような形で、公民館などを会場に、相続に関する調停や審判の手続きについての相談会を、定期的に開いています。ただし、これはあくまでも調停を起こすために必要な書類など、具体的な手続きに関する相談に応じるものです。相談者が抱えているトラブルに、直接アドバイスしてくれるものではありません。

また、都道府県などの地方自治体では、弁護士が相談員となって、さまざまな法律問題の相談に応じる、無料相談が設けられています。これを利用すれば、相続の悩みについても、アドバイスを得ることができます。ただし、相談が行われる日時など、実際の運営状況は、各地方自治体によって異なりますので、直接問い合わせてみてください。

弁護士会の有料法律相談

さらに、有料になりますが、各地の弁護士会も法律相談を行っています。料金は各弁護士会で異なりますが、東京の法律相談センター（東京弁護士会・第一東京弁護士会・第二東京弁護士会が運営）では、原則として30分以内5,000円（消費税別）で、15分ごとに延長料金2,500円（消費税別）がかかるのが基本です（令和6年5月現在）。

なお、監修者のホームページでも、相続や遺言に関するさまざまな相談事例を紹介しています。ご参考になさってください。（https://www.asahi-net.or.jp/~zi3h-kwrz/）

第**6**章

生前対策ガイド

贈与税の申告書など、生前の相続対策に必要な
書類の作成方法について、具体的に解説します。
遺言書の作成例も紹介してありますので、円満
な相続を実現するために役立ててください。

相続人に関する手続き❶
遺留分放棄の許可を申し立てる

《時 期》
相続開始前

《手続きをする人》
・推定相続人

被相続人の生前に行う遺留分の放棄は、いくつかの基準を満たしていれば、認められます。管轄の家庭裁判所に推定相続人が申し立てましょう。

ここをチェック！
● 推定相続人が被相続人の住所地の家庭裁判所に申し立てる
● 合理的な申し立て理由が必要

● 遺留分放棄の解説
194ページ参照

遺留分放棄は家庭裁判所に申し立てる

　家庭裁判所の許可がない**遺留分放棄**は、効力がありません。遺留分の放棄が認められるには、いくつかの基準があります。詳しくは194ページを参照してください。

　申立先は被相続人の住所地を管轄する家庭裁判所で、推定相続人が申し立てます。

遺留分放棄が認められるには

　遺留分放棄許可の申立書には、合理的な申し立て理由を書く必要があります。たとえば、「親に結婚を許してもらいたいため」というような理由では、認められません。また、遺留分放棄の代償としての贈与が確実に行われるとはいえない場合には、認められないことがあります。

　なお、遺留分放棄許可の審判後に事情が変わった場合には、遺留分を放棄した人は、放棄許可審判の取り消しを請求することができます。家庭裁判所が、その遺留分放棄の状態を存続させることは不合理であると判断すれば、遺留分放棄許可の審判の取り消しや変更ができます。

ここに注意！

遺留分放棄が合理的だとみなされたケース
子である申立人と父親に親子としての交流がなかった例で、お互いの相続についての遺留分の放棄が、実質的な利益の面で不合理とはいえないとされ、認められたケースがある。

遺留分放棄が認められなかったケース
「被相続人が5年後に300万円の贈与を行うという約束をした」という理由で、非嫡出子が遺留分の放棄を申し立てたケースで、家庭裁判所に贈与の履行が不確実だとみなされ、認められなかったケースがある。

遺留分放棄許可の申し立てに必要な書類と費用
　①遺留分放棄許可の申立書
　②申立人の戸籍謄本
　③被相続人の戸籍謄本
　④財産目録
　● 収入印紙800円＋連絡用の郵便切手

　★上記以外の資料の提出が必要になる場合もある

遺留分放棄許可の申立書の作成方法❶

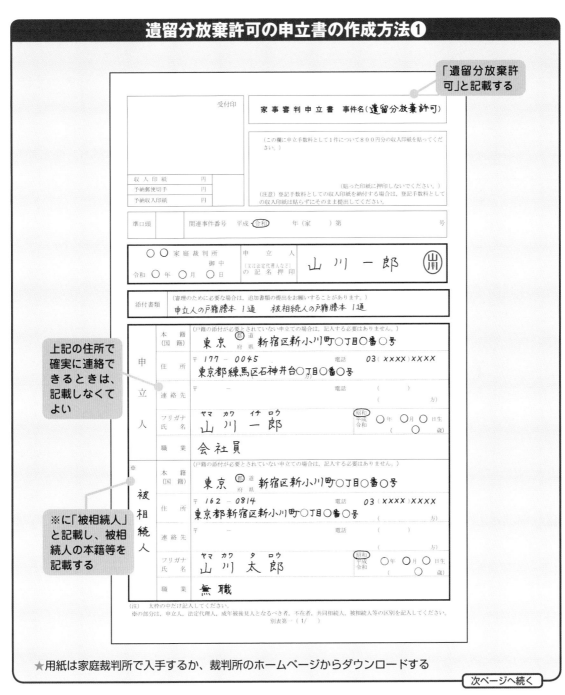

「遺留分放棄許可」と記載する

家事審判申立書　事件名（**遺留分放棄許可**）

（この欄に申立手数料として1件について８００円分の収入印紙を貼ってください。）

（貼った印紙に押印しないでください。）

（注意）登記手数料としての収入印紙を納付する場合は、登記手数料としての収入印紙は貼らずにそのまま提出してください。

受付印

収入印紙	円
予納郵便切手	円
予納収入印紙	円

準口頭　関連事件番号　平成・**令和**　　年（家　　）第　　　　号

○○家庭裁判所　御中

令和○年○月○日

申　立　人（又は法定代理人など）の記名押印　**山川一郎**　㊞

添付書類　（審理のために必要な場合は、追加書類の提出をお願いすることがあります。）
申立人の戸籍謄本　1通　　被相続人の戸籍謄本　1通

申立人

本籍（国籍）（戸籍の添付が必要とされていない申立ての場合は、記入する必要はありません。）
東京　都・道・府・県　**新宿区新小川町○丁目○番○号**

住所　〒177-0045　**東京都練馬区石神井台○丁目○番○号**　電話　03（××××）××××　方

連絡先　〒　－　電話　（　　）　方

上記の住所で確実に連絡できるときは、記載しなくてよい

フリガナ　ヤマカワ　イチ　ロウ
氏名　**山川一郎**　昭和・平成・令和　○年　○月　○日生　（　○　歳）

職業　**会社員**

※　被相続人

本籍（国籍）（戸籍の添付が必要とされていない申立ての場合は、記入する必要はありません。）
東京　都・道・府・県　**新宿区新小川町○丁目○番○号**

住所　〒162-0814　**東京都新宿区新小川町○丁目○番○号**　電話　03（××××）××××　方

連絡先　〒　－　電話　（　　）　方

フリガナ　ヤマカワ　タ　ロウ
氏名　**山川太郎**　昭和・平成・令和　○年　○月　○日生　（　○　歳）

職業　**無職**

※に「被相続人」と記載し、被相続人の本籍等を記載する

（注）　太枠の中だけ記入してください。
※の部分は、申立人、法定代理人、成年被後見人となるべき者、不在者、共同相続人、被相続人等の区別を記入してください。
別表第一（1/　）

★用紙は家庭裁判所で入手するか、裁判所のホームページからダウンロードする

次ページへ続く

だれの財産について遺留分を放棄するのかを明記する

申　立　て　の　趣　旨
被相続人山川太郎の相続財産に対する遺留分を放棄することを
許可する旨の審判を求めます。

被相続人と申立人の関係や、遺留分放棄と引き換えに得た財産について具体的に書き、遺留分を放棄する理由に合理性があることを示す

申　立　て　の　理　由
1 申立人は、被相続人の長男です。
2 申立人は、以前、自宅を購入する際に、被相続人から5千万円の
資金援助をしてもらいました。また、会社員として稼動しており、相当の収
入があり、生活は安定しています。
3 このような事情から、申立人は、被相続人の遺産を相続する意思が
なく、相続開始前において遺留分を放棄したいと考えますので、申立
ての趣旨どおりの審判を求めます。

別表第一（　/　）

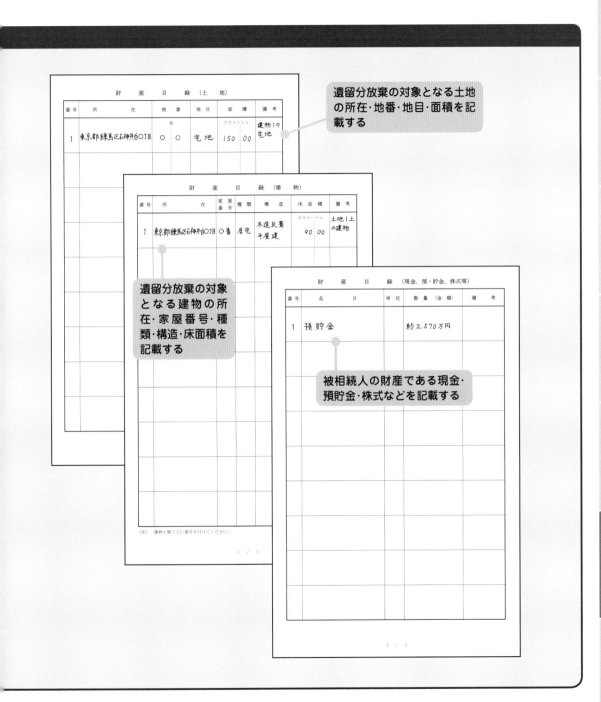

財 産 目 録 （土 地）					
番号	所　　在	地番	地目	面積	備考
1	東京都練馬区石神井台〇丁目	〇〇	宅地	150 00	建物1の宅地

遺留分放棄の対象となる土地の所在・地番・地目・面積を記載する

財 産 目 録 （建 物）						
番号	所　　在	家屋番号	種類	構造	床面積	備考
1	東京都練馬区石神井台〇丁目	〇番	居宅	木造瓦葺平屋建	90 00	土地1上の建物

(注)　建物1個ごとに番号を付けてください。

(/)

遺留分放棄の対象となる建物の所在・家屋番号・種類・構造・床面積を記載する

財 産 目 録 （現金，預・貯金，株式等）				
番号	品　　目	単位	数量（金額）	備考
1	預貯金		約2,570万円	

被相続人の財産である現金・預貯金・株式などを記載する

(/)

相続人に関する手続き❷
相続人の廃除を請求する

《時 期》
生前のいつでも(被相続人)、被相続人
の死亡後〜遺産分割前(遺言執行者)

《手続きをする人》
・被相続人
・遺言執行者

相続人の廃除の請求も、被相続人自身が生前に家庭裁判所に対して行うことができます。死亡後に遺言によって行うこともできます。

ここをチェック！
● **被相続人の住所地の家** 庭裁判所に申し立てる
● **家庭裁判所の審判**によって廃除が決まる

●相続廃除の解説
196ページ参照

廃除の請求には2通りの方法がある

相続廃除には、被相続人が生前に請求する方法と、死亡後に遺言によって請求する方法の2通りがあります（196ページ参照）。遺言によって廃除する場合は、遺言の効力が生じた後、遺言執行者が請求することになります。

申立先は、被相続人が申し立てる場合は、被相続人の住所地を管轄する家庭裁判所です。被相続人の死亡後に遺言執行者が申し立てる場合は、相続の開始地（被相続人の住所地）の家庭裁判所です。死亡した被相続人の最後の住所地の家庭裁判所に、申し立ててください。

廃除は審判を申し立てる

廃除の申し立ては**別表第1事件**[*]ですので、家庭裁判所に審判を申し立てなければなりません。右ページに、被相続人自身が廃除を申し立てる場合の記入例を紹介しました。

廃除の審判が確定すると、戸籍法に従って、家庭裁判所から本籍役場に通知されます。

もっと詳しく！

別表第1事件[*]
当事者間の合意による解決は考えられず、審判だけによって扱われる事件で、家事審判法では「甲類事件」とされていたもの。当事者間の話し合いによる解決が望ましいとされる事件は、「別表第2事件（旧家事審判法での乙類事件）」という。なお、「廃除」は乙類事件だったが、平成25年施行の家事事件手続法によって、別表第1事件に変更された。

推定相続人廃除の請求申し立てに必要な書類と費用

①推定相続人廃除の申立書
②申立人の戸籍謄本
③被相続人（遺言者）の戸籍（除籍・改製原戸籍）謄本（被相続人の死亡後に遺言執行者が申立をする場合）
④廃除を求める推定相続人の戸籍謄本
⑤遺言書写し（被相続人の死亡後に遺言執行者が申立をする場合）
●収入印紙800円＋連絡用の郵便切手

★上記以外の資料の提出が必要になる場合もある

推定相続人廃除の申立書の作成方法

受付印

家 事 審 判 申 立 書　事件名(推定相続人廃除)

(この欄に申立手数料として1件について800円分の収入印紙を貼ってください。)

(貼った印紙に押印しないでください。)

(注意)　登記手数料としての収入印紙を貼る場合は、登記手数料としての収入印紙は貼らずにそのまま提出してください。

収 入 印 紙　　円
予納郵便切手　　円
予納収入印紙　　円

準口頭　　関連事件番号　平成・令和　　年(家　)第　　　号

○家庭裁判所　御中
令和○年○月○日

申立人
(又は法定代理人など)
の記名押印　　山 川 秋 子　㊞

添付書類　[審理のために必要な場合は、追加書類の提出をお願いすることがあります。]
申立人の戸籍謄本 1通　　相手方の戸籍謄本 1通

申立人

本籍(国籍)　東京都　港区虎ノ門○丁目○番○号

住所　〒105-0001　電話 03(XXXX)XXXX
東京都港区虎ノ門○丁目○番○号

連絡先　〒　　　電話　(　)

フリガナ　ヤマ カワ アキ 子
氏　名　山 川 秋 子　　○大正 ○昭和 ○平成 ○令和　○年 ○月 ○日生

職業　店舗経営(小売)

相手方

本籍(国籍)　東京都　港区虎ノ門○丁目○番○号

住所　〒105-0001　電話 03(XXXX)XXXX
東京都港区虎ノ門○丁目○番○号

連絡先　〒　　　電話　(　)

フリガナ　ヤマ カワ フユ オ
氏　名　山 川 冬 男　　○大正 ○昭和 ○平成 ○令和　○年 ○月 ○日生

職業　無職

(注)　太枠の中だけ記入してください。
申の部分は、申立人、法定代理人、成年後見人となるべき者、不在者、共同相続人、被相続人等の区別を記入してください。

別表第一(1/　)

「推定相続人廃除」と記載する

廃除したい推定相続人の本籍等を記載する

申立人の財産の状況や、相手方の「著しい非行」がどのようなものかについて、具体的に書く

推定相続人を廃除したい旨を明記する

申 立 て の 趣 旨

相手方が申立人の推定相続人であることを廃除する審判を求めます。

申 立 て の 理 由

1 申立人は、住所地で洋服販売業を営んでおり、店舗等の資産があります。

2 相手方は、申立人の長男ですが、3年くらい前から競馬などのギャンブルにはまり、そのうえ酒を多量に飲み、遊興にふけっています。申立人が注意しても、まったく反省しないどころか、暴力をふるいます。

3 このような著しい非行を続けている相手方に、申立人の財産を相続させることはできませんので、相手方を申立人の推定相続人から廃除するために、申立ての趣旨のとおりの審判を申し立てます。

別表第一(　/　)

★用紙は家庭裁判所で入手するか、裁判所のホームページからダウンロードする

遺言書を作成するときはここに注意する

遺言書は一定の方式にしたがって書かれていないと、無効になります。相続人間の争いを防止するという目的のためにも、次の点に注意しましょう。

ここをチェック！

● 遺言書の正しい**形式**を理解する

● 遺産争いが予想される場合には**公正証書遺言**に

● **正確さ**と**わかりやすさ**がトラブルを防ぐ

形式を守って法的に有効な遺言書を作成する

遺言書は、正しい形式で作成しないと、無効になります。228ページ以降の解説を参考に、法的に有効な遺言書を作成しましょう。

相続人の間に大きな遺産争いが起こることが予想される場合は、自筆証書ではなく、**検認が不要で迅速に執行できる公正証書遺言**を作成します。遺贈がある場合は、**遺言執行者**（196ページ参照）を指定しましょう。

遺留分・特別受益・寄与分に配慮してトラブルを防ぐ

トラブルを防ぐためには、次の点について、だれが見てもわかるように、明確に書く必要があります。まず、配偶者・子・直系尊属（両親や祖父母）には**遺留分**（44ページ参照）がありますので、それに反しない遺言を書いたほうが、相続がスムーズに行われます。

一部の相続人に財産を生前贈与しているような場合は、トラブルを予防するために、その**特別受益**（46ページ参照）を各自の相続分を計算する際に含めるかどうかを書いておきましょう。

さらに、財産の維持や形成に寄与した相続人、療養看護に尽くした相続人がいる場合は、相続開始後に**寄与分**（48ページ参照）が原因でトラブルになる可能性があります。寄与分を考慮した金額を、相続分として定めておきましょう。

そのほかにはこんな点に気をつける

遺言書といっても、それほど難しく考える必要はありません。ただし、あまりに突拍子のないことを書くと遺言能力（意思能力）を疑われ、遺言が無効であると主張される危険性があります。

また、遺言書の中に遺産の記載もれがあると、争いのもとになりますので、必ずすべての遺産を記載することです。細かく書かずに、「**その他の財産は、○○に相続させる**」という書き方で十分です。

ここに注意！

複数の遺言がある場合

気持ちが変わることがあったら、新しい遺言を書くとよい。内容の異なる複数の遺言がある場合は、日付の新しいほうが有効となる。

相続人が先に死亡した場合

遺言で指定した遺産の相続人が、被相続人よりも先に死亡すると、その遺言は無効となる。つまり、相続人の子である孫は、代襲相続できない（平成23年2月22日最高裁判決）。遺言書で遺産を相続させる子を指定するときは、その相続人が死亡した場合についても書いておいたほうがよい（右ページ参照）。事業承継などでは、とくに注意が必要である。

遺言書を作成するときの注意点

●大きな遺産争いが予想される場合は、公正証書遺言にする（検認が不要で迅速に処理できる）

●遺贈がある場合は遺言執行者を決めておく

例 遺言執行者として、次の者を指定する。

●特別受益者の相続分を明確にする

例 ○○には事業資金として2,000万円を援助しているので、その分は○○の相続分から控除する。

●遺言能力（意思能力）を疑われるようなことは書かない

例 長男 山川二郎に、次の財産を遺贈する。

（長男の実際の名前は「山川一郎」）

●遺留分に反しない遺言を書く

例 内縁の妻○○○○に、現金200万円を遺贈する。
長男 山川一郎に、現金1,000万円と以下に記載の不動産を相続させる。

●相続人が先に死亡した場合について指定する

例 長男山川一郎に□□を相続させる。長男が私より先に死亡した場合は、□□を一郎の子である○○に相続させる。

●寄与分のある相続人がいる場合は、寄与分としてではなく、相続分として金額を定める

例 ○○は遺言者の介護に尽くしてくれたので、その相続分を5,000万円と定める。

●遺産の記載もれがないように注意する

例 その他の財産は、○○に相続させる。

遺言書の作成①
自筆証書遺言を作成する

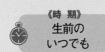 《時 期》
生前の
いつでも

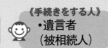 《手続きをする人》
・遺言者
（被相続人）

自筆証書遺言には、いくつかの要件があります。これが欠けると遺言は無効になりますので、注意しましょう。

> **ここをチェック！**
> ●財産目録以外は自筆
> にしなければならない
> ●日付の記載がないと無
> 効になる

自筆証書遺言作成の5つのポイント

自筆証書遺言の作成にあたっては、次の5つの点に注意しましょう。

①財産目録以外はすべて自筆

財産目録（ワープロ可、不動産登記事項証明書、預貯金通帳の写し可、署名・押印は必要）以外は自筆にする必要がありカーボン複写は許されます。テープやCD、DVDなどに記録した音声や映像は、法律的に効力を持ちません。問題になりやすいのは、病気などでうまく字が書けず、添え手をしてもらった場合です。このような遺言は無効になる可能性があると考えたほうがよいでしょう。

②日付の記載

日付の記載がないと、遺言は無効になります。暦上の日付でなくとも、客観的に特定できれば、日付の要件は満たされます。たとえば、「**70歳の誕生日**」や「**定年退職の日**」などは有効です。しかし、ただ「〇月吉日」と記載した場合は、要件を満たしません。

③氏名

遺言者がだれであるか特定するためですので、戸籍名でなくてもかまいません。遺言者が特定できれば、ペンネームでも認められます。

④押印

必ずしも実印である必要はなく、**どんな印でも有効**です。拇印でも問題はありません。

⑤内容で気をつける点

「取得させる」「遺贈する」「相続させる」などの文言が使われますが、相続人に対しては、「**相続させる**」と書いたほうが確実です。

遺贈がある場合は、遺言執行者を指定しておくとよいでしょう。遺言執行者には、弁護士を指定する例が多くみられます。相続人のうちのだれかを、遺言執行者にすることもできます。

●自筆証書遺言の解説
76・200ページ参照

> **ここに注意！**
> **添え手による遺言**
> 判例では、「添え手によって他人の意思が介入しない場合は、遺言として認められる」としている。

> **ここに注意！**
> **遺言は書き直しが可能**
> 遺言は、何回でも書き直しができる。書き直す場合には、有効な遺言になるよう、要件に気をつける。

自筆証書遺言の作成方法

財産目録以外は自筆にすること

遺 言 書

　私は、万一のことがあった場合のために、次のとおり遺言する。

第1条　東京都中央区東日本橋〇丁目〇番〇号　海野雪子に対し、次の
　　　　不動産を遺贈する。

> 「相続させる」「遺贈する」「取得させる」などの表現によって意思表示をする

　　　　　　所在　　　　長野県北佐久郡軽井沢町中軽井沢
　　　　　　地番　　　　〇番
　　　　　　地目　　　　山林
　　　　　　地積　　　　680.54平方メートル

第2条　長男山川一郎に対し、以下に記載の不動産を含め、第1条記載
　　　　以外の遺産をすべて相続させる。

　　　　　　所在　　　　練馬区石神井台〇丁目
　　　　　　地番　　　　〇番
　　　　　　地目　　　　宅地
　　　　　　地積　　　　206.14平方メートル

　　　　　　所在　　　　新宿区新小川町〇丁目〇番地
　　　　　　家屋番号　　新宿区新小川町〇丁目〇番の〇
　　　　　　構造　　　　木造瓦葺弐階建
　　　　　　種類　　　　居宅
　　　　　　床面積　　　壱階　84.56 平方メートル
　　　　　　　　　　　　弐階　44.36 平方メートル

> 数字は、1・2のように算用数字で書いてもよい

第3条　本遺言の遺言執行者として次の者を指定する。
　　　　　　東京都千代田区大手町〇丁目〇番〇号
　　　　　　　氏名　　鈴木　正
　　　　　　　職業　　弁護士

> 日付を記載する(「吉日」では不可)

> 押印する(拇印でも可)

> 遺言者の氏名を記載する(遺言者が特定できればペンネームなどでも可)

　　　　　　　　　　　　令和〇年〇月〇日
　　　　　　　　　　　　新宿区新小川町〇丁目〇番〇号

　　　　　　　　　　　　山川　太郎　㊞

次ページへ続く

229

自筆証書遺言の文例

【相続分を指定する】

各相続人の相続分を次のとおりに指定する。

長男　山川一郎　3分の1

長女　山川春子　3分の2

長女春子が私の看護に尽くしてくれたので、相続分を多くした。

- ●法定相続分と異なる指定をするときは、その理由を書いておく。相続人を納得させ、遺産をめぐる争いを防ぐことができる

【特別受益の持ち戻しを免除する】

長男山川一郎に対しては、住宅取得資金として1千万円を贈与したが、これは同人の相続分から控除しない。

- ●生前贈与とは別に相続させたい場合は、遺言で意思表示をするとよい。そうすれば、特別受益のあった相続人は、法定相続分よりも多く相続できる

【相続人以外の人に遺贈する】

私の内縁の妻である海野雪子に、下記不動産を遺贈する。

練馬区石神井台○丁目○番所在

宅地　98平方メートル

同所同番地所在

木造瓦葺弐階建居宅　床面積　壱階　46平方メートル

弐階　43平方メートル

本件遺言執行者として、下記の者を指定する。

東京都千代田区大手町○丁目○番○号

弁護士　鈴木　正

遺言執行者の報酬は200万円とする。

- ●相続人以外に遺贈する場合は、このような「特定遺贈」（42ページ参照）にするとよい。また、遺言執行者を指定すると、円滑に遺贈ができる

【負担付遺贈をする】

長男山川一郎に、次の財産を遺贈する。
　　　　新宿区新小川町○丁目○番○号
　　　宅地　　　　　９８平方メートル
　　　同所同番地
　　　木造瓦葺弐階建居宅床面積　壱階　４６平方メートル　弐階　４３平方メートル
ただし、長男山川一郎は、私の妻花子に毎月１０万円を支給すること。

次男山川二郎に、現金２００万円を遺贈する。
ただし、次男山川二郎は、遺言者の愛犬タロウの世話をすること。

●負担付遺贈をされた受遺者は、遺贈された財産の価額を超えない範囲で、その負担を履行する義務を負う。義務を果たさない場合には、相続人や遺言執行者は、家庭裁判所に遺言の取消しを求めることができる

【祭祀承継者を指定する】

祖先の祭祀を主宰する者として、長男山川一郎を指定する。
祭祀の費用として、長男山川一郎に対し、○○銀行にある私の定期預金から金５００万円を相続させる。

●墓や位牌などは、相続とは別に祭祀承継者が受け継ぐ。しかし、祖先の祭祀の主宰には負担がかかるので、遺産を余分に与えたりしてもかまわない

【相続人を廃除する】

三男山川三郎は、遺言者に対し、長年にわたり暴言を吐き、暴力をふるい、精神的、肉体的に苦しめ、心身に深い傷を負わせたので、推定相続人から廃除する。
本件遺言執行者として、下記の者を指定する。
　　　　東京都千代田区大手町○丁目○番○号
　　　　　弁護士　鈴木　正

●相続人の廃除を遺言するときは、必ず遺言執行者を指定する。さらに、遺言執行者に事前に相談し、廃除の理由となる行状を詳しく説明するなどの準備も必要である

遺言書の作成❷
公正証書遺言を作成する

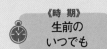

《時 期》
生前の
いつでも

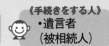

《手続きをする人》
・遺言者
（被相続人）

ここを
チェック！

●**保管**などの面で自筆証
書遺言よりも**確実で安
全**な方法
●**費用がかかる**ことがデ
メリット

公正証書遺言は、近くの公証役場に行けば、いつでも作成できます。入院中の場合などは、公証人に病院まで出張してもらうこともできます。

公正証書遺言の作成手順

通常は、遺言内容を書いたものを事前に公証人に送っておき、当日は**証人2名以上とともに公証役場に行って作成**します。未成年者や推定相続人などは証人になれないので、注意しましょう（右ページ参照）。遺言者が入院している場合は、公証人に病院まで出張してもらって作成することもできます。病気などで字が書けない場合は、公証人が代わりに署名します。

各地にある公証役場の、どこで作成してもかまいません。公証役場の場所がわからない場合は、**日本公証人連合会（03-3502-8050）**へ電話して、最寄りの公証役場はどこか、問い合わせるか公式サイト「公証役場一覧」で調べるとよいでしょう。

原本を公証役場で保管するので偽造や変造の危険はありませんが、手数料がかかることは、200ページで述べたとおりです。

手数料の額は、財産の価額が大きくなるほど、高くなります。詳細は右ページを参照してください。自分の意思を確実に相続人に伝えたい方には、公正証書遺言（こうせいしょうしょ）をおすすめします。

ここに注意！

**公正証書遺言の
メリット**

遺言者が字を書けない場合でも、公正証書遺言は作成できる。さらに、口のきけない遺言者でも作成できるようになった。

公正証書遺言作成に必要な書類と費用

①遺言者本人の印鑑登録証明書
②遺言者と相続人の関係がわかる戸籍謄本
③相続人以外の人に財産を遺贈する場合は、その人の住民票
④財産のなかに不動産がある場合は、その登記事項証明書（登記簿謄本）と固定資産評価証明書（または固定資産税・都市計画税納税通知書中の課税明細書）
⑤証人予定者の名前・住所・生年月日・職業をメモしたもの

公正証書遺言作成の手順とポイント

公証人　遺言者　　　　証人　　証人

①遺言内容を書いたものを、事前に公証人に送る

②公証役場に証人2名以上とともに出向く（公証役場に行けない場合は、公証人に出張してもらうこともできる）

③遺言内容を公証人に述べ、それにそって公証人が作成する

●こんな人は証人になれないので要注意

- 未成年者
- 推定相続人とその配偶者・直系血族
- 受遺者とその配偶者・直系血族
- 公証人の配偶者・4親等内の親族
- 公証役場の関係者

★自分で証人を用意できないときは、公証役場が信頼のおける人を紹介してくれる

●公正証書遺言の作成手数料

目的財産の価額	手数料
100万円まで	5,000円
200万円まで	7,000円
500万円まで	11,000円
1,000万円まで	17,000円
3,000万円まで	23,000円
5,000万円まで	29,000円
1億円まで	43,000円

1億円を超える部分については、

- 1億円を超え3億円まで
  5,000万円ごとに1万3,000円
- 3億円を超え10億円まで
  5,000万円ごとに1万1,000円
- 10億円を超える部分
  5,000万円ごとに8,000円

がそれぞれ加算される

★相続人の人数に応じて手数料は合算される。ほかにも手数料が加算されることがある

次ページへ続く

公正証書遺言の作成例

令和○年第○○○号

作成年度と番号が記載される

遺言公正証書

本公証人は、遺言者山川太郎の嘱託により証人○○ ○○・証人○○ ○○の立ち会いのもとに、遺言者の口述を筆記し、この証書を作成する。

第1条　遺言者は、遺言者の弟山川太吉（昭和○年○月○日生・住所東京都港区虎ノ門○丁目○番○号）に、次の預金を遺贈する。
　　　　○○銀行○○支店に遺言者が有する定期預金（番号○○○○○○○○）
　　　　の元金および利息

第2条　遺言者は、遺言者の長男山川一郎（昭和○年○月○日生・住所東京都新宿区新小川町○丁目○番○号）に、第1条記載以外の遺産をすべて相続させる。

第3条　遺言者は、本遺言の遺言執行者として次の者を指定する。
　　　　東京都千代田区大手町○丁目○番○号
　　　　　　　弁護士　　鈴木　正

本旨外要件

遺言者と証人の住所・職業・氏名・生年月日が記載される

　　　　東京都新宿区新小川町○丁目○番○号
　　　　職業　　　無職
　　　　遺言者　　山川　太郎
　　　　昭和○年○月○日生
同人が人違いでないことを証明するものとして、印鑑証明書の提出を受けた。

　　　　東京都文京区本郷○丁目○番○号
　　　　職業　　　会社員
　　　　証人　　　○○　　○○
　　　　昭和○年○月○日生

★遺言者との打ち合わせ内容をもとに、公証人が作成する

東京都練馬区石神井台○丁目○番○号
職業　　会社員
証人　　○○　　○○
昭和○年○月○日生

以上の通り、各事項を読み聞かせたところ、各自筆記の正確なことを承認し、下に署名押印する。

遺言者と証人が署名し、押印する

山川　太郎　㊞
○○　○○　㊞
○○　○○　㊞

この証書は民法第969条第1号乃至第4号の方式に従い作成し、同条第5号に基づき下に署名押印する。

令和○年 ○月○日　本公証役場において
東京都新宿区□□○丁目○番○号
東京法務局所属
公証人　　　　　○○　○○　㊞

- -

この正本は令和○年○月○日遺言者山川太郎の請求により本職の役場において作成した。

東京法務局所属
公証人　　　　○○　○○　㊞

遺言書作成を担当した公証人が署名し、押印する

遺言書の作成❸
秘密証書遺言を作成する

《時 期》
生前の
いつでも

《手続きをする人》
・遺言者
（被相続人）

ここを
チェック！
● **自筆**と**ワープロ**のどち
らでもかまわない
● **公証役場**に持って行く
● 原本は**自分で保管**する

秘密証書遺言は、遺言を公証人などに示しながら、その内容を秘密にできる遺言書です。遺言書を作成したら、公証役場で必要な手続きを行いましょう。

秘密証書遺言の作成から検認まで

まず、遺言しようとする人は、遺言書を作成してその証書に署名し、押印します。**秘密証書遺言の場合は、自筆と代筆のどちらでも、またはワープロなどで作成してもかまいません。**ただし、**署名は自筆でする必要**があります。

次に、遺言しようとする人は、自分でその証書を封筒に入れ、封をして、証書に用いたものと同じ印章を使って封印します。そして、公証役場に行き、公証人1名と証人2名以上の前に封書を提示して、自分の遺言書であること、遺言書の筆者の氏名・住所を申述します。

それから、公証人がその証書を提出した日付と遺言者の申述を封紙に記載し、遺言者や証人とともにそこに署名して押印します。

原本は、遺言者が自分で保管しなければなりません。遺言者の死後に相続が開始されたら、相続人が家庭裁判所で遺言書を開封し、検認を受けることになります。

遺言書の内容を考えるにあたっては、弁護士や行政書士などの専門家に相談すると、安心できるでしょう。なお、秘密証書遺言の公証人手数料は、11,000円です。

秘密証書遺言を自筆証書遺言に転換できる場合

秘密証書遺言としての要件に欠ける場合*でも、自筆証書遺言の要件を満たしていれば、自筆証書遺言として認められます（民法971条）。しかし、自筆で書いていない証書は、自筆証書遺言としても認められないので注意が必要です。

秘密証書遺言としての要件を欠いた場合でも、自筆証書遺言として認められるように、秘密証書遺言も自筆で書いておくことが望ましいでしょう。

● 秘密証書遺言の解説
200ページ参照

ここに注意！
公証役場に行けない場合

病気など、公証役場に行けない事情がある場合は、公正証書遺言と同じく、公証人に出張してもらうこともできる。

もっと詳しく！
秘密証書遺言としての要件に欠ける場合*

遺言に署名がない、押印がない、遺言の本文の印と封紙の印が違う、などの場合は、秘密証書遺言としては無効になる。ただし、本文に署名と押印があり、自筆で書かれていれば、自筆証書遺言として認められる可能性がある。

秘密証書遺言の作成手順

❶ 自筆またはワープロなどで遺言書を作成し、署名（自筆）・押印する

❷ 封筒に入れ、封をして証書と同じ印章で封印する

❸ 公証役場で、公証人１名・証人2名以上の前で
・自分の遺言書であること
・氏名・住所　　　　　　　　　　を述べる

❹ 公証人が述べられたことを封紙に記載後、遺言者・証人・公証人がそこに署名・押印する

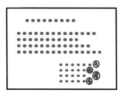

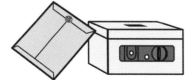

❺ 原本を遺言者が自分で保管する

次ページへ続く

秘密証書遺言の作成方法

**自筆・ワープロの
どちらでもよい**

遺言書

1　海野雪子(住所　中央区東日本橋○丁目○番○号)が懐胎してい
　　る子は、私の子であるので、認知する。

2　下記自宅の土地、建物は妻山川花子に相続させる。
　　新宿区新小川町○丁目○番○号所在　宅地 200.00平方メートル
　　新宿区新小川町○丁目○番○号所在　居宅
　　家屋番号　21番2

3　前項記載の土地、建物以外の財産は、すべて上記胎児に相続さ
　　せる。

**認知や遺贈
があれば明
記する**

4　遺言執行者として次の者を指定する。

　　　　　東京都千代田区大手町○丁目○番○号
　　　　　弁護士　鈴木　正

**遺言執行者を
明記する**

　　　　　　　　令和○年○月○日

　　　　　　　　東京都新宿区新小川町○丁目○番○号

　　　　　　　　山川　太郎 ㊞

**日付を明記し、
署名・押印する**

★遺言者は、上記遺言を封筒に入れ、封をして押印し、それを公証役場に持参する

秘密証書遺言封紙の見本

遺言者の山川太郎は、当職及び証人○○　○○、同○○　○○の面前にこの封書を提出し、この遺言書が自己の遺言書であることを申述した。

令和○年○月○日　本職役場において、
　　　　　　　東京都新宿区□□○丁目○番○号
　　　　　　　東京法務局所属

公証人と遺言者の氏名が記載される
　　　　　　　公証人　　○○　○○　㊞

　　　　　　　東京都新宿区新小川町○丁目○番○号
　　　　　　　遺言者　山川　太郎　㊞

本職は遺言者の氏名を知らず、本職とは面識がないので、印鑑登録証明書により人違いでないことを証明させた。

　　　　　　　東京都練馬区石神井台○丁目○番○号

証人の氏名が記載される
　　　　　　　証人　　○○　○○　㊞
　　　　　　　東京都文京区本郷○丁目○番○号
　　　　　　　証人　　○○　○○　㊞

★公証人・遺言者・証人がこのような封紙に署名・押印すると、秘密証書遺言は完成する

239

節税対策❶
生前贈与を行う

生前贈与を行うには、贈与契約を結ぶ必要があります。額により贈与税がかかることに注意しましょう。

《時 期》
生前の
いつでも

《手続きをする人》
・贈与者(被相続人)
・受贈者

ここをチェック！

● **課税の特例**を活用して節税できる
● **契約書**を作成しておくと安心

生前贈与では課税の特例を活用したい

　贈与税と相続税を比べると、相続税のほうが税率は低くなります。つまり、一般論としては、生前贈与よりも相続によって財産を受け取ったほうが得であるということになります。

　しかし、208ページでも解説したように、**生前贈与は、年間110万円以下であれば課税されません**。さらに、**生前贈与を行った時点から7年が経過すると、その生前贈与分は、相続時に相続税の対象となる遺産から除外されます**。そこで、1回に贈与される財産が少額で、被相続人が若い(贈与後7年以上生存する可能性が高い)場合は、暦年課税方式を利用した生前贈与は有効な節税対策になります。

　相続時精算課税方式についても、財産の種類によっては、将来的に節税になる場合があります。詳細は212ページを参照してください。

贈与契約はここに注意する

　価額の大きい不動産を贈与するような場合は、所有権全体を一度に贈与せず、30分の1などと持分を贈与し、これをくり返すこともひとつの方法です。さらに、贈与者が死亡した場合に効力を生ずる**死因贈与**(42ページ参照)にすると、税法上は遺贈と同じように扱われ、贈与税ではなく相続税が課されるので、税率を低く抑えられます。死因贈与であれば、**仮登記***もできます。

　また、婚姻期間20年を超えた夫婦間における居住用の住宅の贈与は、2,000万円まで課税されません(208ページ参照)。このような課税の特例を活用して、贈与することをおすすめします。

　贈与契約は、対価を支払わず、無償で物の所有権を移転する契約であり、口頭での贈与の契約は、履行する前にいつでも取り消せます。右ページのような**契約書を作成しておくと安心できる**でしょう。

●生前贈与の解説
208ページ参照

ここに注意！

2024年1月1日以後の贈与について

暦年課税については持戻し期間が7年となり、相続時精算課税については毎年110万円の基礎控除(非課税)が設けられた。

もっと詳しく！

仮登記*

不動産などについての権利関係を明らかにするために、法的な事項を登記簿に記載するのが「登記」。死因贈与の場合は、生存時には本登記の条件が調わないので、将来の登記を確実にするために、前もって「仮登記」しておくこともできる。

贈与契約書の作成方法

自筆・ワープロの
どちらでもよい

贈与契約書

贈与契約書であることが明ら
かなタイトルをつける

贈与者山川太郎と受贈者山川花子は、次のとおり贈与契約を締結
する。

第1条　令和○年○月○日、贈与者山川太郎は、自己の下記不動産
を受贈者妻山川花子に対して無償で贈与することを約し、
受贈者山川花子はこれを受諾した。

だれの財産をだ
れに贈与するか
を記載し、受贈
者が承諾してい
る旨を示す

贈与する財産に
ついて、具体的
に記載する

所在	新宿区新小川町○丁目
地番	○番
種類	宅地
地積	206.14平方メートル
所在	新宿区新小川町○丁目○番
家屋番号	○番
種類	居宅
床面積	
壱階	84.56平方メートル
弐階	44.36平方メートル

第2条　贈与者は、贈与物件につき直ちに所有権移転仮登記をなす。

住所	東京都新宿区新小川町○丁目○番○号
氏名	山川　太郎

当事者は、この贈与契約の締結を証するため、ここに署名・捺印
する。

贈与を行った日を
明確にする

令和○年○月○日

贈与者と受贈者の
住所・氏名を記載
し、押印する

住所	新宿区新小川町○丁目○番○号
氏名	山川　太郎 ㊞
住所	新宿区新小川町○丁目○番○号
氏名	山川　花子 ㊞

節税対策❷
贈与税の申告書を作成する

《時期》
贈与の翌年
3月15日まで

《手続きをする人》
・受贈者

暦年課税方式の贈与税の申告書は、相続税の申告書ほど作成が複雑ではありません。ここでは、配偶者控除がある場合の申告書を中心に解説します。

配偶者控除の特例を受ける場合も申告する

　この項では、暦年課税方式の申告書について解説します。相続時精算課税を利用する場合は、贈与税の申告書の内容や、提出する書類などが異なります（244ページ参照）。

　申告書の提出が必要になるのは、**贈与を受けた財産の総額が基礎控除額を超えている場合**と、**配偶者控除の特例の適用を受ける場合**です（210ページ参照）。特例の適用の結果、贈与税を支払わなくてもよくなる場合も、提出が必要です。**贈与税の申告書には「第一表」と「第二表（相続時精算課税の計算明細書）」があります**が、相続時精算課税を利用しない場合には、「第一表」のみ提出します。

　なお、贈与税の申告については、国税庁のホームページ（https://www.nta.go.jp）の「確定申告書等作成コーナー」を利用して作成した申告書を、プリントアウトして税務署に提出することや、e-Tax（国税電子申告・納税システム）で送信することもできます。

申告書以外にも提出が必要な書類がある

　贈与税では、配偶者控除以外にも、農地などについて、贈与税の納税猶予を受けられる特例があります。このような特例を受けるためには、申告書に必要事項を記載したうえで、必要な添付書類を提出します。

●暦年課税方式の解説
　210ページ参照

贈与税の申告書に添付する書類（配偶者控除の特例を受ける場合）

①財産の贈与を受けた日から10日を経過した日以後に作成された受贈者の戸籍謄本または抄本
②財産の贈与を受けた日から10日を経過した日以後に作成された受贈者の戸籍の附票の写し
③控除の対象となった居住用不動産に関する登記事項証明書

贈与税（暦年課税方式）の申告書の作成方法

マイナンバーを記載する

はじめて贈与税の配偶者控除を受ける場合には、□に✓を記入し、控除の対象となる「居住用不動産の価額」と「贈与を受けた金銭のうち居住用不動産の取得に充てた部分の金額」の合計額を記入する

相続時精算課税に係る贈与財産がなければ、何も記入しなくてよい

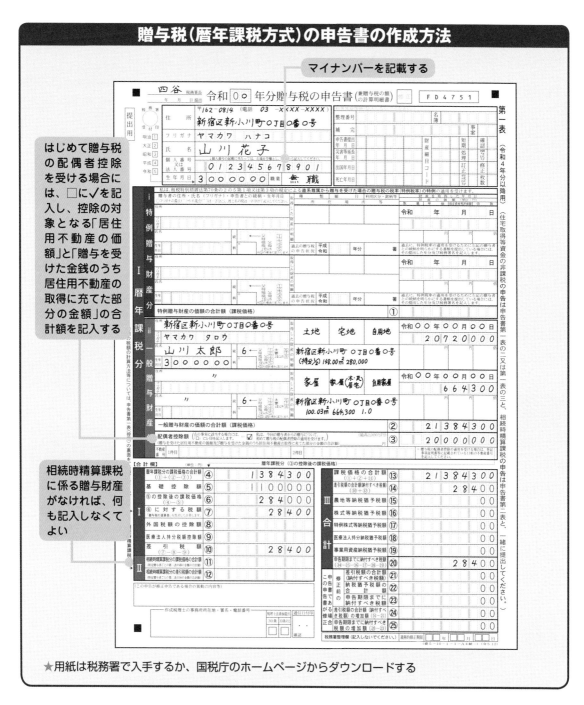

★用紙は税務署で入手するか、国税庁のホームページからダウンロードする

節税対策❸
相続時精算課税方式の申告書を作成する

《時　期》
贈与の翌年
3月15日まで

《手続きをする人》
・受贈者

相続時精算課税方式で申告書を作成する場合には、暦年課税方式とは異なった
記載や提出書類が必要になります。

相続時精算課税の申告には2通りのケースがある

　相続時精算課税方式を利用し、それに対応した申告書を作成するケースとしては、2通りが考えられます。

　それは、①1年のうちに相続時精算課税方式でのみ贈与を受けた場合と、②相続時精算課税方式に加えて暦年課税方式での贈与も受けた場合です。

　後者の例としては、子が父親と母親の両方から金銭の贈与を受けた場合があります。父親からの贈与については相続時精算課税方式で申告し、母親からの贈与については暦年課税方式で申告する、という選択が考えられるでしょう。

　どちらの場合にも、申告の際には贈与税の申告書の第一表と第二表（相続時精算課税の計算明細書）を提出する必要があります。さらに、特定の贈与者（上記の例でいえば父親）との関係で、相続時精算課税を選択後、はじめて申告する際には、①相続時精算課税選択届出書、②受贈者の戸籍謄本または抄本、③受贈者の戸籍の附票の写し、④贈与者の住民票または戸籍の附票の写し、などの書類を提出しなければなりません。

　なお、贈与税の申告期間内に申告書等を提出しない場合には、暦年課税方式、つまり通常の贈与税が課されることになります。くれぐれも申告を忘れないようにしましょう。

適用を受ける特例の種類によって記載内容は異なる

　相続時精算課税には、住宅取得等資金贈与の特例などとの併用が認められています（210・212ページ参照）。

　特例を受ける場合には、特例ごとに記載すべき内容が異なってきますので、記入もれに注意してください。

● 相続時精算課税
　 方式の解説
　 212ページ参照

相続時精算課税選択届出書の作成方法

相続時精算課税選択届出書

（令和2年分以降用）

令和 ○ 年 ○ 月 ○ 日

____四谷__ 税務署長

受贈者	住所又は居所	〒162-0814 電話（ 03 - XXXX-XXXX ） 新宿区新小川町○丁目○番○号
	フリガナ	ヤマ カワ ハル コ
	氏名（生年月日）	山川春子 （大・㊙・平 ○ 年 ○ 月 ○ 日）
	特定贈与者との続柄	子

○「相続時精算課税選択届出書」は、必要な添付書類とともに申告書第一表及び第二表と一緒に提出してください。

私は、下記の特定贈与者から令和____年中に贈与を受けた財産については、相続税法第21条の9第1項の規定の適用を受けることとしましたので、下記の書類を添えて届け出ます。

記

1　特定贈与者に関する事項

相続時精算課税選択届出書に贈与者として記載される者を「特定贈与者」という。特定贈与者の「住所又は居所」「氏名」「生年月日」を記入する

住所又は居所	新宿区新小川町○丁目○番
フリガナ	ヤマ カワ タ ロウ
氏名	山川太郎
生年月日	明・大・㊙・平 ○年 ○月

2　年の途中で特定贈与者の推定相続人又は孫となった場合

贈与を受けた年の途中で特定贈与者の推定相続人となった場合には、「推定相続人となった理由」と「推定相続人となった年月日」を記入する

推定相続人又は孫となった理由	
推定相続人又は孫となった年月日	令和　　　年　　　月　　　日

（注）孫が年の途中で特定贈与者の推定相続人となった場合で、推定相続人となった時前の特定贈与者からの贈与について相続時精算課税の適用を受けるときには、記入は要しません。

3　添付書類

次の書類が必要となります。
なお、贈与を受けた日以後に作成されたものを提出してください。
（書類の添付がなされているか確認の上、□に✓印を記入してください。）

添付する書類の前の□に、✓を記入する

□　受贈者や特定贈与者の戸籍の謄本又は抄本その他の書類で、次の内容を証する書類
（1）　受贈者の氏名、生年月日
（2）　受贈者が特定贈与者の直系卑属である推定相続人又は孫であること

（※）1　租税特別措置法第70条の6の8（（個人の事業用資産についての贈与税の納税猶予及び免除））の適用を受ける特例事業受贈者が同法第70条の2の7（（相続時精算課税適用者の特例））の適用を受ける場合には、「(1)の内容を証する書類」及び「その特例事業受贈者が特定贈与者からの贈与により租税特別措置法第70条の6の8第1項に規定する特例受贈事業用資産の取得をしたことを証する書類」となります。

2　租税特別措置法第70条の7の5（（非上場株式等についての贈与税の納税猶予及び免除の特例））の適用を受ける特例経営承継受贈者が同法第70条の2の8（（相続時精算課税適用者の特例））の適用を受ける場合には、「(1)の内容を証する書類」及び「その特例経営承継受贈者が特定贈与者からの贈与により租税特別措置法第70条の7の5第1項に規定する特例対象受贈非上場株式等の取得をしたことを証する書類」となります。

（注）この届出書の提出により、特定贈与者からの贈与については、特定贈与者に相続が開始するまで相続時精算課税の適用が継続されるとともに、その贈与を受ける財産の価額は、相続税の課税価格に加算されます（この届出書による相続時精算課税の選択は撤回することができません。）。

作成税理士		電話番号	

※	税務署整理欄	届出番号	－	名簿						確認	

※欄には記入しないでください。

（資5－42－A4統一）

★用紙は税務署で入手するか、国税庁のホームページからダウンロードする

次ページへ続く

相続時精算課税方式の申告書（第一表）の作成方法

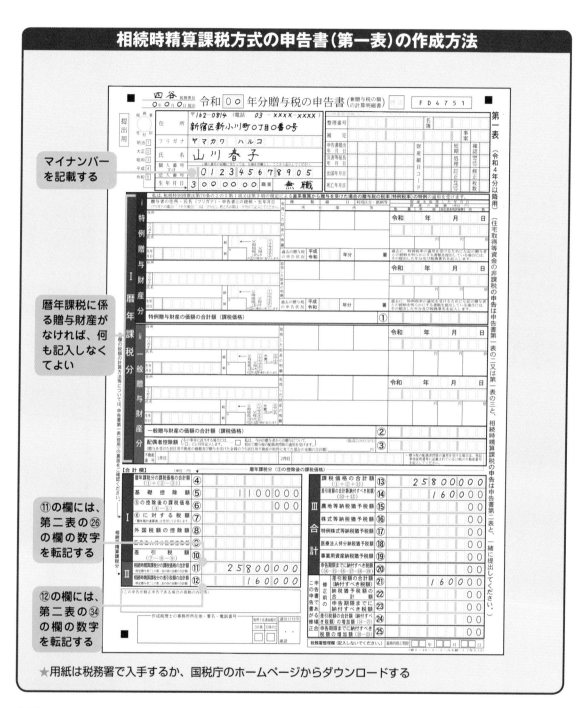

マイナンバーを記載する

暦年課税に係る贈与財産がなければ、何も記入しなくてよい

⑪の欄には、第二表の㉖の欄の数字を転記する

⑫の欄には、第二表の㉞の欄の数字を転記する

★用紙は税務署で入手するか、国税庁のホームページからダウンロードする

246

相続時精算課税方式の申告書（第二表）の作成方法

FD4737

令和 ○○ 年分贈与税の申告書 （相続時精算課税の計算明細書）

受贈者の氏名 山川 春子

第二表（令和４年分以降用）（第二表は、必要な添付書類とともに申告書第一表と一緒に提出してください。）

提出用

次の特例の適用を受ける場合には、□の中にレ印を記入してください。

☑ 私は、租税特別措置法第70条の３第１項の規定による**相続時精算課税選択の特例**の適用を受けます。

（単位：円）

特例の適用を受ける場合は、✓を記入する

特定贈与者の住所・氏名(フリガナ)・申告者との続柄・生年月日

住所
新宿区新小川町
○丁目○番○号

フリガナ ヤマカワ タロウ

氏名
山川 太郎

続柄 父1 母2 祖父3 祖母4 1〜4以外5

生年月日 3 ○○ ○○ ○○
明治1 大正2 昭和3 平成4

種類	細目	利用区分・銘柄等	財産を取得した年月日 財産の価額 数量 単価 固定資産税評価額 倍数
土地	宅地	自用地	令和 ○○年 ○○月 ○○日　25800000
	練馬区石神井台○丁目○番○号 103.20㎡ 250,000		
			令和 年 月 日
			令和 年 月 日

㉖の欄の数字を第一表の⑪の欄に転記する

相続時精算課税分の計算			
財産の価額の合計額（課税価格）	㉖	25800000
過去の年分の申告において控除した特別控除額の合計額（最高2,500万円）	㉗	0
特別控除額の残額（2,500万円−㉗）	㉘	25000000
特別控除額（㉖の金額と㉘の金額のいずれか低い金額）	㉙	25000000
翌年以降に繰り越される特別控除額（2,500万円−㉗−㉙）	㉚	0
㉙の控除後の課税価格（㉖−㉙）【1,000円未満切捨て】	㉛	800000
㉛に対する税額（㉛×20％）	㉜	160000
外国税額の控除額（外国にある財産の贈与を受けた場合で、外国の贈与税を課せられたときに記入します。）	㉝	
差引税額（㉜−㉝）	㉞	160000

㉞の欄の数字を第一表の⑫の欄に転記する

上記の特定贈与者からの贈与により取得した財産に係る過去の相続時精算課税分の贈与税の申告状況	申告した税務署名	控除を受けた年分	受贈者の住所及び氏名（「相続時精算課税選択届出書」に記載した住所・氏名と異なる場合のみに記入します。）
	署	平成 令和 年分	
	署	平成 令和 年分	
	署	平成 令和 年分	
	署	平成 令和 年分	

（注）上記の欄に記入しきれないときは、適宜の用紙に記載し提出してください。

◎ 上記に記載された特定贈与者からの贈与について初めて相続時精算課税の適用を受ける場合には、申告書第一表及び第二表と一緒に「相続時精算課税選択届出書」を必ず提出してください。なお、同じ特定贈与者から翌年以降財産の贈与を受けた場合には、「相続時精算課税選択届出書」を改めて提出する必要はありません。

＊ 税務署整理欄	整理番号		名簿		届出番号	−	
	財産細目コード			確認			

＊ 欄には記入しないでください。

（資5−10−2−1−A４統一）（令5.12）

★用紙は税務署で入手するか、国税庁のホームページからダウンロードする

節税対策❹
養子縁組をする

《時 期》
生前の
いつでも

《手続きをする人》
・被相続人
・遺産をもらう人

養子縁組は、原則として当事者の意思によって自由に行うことができます。ただし、いくつかの要件がありますので、注意しましょう。

養子縁組は市区町村役場に届け出る

養子縁組は、養子縁組届に養親と養子が署名・押印（任意）し、さらに証人2名も署名・押印（任意）して役場に届け出れば、成立します。

届出先は、市区町村役場の窓口です。本籍地や住所地以外の市区町村役場にも届け出ることができます。

成年者であれば養親になれる

養子が未成年者である場合は、その養子が自分または配偶者の直系卑属（自分の孫や配偶者の連れ子など）でなければ、家庭裁判所の許可が必要です（民法798条）。後見人が被後見人を養子にする場合も、家庭裁判所の許可を得なければなりません（同794条）。

養親となるには、20歳以上であればよく（同792条）、未婚でもかまいません。ただし、養親となる者に配偶者がいて、養子が未成年者の場合は、配偶者もともに縁組をすることが必要です（同795条）。また、養子に配偶者がいる場合は、養子は配偶者の同意を得て縁組しなければなりません（同796条）。

養子は養親より年下でなければならない

養子になるには、養親の尊属や年長者でないことが条件です（同793条）。弟や妹、いとこなどは、同世代であっても養親より年少者であれば、養子にすることができます。

なお、婚姻時に配偶者に連れ子がいる場合は、養子縁組をしない限り、法的に自分の子とはなりません。

養子と実の親族との関係は継続する

養子となっても、実の親族との関係は切れません。したがって、養子は、実親および養親の両方を相続します。現在は、このような普通養子縁組のほかに、特別養子縁組*という制度もあります。

●養子縁組の解説
216ページ参照

🔍ここに注意！
養子縁組に必要な書類（一部の市区町村）
養親、養子の戸籍謄本、届出人の本人確認書類などが必要な場合がある。

💡もっと詳しく！
特別養子縁組*
養子と実親の親族関係が終了する養子縁組。この場合は原則として、養子は6歳未満でなければならないとされていたが、令和元年6月7日「民法等の一部を改正する法律」が成立（同月14日公布、令和2年4月1日施行）し、原則として15歳未満に引き上げられた。

養子縁組を行うための要件

養子縁組は、当事者の意思によって自由に行うことができます。

養　親

- 20歳以上
- 未婚者でもよい
- 配偶者がいる場合は、未成年者を養子にするには配偶者とともに縁組する

養　子

- 養親の尊属または年長者でないこと
- 弟や妹、いとこなど、年少者であれば同世代でもよい
- 未成年者の場合は家庭裁判所の許可が必要
- 未成年者でも、自分か配偶者の直系卑属なら家庭裁判所の許可は不要

★配偶者の連れ子を自分の子とするには、婚姻時に養子縁組が必要になる

養子縁組の手続き

養親

養子

養親・養子の署名・押印（任意）

証人　　証人

2名の証人の署名・押印（任意）

役場に提出する

次ページへ続く

養子縁組許可申立書の作成方法

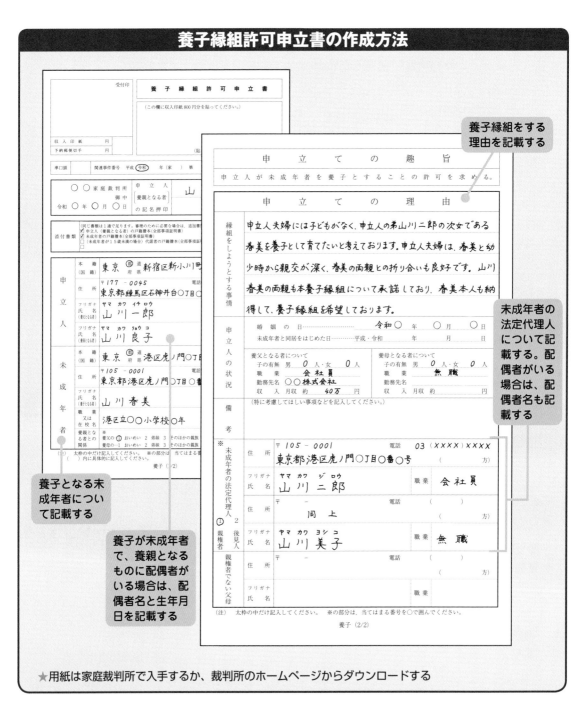

養子縁組をする
理由を記載する

未成年者の
法定代理人
について記
載する。配
偶者がいる
場合は、配
偶者名も記
載する

養子となる未
成年者につい
て記載する

養子が未成年
で、養親となる
ものに配偶者が
いる場合は、配
偶者名と生年月
日を記載する

★用紙は家庭裁判所で入手するか、裁判所のホームページからダウンロードする

養子縁組届の作成方法

養子になる人の氏名・住所・本籍・父母の氏名等を記入する

養親になる人の氏名・住所・本籍等を記入する

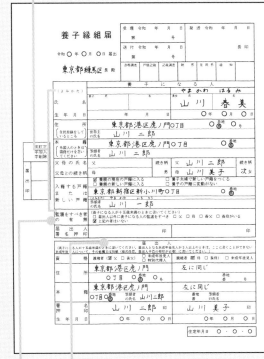

養子になる人が15歳未満の場合は、親権者などが届出人となる

届出には証人が2名必要。証人が署名・押印（任意）し、生年月日・住所等を記入する

養子になる人が15歳未満の場合は記入する

★用紙は市区町村役場にある

た

な

は

ま

や

ら

わ

●監修
河原崎　弘（かわらざき　ひろし）

弁護士。一橋大学大学院法学研究科修了。第二東京弁護士会所属。河原崎法律事務所所長。中小企業を中心に、多数の会社の法律顧問を担当している。不動産、民事再生、損害賠償請求、相続、離婚などさまざまな問題の解決にかかわるなど、多方面で活躍。ホームページ（https://www.asahi-net.or.jp/~zi3h-kwrz/）でも、法律に関する情報の提供を行っている。
編著書に『そのまま使える会社書式大全』（かんき出版）、共著に『暮らしの法律相談室』（ぎょうせい）、監修に『やられる前に身を守る　ストーカー撃退マニュアル』（明日香出版社）、『遺族のための葬儀・法要・相続・供養がわかる本』（学研）などがある。
〈河原崎法律事務所連絡先〉〒105-0001 東京都港区虎ノ門3-18-12 ステュディオ虎ノ門301　（TEL）03-3431-7161

●協力
上杉　正一（うえすぎ　まさかず）

税理士。上杉税理士事務所所長。会計事務所に勤務後、平成5年税理士登録。税務申告、企業顧問を主な仕事とする。
〈上杉税理士事務所連絡先〉〒160-0023 東京都新宿区西新宿7-10-12 KKDビル2階　（TEL）03-5386-3894

＊相続に関する個別のご質問には応じかねますので、ご了承ください。

●巻頭デザイン　佐藤琴美（エルグ）　　　　　●編集協力　knowm
●イラスト　中野サトミ　内藤しなこ　うかいえいこ　　●企画・編集　成美堂出版編集部（原田洋介・芳賀篤史）
●執筆協力　鈴木健一

本書に関する正誤等の最新情報は、下記の URL をご覧ください。
https://www.seibidoshuppan.co.jp/info/souzoku-subete2406

上記アドレスに掲載されていない箇所で、正誤についてお気づきの場合は、書名・発行日・質問事項・氏名・住所・FAX 番号を明記の上、**成美堂出版**まで**郵送**または **FAX** でお問い合わせください。

※**電話でのお問い合わせはお受けできません。**
※本書の正誤に関するご質問以外にはお答えできません。また法律相談などは行っておりません。
※ご質問の到着確認後 10 日前後で、回答を普通郵便または FAX で発送致します。
※ご質問の受付期限は、2025 年の 6 月末日到着分までと致します。ご了承ください。

相続の諸手続きと届出がすべてわかる本 '24〜'25年版
2024年8月10日発行

監　修　河原崎　弘
　　　　（かわらざき　ひろし）

発行者　深見公子

発行所　成美堂出版
　　　　〒162-8445　東京都新宿区新小川町1-7
　　　　電話(03)5206-8151 FAX(03)5206-8159

印　刷　大盛印刷株式会社